D0233785

DANS LE LIT DES ROIS

JULIETTE BENZONI

DANS LE LIT DES ROIS

Nuits de noces

PLON

ISBN 2-266-01398-X

A mes enfants,
Anne et Jean-François.

AU COMMENCEMENT ÉTAIENT LES DIEUX...

LA NUIT DE BABYLONE

Les rayons brûlants de Shamash, le dieu-soleil, s'apaisaient peu à peu sur Babylone, emportant avec eux la trop grande chaleur du jour. Mais la capitale de Nabuchodonosor restait folle, depuis douze jours, et sa folie allait atteindre, cette nuit, son paroxysme car on était au dernier jour des grandes fêtes de l'année nouvelle que l'on célébrait chaque printemps au mois de Nisan.

Les héros de ces fêtes, les plus importantes de l'année étaient Marduk, dieu de la prospérité, de la fertilité et maître des dieux, et Ishtar, déesse de l'Amour, fille de Sin, le dieu-lune et sœur de Shamash. Et tout à l'heure, quand la nuit serait close, Marduk posséderait Ishtar dans la chambre-chapelle dorée qui couronnait les sept étages multicolores de l'Entemenanki, la plus grande ziqqourat de Babylone, celle du temple de Marduk, l'Esagil.

Sous les rayons déclinants du soleil, les couleurs qui teignaient chacun des étages de la tour s'exaltaient et se mettaient mutuellement en valeur. Le blanc d'Ishtar supportait le noir ébène d'Adar qui portait lui-même le pourpre profond de Marduk. Puis, se rétrécissant toujours sur l'étage inférieur, venaient le bleu céleste de Nebu, le flamboiement orangé de Nergal, la douceur argentée de Sin pour aboutir à l'or fulgurant de Shamash.

Rien n'était plus beau, pour un cœur babylonien que l'Entemenanki dont la splendeur se dressait entre l'immense quadrilatère du temple et le palais du roi paré de la masse verdoyante de ses Jardins Suspendus, merveille du monde antique. La voie des Processions et l'Euphrate bordaient, de part et d'autre, les trois édifices qui tenaient toute la largeur de la ville, de la porte d'Urash à celle d'Ishtar, et qui depuis douze jours étaient le théâtre d'incessantes et fastueuses cérémonies car tous les dieux particuliers des villes et des villages de l'empire d'Entre les Fleuves venaient rendre hommage à Marduk « créateur, destructeur, plein de compassion et de pitié et, dans ses ordres, plein de bienveillance à l'égard des dieux.. »

Ils venaient parfois de fort loin, de trop loin même pour ceux dont les épaules charriaient les pesantes statues sous l'implacable soleil quand le transport par voie fluviale ou par canaux était impossible. Mais le sort de ces esclaves-là n'attirait pas plus la pitié que celui des captifs qui, enfouis sous les trois étages des fabuleux Jardins Suspendus, dans une obscurité gluante et boueuse, actionnaient incessamment les immenses norias chargées de hisser les eaux du fleuve jusqu'aux luxuriantes merveilles dues au caprice d'une reine légendaire...

Tant que durait la fête, les tympanons et les flûtes, les tambours et les cithares, les cymbales et les sistres escortaient les cortèges sacrés depuis le fleuve ou depuis les portes de la ville, rythmant les danses des prêtres et des courtisanes sacrées qui se succédaient au parvis de l'Esagil comme autant d'entrées de ballets. La marée des robes blanches, jaunes ou rouges, enrichies des fameuses broderies babyloniennes dont le secret s'est perdu envahissait les rues, les cours et la grande voie des Processions. Les bijoux d'or et d'argent brillaient, moins toutefois que les cuirasses astiquées des soldats aux robes pourpres, aux barbes noires bouclées plus serrées que de l'astrakan. La cité enfiévrée regorgeait de couleurs, étouffait sous les parfums et les odeurs des cuisines de plein vent. Cette dernière nuit, elle se saoulerait d'amour... et de vin de dattes.

A mesure que la lumière déclinait, les regards se

tournaient irrésistiblement vers le sommet de l'Entemenanki. Là-haut, dans l'ultime chapelle accrochée sur le ciel comme un joyau d'or, une vierge attendait entre un grand lit d'ivoire garni de coussins de soie et une table d'or pur qui étaient les seuls meubles de la chambre divine.

Elle était arrivée quand le soleil avait commencé sa descente vers l'horizon, portée comme la statue même d'Ishtar sur les épaules d'un groupe chatoyant de prêtresses de l'Amour mais personne n'avait pu contempler sa beauté réservée au dieu car un amoncellement de voiles l'enveloppaient de telle manière qu'il était impossible de rien distinguer d'elle.

La chaise à porteuses l'avait déposée au pied de la ziqqurat, devant l'escalier qui escaladait le premier étage, celui qui était blanc. Elle l'avait monté seule, lentement et, sur la dernière marche, elle avait abandonné son premier voile, blanc lui aussi. Puis, elle avait gagné l'escalier noir d'Adar et, sur la dernière marche, elle avait abandonné son voile noir pour apparaître drapée de pourpre. La pourpre était tombée de ses épaules en atteignant la base du quatrième étage, celui qui était bleu comme le ciel d'été et le voile bleu avait couvert l'entrée de la terrasse où s'élevait Nergal l'orangé. Puis était venu le tour de ce cinquième voile. La fiancée du dieu était déjà haut, dans le ciel, mince silhouette argentée puis dorée quand, enfin, elle avait mis le pied sur la dernière terrasse où l'attendaient les prêtres pour la conduire à la chambre nuptiale au seuil de laquelle elle avait laissé tomber son dernier voile pour entrer nue et attendre, déjà offerte, celui qui allait venir.

Cette femme – cette jeune fille plutôt – avait été choisie parmi des centaines de postulantes pour sa beauté et rien que pour sa beauté qui devait être sans défaut. Elle pouvait être aussi bien fille de noble lignage qu'une captive ou même une esclave. L'étreinte du dieu l'arracherait à jamais à sa condition mais ce serait l'unique possession qu'elle connaîtrait jamais car, la nuit achevée, l'élue ne rejoindrait pas les servantes d'Ishtar vouées à la prostitution sacrée, mais la cohorte des prêtresses de Marduk, vouées à cet unique maître, donc à la chasteté perpétuelle. Du moins officiellement.

En effet, le dieu n'ayant que fort peu de chances de se manifester en personne, c'était son grand-prêtre qui l'incarnait à moins qu'il ne soit trop âgé ou hors de forme, ce qui eût été une catastrophe pour les récoltes à venir. C'était alors le roi lui-même qui se dévouait avec certainement une grande bonne volonté.

Si sa compagne d'une nuit savait le captiver, il n'avait guère de peine à la faire passer du temple aux appartements féminins de son palais et si le grand-prêtre ayant officié lui-même tombait amoureux, il pouvait facilement retrouver, dans l'énorme dédale de l'Esagil, celle qui lui avait fait si forte impression. Quand l'enfant paraissait, ce qui était fréquent et considéré comme le signe indubitable de la bienveillance de Marduk, il se trouvait tout naturellement destiné au service du dieu son père...

Quoi qu'il en soit, lorsque celui-ci pénétrait dans la chambre d'or, la vierge devait se prosterner devant lui en récitant le poème d'amour rituel venu de l'antique Sumer

Tu m'as captivée, laisse-moi demeurer tremblante [devant toi
Époux, je veux être conduite par toi vers la couche
Époux, laisse-moi te caresser
Ma caresse amoureuse
Ma caresse amoureuse est plus suave que le miel...

Ce qui devait s'accomplir s'accomplissait. Il aurait fallu être de bois ou de granit pour résister à pareille invite prononcée par une fille ravissante et uniquement vêtue de sa chevelure. En cette matière les prêtres de Marduk jugeaient sage de ne prendre aucun risque et le résultat était certain. D'autant que la belle, bien éduquée, joignait le geste à la parole et s'empressait de démontrer que ses caresses étaient, en effet, beaucoup plus douces et surtout plus savantes que le miel.

Néanmoins, avant de succomber au vertige, le dieu devait épier le ciel où bleuissait la nuit car, selon la tradition, Marduk ne pouvait posséder sa compagne qu'à l'instant précis où paraissait l'étoile d'Ishtar. Alors seulement le grand lit d'ivoire devenait autel et le corps intact s'ouvrait pour l'amant divin.

Mais le couple n'était pas seul. Quelqu'un d'autre était là. Un prêtre de Marduk – le Veilleur Sacré – se tenait debout au bord de la terrasse près de l'entrée de la chambre. Son devoir était d'annoncer au peuple que tout s'accomplissait pour la réalisation de ses vœux et de son plus grand espoir.

En bas, des milliers de regards étaient braqués sur sa silhouette blanche, érigée sur le ciel, si petite à cette hauteur, et ne la quittaient pas jusqu'à ce que par sept fois le veilleur eût dressé ses deux bras vers les étoiles. Une immense clameur éclatait alors et Babylone, assurée d'avoir obtenu des dieux la fertilité de ses terres et de ses ventres pour une nouvelle année, s'engloutissait tout entière dans une frénétique orgie d'amour qui durait jusqu'à la première lueur grise de l'aube... pour ceux, tout au moins, qui possédaient assez d'énergie pour ne pas s'endormir avant.

Ainsi Babylone considérait la femme et, singulièrement, la vierge comme la compagne désignée du dieu. Il semblerait, d'ailleurs, que la notion de virginité n'ait pas été très précisément délimitée avant l'époque sumérienne où les connaissances anatomiques étaient encore dans l'enfance. Était réputée vierge celle qu'aucun homme n'avait encore approchée, celle qui était neuve et, tout naturellement, l'idée de virginité se confondait avec celle de puberté. Était réputée neuve celle dont les seins commençaient à pousser et le corps à prendre ses courbes féminines...

De là vint la coutume, longtemps conservée même en

Occident et surtout dans les familles royales, de marier les filles à peine pubères. Une manière comme une autre de prendre ses précautions contre d'éventuelles et désagréables surprises qui ne troublaient guère les hommes des antiques civilisations car il était fréquent parmi les peuples qui entouraient la Méditerranée d'offrir aux dieux la virginité des filles que l'on menait au temple pour y être déflorées rituellement par les prêtres, revêtus de la puissance du dieu. Hommage, sans doute, mais aussi précaution car le mystère du corps féminin encore scellé n'était pas sans inspirer quelque inquiétude. Nul ne pouvait dire quel danger, quel maléfice, quel démon pouvait se cacher dans l'obscurité moite des flancs d'une vierge. En s'en remettant à un dieu, il n'y avait plus rien à craindre : le hiérodule prenait le danger pour lui, traçait le chemin dans lequel, ensuite, l'époux éventuel pouvait s'engager en toute tranquillité.

On retrouve, chez les Hébreux, dans les Proverbes, la trace de cette vieille crainte de l'homme en face du mystère féminin :

Il y a trois choses qui me dépassent
Quatre que je ne connais pas :
Le chemin que suit l'aigle dans le ciel
Le chemin que suit le serpent sur le rocher
Le chemin que suit le navire au cœur de la mer
Le chemin que suit l'homme dans la jeune femme...

Depuis Ève par qui toute joie et toute souffrance étaient venues à l'homme, cet innocent qui s'était laissé conduire si joyeusement au péché, la femme avait acquit des droits imprescriptibles à la suspicion et à la méfiance masculines. De là l'enthousiasme avec lequel les Anciens menaient leurs filles à la couche d'un dieu ou de son représentant. De là aussi le plus ancien principe du fameux « droit du seigneur » mis en pratique lorsque le christianisme ayant fait son apparition, les vieux dieux avaient déclaré forfait.

Le seigneur devenu tel parce que brave entre les braves (ou malin entre les malins) avait pris la place de la divinité défaillante. Les choses, bien sûr, avaient quelque peu changé dans la suite des jours et des nuits; la corvée sacrée des premiers temps s'était muée très rapidement en fort agréable privilège appliqué exclusivement aux seules jolies filles et les épouseurs avaient depuis longtemps cessé de souhaiter voir plus courageux qu'eux leur ouvrir la mystérieuse porte derrière laquelle attendait le temple de la fécondation.

Mais revenons vers les dieux au temps où leur puissance s'étendait sur les quatre horizons. Splendide était donc la nuit que Babylone amoureuse offrait à son dieu. Beaucoup plus austère était celle que la sévère Assyrie offrait, à Kalah puis à Ninive, à son dieu Nabn, le troisième jour du mois d'Igyar. Là, pas d'orgie générale, pas de vierge divine offerte nue au désir de Nabn. Il n'en aurait eu que faire car aucun humain n'étant digne de l'incarner, fût-il roi, c'était sa statue d'or et d'émail qui pénétrait dans la chambre à mi-chemin du ciel où attendait une prêtresse.

« Ce jour-là, on consacrait son lit dans la cité et le dieu pénétrait dans sa chambre; il retournait à sa place le jour suivant... » mais, entre-temps, il n'avait vraiment pas fait grand-chose.

Après la consécration du lit et la présentation des offrandes rituelles, la prêtresse prenait un brin de roseau, le trempait dans l'huile parfumée et en purifiait les pieds de l'image divine. Puis, par trois fois, elle s'approchait du lit qu'elle parfumait et saluait avant de revenir baiser les pieds de la statue. Cela fait, elle allait tout bêtement s'asseoir à côté pour un petit moment.

Au bout de ce laps de temps, les prêtres revenaient. Ils consacraient des bois aromatiques, les faisaient brûler et, avec les cendres, offraient des libations. Ensuite, venait le banquet nuptial : on préparait de longues tables somptueusement servies pour tous les dieux farouches du panthéon assyrien mais seules les effigies d'or ou d'argent y prenaient place, que l'on servait avec respect et révérence. Enfin, cette nuit « échevelée » s'achevait par une prière générale pour le roi afin que les dieux acceptent de bénir ses armes toujours plus ou moins prêtes à servir.

Au lever du soleil, on ramenait le pauvre Nabn chez lui en procession. On l'installait dans un chariot, à côté du conducteur et on l'emmenait faire un petit tour jusqu'à certain bois sacré où il recevait l'hommage d'autres prêtres barbus, accueillait des sacrifices mais ne rencontrait pas la moindre bacchante aux appas tentateurs disposée à batifoler un moment avec lui. Après quoi on le réintégrait pour un an dans son temple obscur où il n'avait d'autres distractions que les psalmodies des prêtres, les fumées de l'encens, des sacrifices et du sang des bêtes égorgées alternant avec quelques bains de pieds huileux. Avec aussi, dans les jours fastes, le massacre rituel de quelques prisonniers de guerre ou de quelques esclaves lorsque l'ennemi manquait de bonne volonté...

On a les dieux que l'on mérite. Nabn n'était pas un dieu gai. En 612 avant Jésus-Christ l'Empire assyrien, rapace et essentiellement guerrier s'effondrait sous les coups des Mèdes et des Babyloniens laissant pour traces principales les gigantesques taureaux androcéphales ailés et les bas-reliefs au style officiel du palais de Sargon à Khorsabad... et aussi le bûcher hautement fantaisiste de Sardanapale dû au pinceau romantique et génial mais assez peu documenté d'Eugène Delacroix. Cependant que s'éternisait, de siècle en siècle, dans la mémoire des hommes le souvenir des Jardins de Babylone, du rêve de Sémiramis et de cette étonnante « culture aux ailes de briques » née à l'aurore du monde avec Sumer et qui avait ébloui les siècles, asservi des peuples et enfanté les nombres et la science du Ciel avant de se perdre, sous la main même de Dieu, dans les sables du désert...

LE HAREM MÉRIDIONAL D'AMON...

Ainsi Ipet-ressout-Imen, Thèbes aux Cent Portes, appelait-elle le nouveau temple de Louqsor que le pharaon Aménophis III venait d'élever sur la rive orientale du Nil, à la prière de Teje, sa Grande Épouse royale et sa bien-aimée, pour y célébrer chaque année les noces d'Amon-Râ avec la terre d'Égypte que sa semence divine devait féconder pour la plus grande richesse et le plus grand bonheur de tout un peuple.

Grand bâtisseur, Aménophis III n'en était pas à un temple près. Sur l'autre rive du fleuve, celle des morts car elle était celle où le soleil se couche, il avait construit un palais gigantesque, dont il ne reste malheureusement que les fameux Colosses de Memnon, pour y vivre et y régner sous la protection de l'Éternité. De même, sur la berge de la vie et du soleil levant, il avait agrandi, embelli, magnifié le grand temple de Karnak, temple principal d'Amon dont le nouveau sanctuaire ne pouvait être qu'une dépendance.

Comme Karnak, l'Ipet-ressout-Imen était dédié non seulement à Amon mais aussi à son épouse, Mout, et à leur fils Khonsou. Le maître des dieux y était représenté sous forme humaine, coiffé de deux grandes plumes et pourvu des avantages du dieu Min, c'est-à-dire le sexe érigé symbolisant sa puissance de fécondation. Mout, corps de femme à tête de vautour, y portait la double couronne de la Haute et de la Basse-Égypte. Quant à Khonsou, il y était révéré sous sa forme habituelle : gainé dans un suaire et coiffé du disque lunaire.

Au jour prescrit qui était toujours fixé à la même date dans le mois de Paochi, la statue d'Amon quittait, sur les épaules d'une centaine de porteurs, le naos du grand temple et descendait jusqu'au Nil pour y prendre place dans la nef sacrée peinte de vives couleurs et dorée. Derrière lui venaient Mout, puis Khonsou, puis Pharaon lui-même. Chacun des membres de la famille sacrée était déposé dans une barque presque aussi magnifique que celle d'Amon. Le trône d'or de Pharaon occupait la poupe de la dernière.

Les quatre barques divines remontaient alors le Nil jusqu'au nouveau temple dont le sol surélevé était à l'abri des plus grandes crues. Là les dieux abandonnaient leurs véritables embarcations pour des navires symboliques, faits de bois doré et munis de brancards auxquels s'attelaient les plus vigoureux des prêtres.

Dans cet équipage, au son des tambours sacrés et des chants religieux, Amon, Mout, Khonsou et Pharaon étaient conduits jusqu'au plus secret du temple dont les portes de cèdre incrustées d'or se refermaient sur eux pour dix jours tandis que les barques-chaises à porteurs étaient garées chacune dans une chapelle particulière.

Comme dans la chambre dorée de l'Entemenanki, une femme attendait là. Elle avait dormi dans le temple la nuit précédente et devait accueillir, dans son corps, Pharaon, fils préféré d'Amon-Râ et son remplaçant pour ces noces divines. Une femme dont on disait qu'elle n'avait eu et n'aurait de commerce avec aucun autre homme. Et le peuple rêvait sur le sort de cette créature, qui ne pouvait être qu'idéalement belle et qui, après dix nuits d'amour avec le dieu, ne vivrait plus que de ses souvenirs.

En fait, le rôle de l'épouse divine était tenu la plupart du temps par la reine d'Égypte elle-même ou par l'une des nombreuses épouses qui peuplaient l'imposant harem du Pharaon car il arrivait que la Grande Épouse royale fût enceinte au moment de la fête ou que Pharaon souhaitât une autre compagne. On évalue à environ trois cent vingt femmes les effectifs du harem d'un pharaon normalement constitué. Ainsi, il arrivait que la « vierge » du temple fût l'une de ces princesses étrangères que leurs pères, les rois vaincus, envoyaient en Égypte pour y devenir les épouses du Pharaon, telle cette princesse Tadukhipa, fille du roi Tushratta de Mittani qui fut offerte à Aménophis IV (et connut les dix nuits d'amour de Louqsor) et que certains historiens ont assimilée à Néfertiti « la Belle que voilà... [1] »

Une fois refermées les portes du temple sur le couple divin, un cérémonial secret commençait, infiniment plus compliqué et plus étrange que celui, simple et naturel somme toute, qui était pratiqué sur les ziqqourats mésopotamiennes. Pharaon et son épouse ne tombaient pas dans les bras l'un de l'autre pour dix nuits et dix jours sans autre forme de procès. Le rituel voulait que l'assimilation des rois aux dieux fût complète. Amon déposait sa divinité pour devenir chair en s'emparant du corps du Pharaon et celui-ci, dès l'instant qu'il devenait Amon, devait revêtir le costume et les attributs du dieu : la coiffure à longues plumes, la croix ansée, symbole de la vie, et le sceptre à tête de chacal. Autour de lui prêtres et prêtresses couvraient leurs visages de masques représentant les diverses divinités animales qui devaient escorter Amon jusqu'à la couche royale et bientôt une étrange procession d'hommes à têtes de chacal, de crocodile, de faucon, d'ibis, de femmes à têtes de vaches ou de grenouilles se formait autour du dieu et l'escortait jusqu'à la chambre de la reine pour la consommation du mariage mystique et charnel selon le texte de la loi sacrée.

« Ainsi parla Amon-Râ, roi des dieux, seigneur de Karnak, souverain maître de Thèbes, quand il prit la forme de ce mâle (ici le nom du pharaon en exercice) roi de

1. Qui était l'épouse d'Aménophis IV (Akhenaton).

la Haute et de la Basse-Égypte, dispensateur de la vie. Il vint trouver la reine pendant qu'elle reposait dans la splendeur de son palais. Le parfum suave du dieu l'éveilla et la ravit. Aussitôt Sa Majesté s'approcha d'elle, s'empara d'elle, fit entrer son cœur en elle et lui révéla sa forme divine. La beauté du dieu à son approche jeta la reine dans le ravissement. Son amour se répandit dans tous ses membres, l'odeur et l'haleine du dieu étaient chargées des parfums de Pount... »

La reine, ainsi honorée, se devait de se montrer convenablement reconnaissante : « Que ta puissance soit deux fois grande! Sublime à contempler est ton visage lorsque tu me fais la grâce de t'unir à moi. Ta rosée imprègne tous mes membres... »

Et, généralement, la fête de la fertilité et les noces divines débouchaient sur la naissance d'un enfant royal, fils ou fille de dieu sans qu'il vînt à l'idée de personne de mettre en doute une si auguste paternité...

Pendant dix jours, les prêtres faisaient des affaires d'or car les Égyptiens du haut ou du bas pays accouraient en foule, chargés de présents comme il convient d'offrir lorsque l'on est invité à des noces. Les pauvres apportaient des fruits, des fleurs, des animaux. Les riches de l'or, de l'ivoire, de l'ébène du pays de Kush, des parfums et de l'encens du pays de Pount et, venus de la plus lointaine Asie, des épices, des bois précieux et des pierres rares.

Le temps de la lune de miel royale achevé, Amon-Râ abandonnait la forme terrestre de son hôte et repartait vers sa mystérieuse demeure céleste. Pharaon rentrait chez lui en compagnie des trois statues qu'il ramenait à Karnak mais, cette fois, par voie de terre. Seules les barques de procession étaient utilisées et, tanguant sur les épaules d'une foule de prêtres et d'esclaves nubiens gigantesques, Amon, Mout et Khonsou regagnaient le grand temple de Karnak en empruntant une large voie triomphale bordée de sphinxs à visages humains.

Ainsi se déroulait, en Égypte, la grande fête d'Opet (ou

Ipet) qui marquait à la fois le Nouvel An et le renouveau du cycle agraire car, ensuite, venait la grande crue du Nil qui, noyant les terres brûlées de soleil, faisait revivre et reverdir la glèbe noire des deux pays. Pharaon qui, durant cette longue nuit de noces, avait vaillamment œuvré pour la plus grande gloire d'Amon et la plus grande richesse de l'Égypte, s'accordait une petite retraite de deux ou trois jours dans le temple du Dieu pour y rendre grâces et reprendre haleine avant de retourner vers son harem personnel...

L'INTERMINABLE NUIT DE NOCES DE ZEUS

Il appartenait à Zeus, qui fut assurément le dieu le plus polisson et le plus inventif de tous les temps, d'établir le record absolu de la durée en matière de nuit de noces, un record qui n'est pas près d'être battu car sa nuit de noces avec Héra (plus connue sous son nom romain de Junon comme Zeus lui-même sous celui de Jupiter) ne dura pas moins de trois cents ans...

L'île de Samos – qui s'appelait alors Stéphane à cause de la luxuriante végétation de fleurs et de plantes qui la couvraient – a, de tout temps, revendiqué l'honneur d'avoir abrité la « nuit la plus longue ». Elle s'est vouée à Héra et les ruines de son superbe temple, l'Héraeion, y sont encore visibles. Mais elle n'est pas la seule car l'Argolide, vouée elle aussi à l'épouse de Zeus, émet exactement les mêmes prétentions mais en sens contraire si l'on peut dire car, pour les départager, il faut aussi départager les légendes qui racontent l'événement et, selon le lieu, le raconter de façon opposée. Selon Samos, c'est Héra qui aurait décidé de séduire son jeune frère et, selon Argos, l'initiative appartiendrait entièrement au jeune dieu tombé inopinément très amoureux de sa grande sœur.

Car Héra et Zeus, comme Déméter et Hestia, Hadès et Poséidon, avaient eu les mêmes géniteurs : Cronos (le Temps) et Rhéa (la Terre) qui constituaient un couple assez mal assorti. Leurs grands-parents étaient Ouranos (le Ciel) et Gaïa (la Mère primordiale) avec lesquels avaient commencé le conflit des générations.

En effet, chaque fois que Gaïa mettait un enfant au monde – et elle en avait fabriqué tout un assortiment qui allait des Titans à la Justice en passant par l'Océan et quelques autres personnages tout aussi hauts en couleur – Ouranos qui les détestait les renfonçait automatiquement dans le ventre de leur mère où ils ne tardaient pas à se trouver légèrement à l'étroit. Gaïa, ne se sentant pas non plus au mieux de sa forme appela les captifs à son secours, inventa l'acier, et en fabriqua une sorte de serpe, ou de faux qu'elle remit à Cronos avec mission de dissuader Ouranos la première fois qu'il entreprendrait de lui faire l'amour. Elle fut scrupuleusement obéie : caché dans le ventre maternel, Cronos guetta l'envahisseur et le mutila d'un coup de faux bien appliqué.

Douloureusement surpris, Ouranos se retira et laissa tomber dans la mer féconde un peu de sa semence dont allait naître un jour la divine Aphrodite. Mais il n'en maudit pas moins son rejeton auquel il annonça, en manière de représailles, qu'il serait lui aussi vaincu par l'un de ses enfants. Malheureusement il ne précisa pas lequel.

Aussi, chaque fois que la pauvre Rhéa donnait le jour à un fils, Cronos l'inscrivait à son menu et l'avalait tout rond au repas suivant. La malheureuse mère souffrait affreusement de cet état de choses et, quand apparut au jour le petit Zeus, elle le trouva si beau qu'elle décida de « se le garder ». Pour le sauver de la voracité de son père, elle se mit à la recherche d'une grosse pierre ayant à peu près les dimensions de l'enfant nouveau-né, l'emmaillota selon les règles et, avec la mine de circonstance qui convenait, alla présenter le tout à son époux qui se contenta d'ouvrir un large four et d'engloutir le faux nourrisson avec l'espèce d'indifférence qu'il y mettait habituellement. Outre que ses goûts gastronomiques devaient être assez nuls, Cronos ne prenait pas un plaisir particulier à absorber ses propres enfants. Simplement ils lui semblaient mieux à l'abri des tentations malsaines dans son estomac qu'à la lumière du soleil.

Pendant qu'il digérait, Rhéa mettait Zeus en sûreté dans l'île de Crète où elle était chez elle et où sévissait une tribu particulièrement bruyante et agitée de prêtres guerriers, les Courètes, gens primitifs et volontiers agressifs qui passaient leur temps en interminables danses guerrières avec éclats de cymbales, fracas d'armes entrechoquées et hurlements de circonstance. Cela entretenait dans l'île un assez joli vacarme d'un agrément incertain mais tout à fait propre à couvrir les vagissements d'un nouveau-né divin et à les empêcher de rejoindre les oreilles susceptibles de Cronos.

Doué du bienheureux sommeil de l'enfance, Zeus se trouvait bien dans l'île de Crète. Il y grandit, nourri d'abord du lait de la bonne chèvre Amalthée puis, plus tard, de ses fromages et de toutes les succulences échappées chaque jour de sa corne coupée, bien connue sous le nom de corne d'abondance. De leur côté, les Courètes, entre deux ballets-tintamarres, lui enseignèrent l'art de la guerre et l'endurance au combat. Tant et si bien que, devenu Zeus-Couros, le jeune dieu se trouva bientôt apte à régler ses comptes avec son père.

Il s'arma de la foudre et, en guise de cuirasse revêtit l'Égide (ou peau de chèvre) que sa nourrice lui avait laissée avant de prendre sa retraite dans le ciel sous forme d'une constellation : le Capricorne. Puis il se mit à la recherche de Cronos. Mais, se trouvant un peu seul pour attaquer le vieux sacripant, il usa de ruse et lui fit avaler un vomitif.

Affreusement malade, ce qui n'alla pas sans quelques convulsions sur terre et sur mer, Cronos restitua intacts tous les enfants qu'il avait si goulûment avalés depuis leur naissance et qui, dans son vaste estomac avaient assez bien profité. Cette réapparition dota Zeus de deux compagnons de combat non négligeables : ses deux frères Hadès (ou Pluton) et Poséidon (ou Neptune).

Mais il vit aussi Héra et la trouva belle...

Mais Héra vit Zeus et le trouva beau...

Lequel vit l'autre le premier, lequel s'extasia le premier sur la beauté de l'autre, c'est là que les thèses diffèrent et que nous retrouvons face à face les gens de Samos et ceux d'Argos. Sans compter d'ailleurs les Crétois qui pensaient avoir, eux aussi, leur mot à dire sur la question...

Ils prétendaient, en effet, qu'Héra, soustraite elle aussi par sa mère à l'appétit de Cronos, avait été élevée dans l'île d'Eubée au milieu des vaches – dont elle avait gardé par mimétisme ce beau « regard de génisse » qui séduisait tant Homère – comme Zeus au milieu de ses Courètes, et qu'ayant ouï vanter la beauté de son jeune frère, elle serait allée le retrouver secrètement dans sa bergerie où elle lui aurait inculqué, à sa grande satisfaction, les charmants principes de l'amour.

Les gens de Samos défendaient une version à peu près similaire : Héra décidée à séduire Zeus et doutant peut-être de ses charmes, aurait emprunté à Aphrodite sa ceinture qui était le premier aphrodisiaque connu et, ainsi parée se serait mise à la recherche du jeune dieu et l'aurait entraîné à sa suite parmi les fleurs de l'île où, dans une grotte tapissée de jasmins, sur une couche de lys embaumés ils se seraient aimés passionnément, interminablement.

Pour Argos, c'est tout le contraire. A peine sortie des entrailles paternelles, Héra qui était alors une vierge au doux visage aurait choisi l'Argolide pour y vivre chastement sous la protection d'une vieille femme, Macris, qualifiée de « nourrice » mais dont le rôle nourricier devait s'apparenter davantage à celui de cuisinière gouvernante-porte-respect. La céleste créature et son mentor se seraient installées sur une montagne à laquelle on a donné le nom de Montagne du Coucou. Voici pourquoi :

Par un jour d'hiver particulièrement froid, Héra était allée prendre un peu d'exercice dans la campagne quand, grelottant et transi, un petit coucou vint se percher sur son épaule. Apitoyée, la jeune fille le prit dans ses mains et le mit sous sa robe pour le réchauffer. C'était tout juste ce qu'il voulait car le coucou n'était autre que Zeus qui inaugurait là son goût bien connu pour les métamorphoses amoureuses. Parvenu dans ce doux nid qui lui parut un lieu de délices à explorer longuement, il reprit sa forme habituelle – Coucou! Le voilà! – et prétendit rester où il était en tant que Zeus – et même pousser un peu plus loin. Indignée, la jeune vierge invoqua sa mère Rhéa et fit savoir qu'elle n'entendait s'abandonner que contre une promesse de mariage en bonne et due forme.

Zeus s'exécuta aussitôt :

« Oh! Héra! lui dit-il. Je veux que tu sois ma légitime épouse. Suis-moi, déesse aux larges yeux et je ferai que tu règnes à ma droite, assise dans l'Olympe sur un trône éclatant... »

Héra n'en demandait pas davantage et Zeus, pour célébrer leur union la transporta sur le sommet boisé de la montagne. La terre leur offrit un lit d'herbes moelleuses, les fleurs s'ouvrirent devant eux, principalement les lys qui étaient l'emblème de la jeune fille, les arbres inclinèrent leurs ramures pour les protéger et les sources répandirent une odeur d'ambroisie quand elles ne changeaient pas leurs eaux en un nectar de la meilleure année.

Durant une nuit qui, pour eux, dura trois cents ans, les jeunes dieux se prouvèrent leur amour. Après quoi, Zeus prit Héra par la main, l'emmena dans l'Olympe, la présenta aux autres dieux comme son unique et légitime épouse, l'installa sur le trône resplendissant qu'il lui avait promis... et ne s'en occupa plus guère. Une nuit de noces aussi « performante » lui paraissant un hommage suffisant, même pour les charmes d'une déesse, il s'en alla voir ailleurs si l'herbe était plus verte.

Il avait cru s'apercevoir d'une certaine mélancolie chez les déesses de sa famille et, déjà soucieux, en bon chef de tribu, du moral de tous et surtout de toutes, il s'occupa de celles qui lui semblaient par trop solitaires en leur procurant les joies de la maternité. A sa tante Thémis, il fit les Heures, à son autre tante Mnémosyne, il fit les Muses nées chacune d'une nuit d'amour. Puis il s'occupa de sa sœur Déméter, qui bientôt accoucha de Proserpine.

Tant qu'il ne s'occupa que de la famille, Héra qui de son côté avait donné le jour à deux fils d'un commerce peu agréable, Arès (ou Mars) un va-t-en-guerre prétentieux, et Héphaïstos (ou Vulcain) qui était travailleur mais handicapé et très laid, ne dit trop rien. On était entre soi. Mais quand son époux se mêla de procurer aux mortelles quelques nuits de noces originales en se présentant sous forme de cygne, de taureau, d'ours, de pluie d'or ou plus simplement d'un aimable jouvenceau ou encore d'un général thébain, les choses se gâtèrent. Héra venait d'inventer la jalousie et la scène de ménage et l'Olympe retentit de ses criailleries et des bagarres du ménage, Zeus refusant farouchement de se laisser embourgeoiser.

« Ta colère me laisse indifférent, grondait-il de sa voix de tonnerre. Quand bien même tu courrais jusqu'aux bornes extrêmes de la terre et de la mer ou dans l'insondable Tartare, je ne me préoccuperais ni de toi ni de ta colère... »

Il avait beau jeu de le prendre avec désinvolture. Lui seul était à blâmer dans cette affaire. Quand on commet l'imprudence de s'attarder à ce point auprès d'une femme, elle n'en peut tirer que des conclusions extrêmement flatteuses pour son charme et elle éprouve alors de grandes difficultés lorsqu'elle s'aperçoit que l'époux si attentif et si câlin manifeste soudain l'intention d'aller se dégourdir les jambes loin de ses regards. Zeus aurait dû savoir qu'il n'est jamais bon d'épuiser toutes les joies en une seule fois. Héra n'aurait pas dû le laisser s'empiffrer ainsi à satiété de sa charmante personne. Mais allez donc faire comprendre cela à une déesse qui s'était crue unique!

Héra ayant donc instauré les scènes conjugales, il ne restait plus à Zeus lequel, d'ailleurs, se préoccupait des états d'âme de sa compagne beaucoup plus qu'il ne voulait bien le dire, d'inaugurer, à grand renfort de nuages complices et de séances d'invisibilité, ces retours clandestins sur les chaussettes du petit matin qui allaient connaître, chez les hommes, une si longue carrière.

ALEXANDRE ET LES NOCES DE SUSE

Apparemment, à la fin du mois de novembre de l'an 357 avant Jésus-Christ, Zeus était encore très vert et n'avait pas renoncé à ses galantes expéditions auprès des belles mortelles. Cette nuit-là au palais de Pella, en Macédoine, le roi Philippe II qui avait épousé, dans la journée, la belle Olympias, fille du roi d'Épire Neoptolème, avait entrepris de faire de sa fiancée son épouse. Malheureusement il avait beaucoup bu. On buvait toujours beaucoup chez les Macédoniens où il fallait tenir la barrique pour avoir droit à la considération de ses pairs mais ce n'était pas pour déplaire à la timide fiancée qui était adonnée à la magie, au culte orgiaque de Dionysos et était initiée aux mystères orphiques, et aussi ophites car elle avait un curieux talent de charmeuse de serpents.

Quoi qu'il en soit, Philippe ne devait garder de sa nuit de noces qu'un souvenir très vague. Il ne prêta même pas attention à certain coup de tonnerre qui éclata au-dessus de la couche nuptiale et qui était la façon qu'avait Zeus de s'annoncer. C'est du moins ce qu'Olympias prétendit par la suite quand elle se retrouva enceinte : Zeus l'avait visitée durant la nuit de ses noces tandis que son époux ronflait grossièrement à ses côtés. Et quand, neuf mois plus tard elle donna le jour à un fils que l'on nomma Alexandre, elle ne cacha pas qu'elle le tenait pour le fils du maître des dieux et non de ce lamentable Philippe.

Autant dire que le ménage ne marcha guère et que Philippe regretta plus d'une fois le voyage à Samothrace où il s'était rendu pour s'initier aux mystères des Cabires, ces fils d'Héphaïstos le forgeron, qui maîtrisaient les forces telluriques, et où il avait rencontré Olympias. Il ne marcha même plus du tout le soir où, rejoignant sa femme dans le lit conjugal, Philippe la trouva en compagnie d'un serpent qu'elle présenta comme un dieu qu'il convenait de révérer.

Ce compagnon de lit ayant déplu au roi, celui-ci répudia sa dangereuse épouse, la renvoya en Épire chez son cousin Arruba qui avait succédé à Neoptolème. Elle emmena avec elle son jeune fils, que Philippe avait pourtant pris bien soin de faire instruire par Aristote, et l'y fit initier aux cultes dionysiaques. Pendant ce temps Philippe épousait une jeune Cléopâtre de quinze ans, fille d'un de ses généraux : Attale.

Cela ne lui réussit pas : Olympias le fit poignarder, se réinstalla au palais de Pella et n'eut rien de plus pressé que faire assassiner dans les bras de sa mère la petite fille que Cléopâtre venait de donner à son époux, avant de la faire elle-même étrangler.

Alexandre, lui, avait vingt ans. Il était beau comme le dieu qu'il croyait être. Ne descendait-il pas d'Achille (et de Zeus) par sa mère et d'Héraklès (et donc de Zeus!) par son père. Superbement bâti il avait de grands yeux bleu-clair, des cheveux châtains, abondants et ondulés et son élégance était sans pareille, même si un rétrécissement des muscles du cou l'obligeait à porter la tête légèrement penchée de côté.

Se croyant fils de Zeus foudroyant, il entreprit de donner le monde comme champ de course à son cheval Bucéphale, ne ménageant ni le glaive, ni la torche, ni la sueur de ses hommes. N'était-il pas né le jour même où Érostrate faisait flamber le temple de Diane à Éphèse?

« J'ai choisi, dira l'incendiaire pour se faire valoir, le jour où la déesse était absente, se trouvant au chevet d'Olympias... » Les femmes, décidément, s'apprêtent à jouer un grand rôle dans la vie du jeune conquérant mais on ne peut pas dire qu'il les traite toujours avec beaucoup d'aménité. La première à s'en apercevoir est la Pythie de Delphes qu'Alexandre, désireux de connaître son avenir et ce que pensent de lui les dieux, ses parents, traîne littéralement à son trépied sulfureux.

« Mon fils, soupire la prophétesse quelque peu chiffonnée et malmenée en remettant de l'ordre dans les plis de sa tunique, nul ne saurait te résister!...

– C'est tout ce que je voulais savoir, riposte Alexandre. Pas besoin de consulter l'oracle! »

Et il plante là Dame Pythie, un peu interloquée sur son trépied, saute à cheval et disparaît dans un nuage de poussière.

Le monde civilisé de l'époque le verra chevaucher ainsi, dans la lumière irradiée de sa cuirasse ornée d'or qui étincelle au soleil. Qui voit, un jour, passer Alexandre ne l'oubliera plus... Et les femmes moins encore que les hommes : il a tellement l'air d'un dieu!...

La Grèce ne lui suffisant pas, le voilà en Asie Mineure avec 35 000 hommes, un maigre trésor et des vivres pour un mois. Cela ne l'empêche pas, à Issos de battre à plate couture Darius, le puissant Roi des Rois dont les soldats sont innombrables et la richesse fabuleuse. Alexandre lui prend tout ce qu'il a amené avec lui, y compris sa mère et sa femme qu'il traite d'ailleurs avec révérence. Encouragé par cette urbanité, Darius lui offre l'Asie Mineure tout entière et sa fille Statira assortie d'une dot fabuleuse.

« J'accepterais si j'étais Alexandre, suggère le vieux Parménion, l'ancien lieutenant de Philippe.

– Moi aussi, répond le jeune homme... si j'étais Parménion! »

Et il continue son chemin. Statira attendra. Alexandre, pour sa part, vient de succomber au charme de Barsine, aux yeux sans pareils. Barsine est la veuve du général perse Memmon. Alexandre l'épouse de la main gauche, se gorge d'elle puis poursuit sa course vers les confins de l'univers, la laissant enceinte...

Sans désemparer il soumet la Syrie, la Phénicie et la Judée. De Gaza, qui lui a résisté sept mois, il traîne le corps du gouverneur sept fois autour des murailles. Il passe en Égypte, y fonde Alexandrie puis s'enfonce de six cents kilomètres dans le désert pour consulter l'oracle d'Amon. Terrifiés, les prêtres lui promettent tout ce qu'il veut et jurent même qu'Amon lui-même l'a adopté. Fils de Zeus en même temps que son petit-fils, le voilà à présent fils d'Amon. On n'a jamais trop de dieux dans sa famille...

Ainsi réconforté il rentre à Tyr d'où il repart, au printemps pour continuer à pourchasser Darius, le retrouve à Arbelles et le bat une fois de plus. Le voilà à Babylone où la végétation des Jardins Suspendus est devenue fabuleuse mais où l'Esagil et l'Entemenanki ne sont plus que ruines grandioses où l'on vient chercher des pierres, comme dans une vulgaire carrière. Il promet de restaurer l'ancienne splendeur et continue son chemin. L'Asie profonde l'attire et il veut conquérir le monde jusqu'à sa limite ultime, la mer Extérieure. Le voilà dans ce qui sera le Turkestan puis l'Afghanistan. C'est au bord du Syr-Daria qu'on lui amène une fille d'une grande beauté, presque une enfant. Elle se nomme Roxane et elle est la fille d'un chef.

Mais elle pourrait être n'importe quoi d'autre : elle est si belle qu'Alexandre décide d'en faire sa déesse et l'épouse. Cette nuit de noces-là se teinte aux couleurs sombres d'une orgie dionysiaque où le sang des bacchantes se mêle au vin, et le vin à celui de Roxane brutalement déflorée. Le dieu semble possédé à présent par l'esprit du mal. La folie le guette, la folie homicide si le génie du stratège est toujours présent. Il exige les marques de respect dues à un dieu et frappe quand on les lui refuse, même ses meilleurs amis, même Clitos, même Parménion. Quiconque refuse de voir en lui un dieu est condamné...

Pourtant, ces hommes qu'il traîne avec lui depuis la

Grèce ont assez de courage pour exiger que l'on arrête cette continuelle fuite en avant quand on atteint la ligne de partage des eaux de l'Indus et du Gange. Furieux, Alexandre devra se contenter d'ériger une colonne proclamant : « Ici s'est arrêté Alexandre... » Et l'on prend le chemin du retour.

Revenu à Suse à laquelle il veut restituer la splendeur des anciens Rois des Rois (il est un peu trop tard pour Persépolis qu'il a incendiée à son précédent passage), il décide que lui-même et ses hommes vont épouser la Perse afin de se l'assimiler totalement. Il a ordonné qu'on lui amène cette Statira qu'il avait si dédaigneusement refusée naguère. Miracle! Elle est encore plus belle que Barsine et Roxane réunies.

« Je l'épouse! » déclare-t-il.

Certains esprits timides essaient bien de lui expliquer qu'il est déjà marié et que la polygamie n'est guère de mise en Grèce ni d'ailleurs en Macédoine, mais il balaye l'objection. Pourquoi ne serait-elle pas désormais légale puisqu'il le veut? Il va donc épouser Statira et, afin de mieux impressionner les peuples, il décide que dix mille de ses hommes – et les chefs en premier – épouseront des filles perses en même temps. Que tous ces hommes aient déjà des épouses en Grèce est de peu d'importance. Les filles du pays sont belles, ses généraux auraient tort de se plaindre.

Et il ordonne les noces les plus folles que l'on ait jamais vues. D'ailleurs, pour faire bonne mesure il épousera lui-même non seulement Statira mais aussi sa cousine, une fille d'Artaxerxès III, le prédécesseur de Darius.

Au signal des trompettes, chacune des dix mille vierges se dirige vers l'époux qui lui est assigné. Statira, vêtue d'une robe dorée, va vers Alexandre et la plus jeune fille de Darius va vers Héphestion, l'ami de cœur d'Alexandre. Selon le rite perse Alexandre embrasse Statira et dix mille baisers claquent en même temps. Puis, après les sacrifices aux dieux – Zeus côtoyant, que cela lui convînt ou non, Ahura Mazda – c'est le gigantesque banquet.

Pour la centaine de ses proches qui convolent en même temps que lui, Alexandre a fait dresser une tente de sept cents mètres de long, une tente somptueuse, toute de soie, d'or et de tissus précieux. On y festoie puis, quand le moment est venu de consommer le mariage chaque couple se retire dans une alcôve prévue pour la circonstance avec coussins et fumées de parfums.

On veut espérer qu'à partir de cet instant la suite des opérations fut laissée à l'initiative privée et qu'Alexandre ne poussa pas le souci de la discipline jusqu'à charger quelque stentor de beugler l'ordre d'attaquer tous ensemble, et au commandement, les tendres forteresses...

On dit qu'au cours de cette nuit mémorable Alexandre envoya ses deux épouses rejoindre Héphestion après les avoir faites femmes et accueillit dans sa couche la compagne du jeune homme. On dit aussi qu'il acheva sa nuit nuptiale avec Héphestion lui-même qu'il aimait plus ardemment que les femmes honorées de ses attentions, fussent-elles belles entre toutes les belles...

La dernière nuit de noces d'Alexandre, c'est avec lui d'ailleurs qu'il la vivra.

Quelques mois après les noces de Suse, Héphestion meurt des excès de toutes sortes auxquels il s'est livré en compagnie d'Alexandre. La douleur du conquérant est aux dimensions de sa divinité.

Alexandre est alors à Babylone où il fait exécuter de gigantesques travaux, retraçant les canaux, asséchant les marais, ressuscitant le port. Il se passionne tellement pour cette résurrection qu'il contracte la malaria et il est malade quand on lui apprend que son ami vient de mourir. Alors il se déchaîne.

Le médecin qui n'a pu sauver le jeune homme est exécuté. Puis Alexandre rase sa superbe chevelure, fait couper les crinières de tous ses chevaux et les fait jeter au pied de la couche d'Héphestion où il s'étend lui-même, étreignant le cadavre de son ami en criant un terrifiant désespoir.

Dans les derniers jours du mois de mai 323, le corps du disparu est hissé sur un bûcher tellement gigantesque qu'il a fallu abattre un coin des terrasses des Jardins Suspendus et que les flammes montent plus haut que n'atteignait jadis le dernier étage de l'Entemenanki. Alexandre tremblant de fièvre et les yeux brûlants le regardera brûler jusqu'au bout avant de se jeter dans la folie d'une suite de banquets funéraires qui achèveront de le détruire. Le 13 juin à la tombée du jour Alexandre s'en va rejoindre Héphestion avec le dernier éclat du soleil...

Le dernier dieu à face humaine venait de quitter la terre.

Ceux qui, après lui, prétendraient à l'essence divine n'arriveraient jamais à dépasser le stade du simulacre...

NUIT DE NOCES AU RABAIS POUR LE DIVIN AUGUSTE

En admettant qu'il l'eût voulu, Auguste aurait eu bien du mal à faire croire qu'il était le fils d'un dieu aussi « bien de sa personne » que Jupiter, l'avatar romain de Zeus. C'était un petit homme malingre, au teint pâle et tavelé, aux cheveux mal plantés et aux vilaines dents. Craignant le soleil autant que le froid il enfonçait toujours un chapeau à larges bords sur les épis de ses cheveux et s'habillait comme un oignon, empilant sous sa toge une incroyable quantité de vêtements variés qui ôtaient toute noblesse au célèbre « drapé à l'antique ». Affligé, en outre, d'un coryza chronique il avait perpétuellement le nez rouge et humide... Non, en vérité, aucun dieu ne se fût trouvé flatté d'un rejeton pourvu d'un extérieur à ce point minable. Mais ce n'était que l'extérieur car le génie habitait cette triste enveloppe, un génie dont les éclairs se laissaient voir, parfois, dans les yeux, très grands, très brillants et d'une curieuse couleur d'acier...

Tel qu'il était et bien que, d'après les mauvaises langues, il eût vu le jour dans la famille d'un changeur (ou d'un épicier..., les mauvaises langues s'agitant toujours sur des relations fort vagues) le jeune Octave, neveu de César en réalité et adopté par lui, n'allait pas moins franchir tous les degrés d'une fabuleuse ascension : il fut consul, tribun, pontife, prince, empereur et finalement dieu et il devint tellement auguste que le nom lui était resté. Dûment divinisé par le peuple romain – il s'est d'ailleurs laissé faire une douce violence – Auguste se retrouve fils de Jupiter et il faudra bien que le maître des dieux s'en accommode.

Mais il n'en est pas encore là, s'il est déjà Auguste, quand en 39 avant Jésus-Christ il rencontre celle qui va être le grand amour de sa vie et sa seconde passion si l'on tient compte du fait que la première est la haine féroce que lui inspire son beau-frère Marc-Antoine, le guerrier, le héros, l'homme à femmes qui a su remplacer César dans les bras de Cléopâtre. Il a alors vingt-quatre ans et Livie en a dix-neuf.

Ce n'est pas n'importe qui, Livie. Sa famille, la gens Claudia est peut-être la plus noble de Rome mais comme son père s'est toujours opposé à César, Livie a vécu toute son enfance au milieu des dernières convulsions de la République. Son père, d'ailleurs, est mort dans les rangs des derniers partisans de Brutus et elle est à peine sortie de l'enfance quand on la marie à un autre Claude, Tiberius Claudius Nero, nettement plus âgé qu'elle, mais qui ne fait pas exception au reste de la famille : il est déjà l'ennemi d'Octave, ce « petit jeune homme qui doit tout à son nom ».

Cette attitude l'oblige bientôt à fuir, en compagnie de Livie qui lui a déjà donné un fils, le futur Tibère. On gagne d'abord la Campanie puis la Sicile et enfin la Grèce et Sparte.

Quand ils reviennent la trêve s'est instaurée entre Octave et Antoine qui a épousé Octavie, la sœur de son ennemi. Octave pour sa part a épousé Scribonia fille d'un chef du parti de Pompée avec qui les deux autres se sont aussi réconciliés. Qu'importe que Scribonia en soit à son troisième mari et qu'elle ait déjà deux filles, c'est une alliance intéressante et, pour le moment, Rome et ses leaders baignent dans les bons sentiments.

Cela ne dure guère. Lorsque paraît Livie avec sa blondeur et ses yeux clairs, si transparents qu'ils approchent le vide et que l'on ne sait trop sur quel abîme ils ouvrent, Auguste s'aperçoit qu'il est mal marié, que Scribonia a cessé de lui plaire. D'ailleurs il découvre tout à coup qu'elle est de mœurs douteuses, facilement adonnée à la débauche. Et la voilà répudiée avant même d'avoir eu le temps de s'apercevoir de ce qui lui arrive... et tout juste le jour où cette innocente met au monde Julie, l'unique enfant qu'elle aura de son époux momentané.

Reste à présent à épouser Livie. Livie qui est mariée, elle aussi, mère de famille et enceinte par-dessus le marché... On ne sait trop comment Auguste réussit cette espèce de miracle, ou même si c'est lui qui le réussit car les avis diffèrent sur celui qui prit l'initiative. Pour certains, Livie aurait été offerte en holocauste au maître de l'heure en dépit de la différence de naissance : la plus belle fleur de la plus grande famille patricienne livrée au monstre de naissance inférieure. Pour d'autres, dont l'empereur Claude son petit-fils, Livie aurait, d'elle-même, décidé d'épouser Auguste, héritier de César en dépit de sa naissance et de son peu d'aspect. Elle aurait, elle-même, accusé Scribonia d'adultère et aurait même poussé l'impudence jusqu'à aller trouver son époux et lui déclarer :

« Répudie-moi. Je suis enceinte de cinq mois déjà mais ce n'est pas toi le père car j'avais fait vœu de ne plus donner d'enfants à un lâche. Je tiens parole... »

Forte parole! Essentiellement romaine et, surtout, mensonge évident mais que Tiberius Claudius Nero parut avaler sans broncher. Il demanda à rencontrer le responsable et, au cours de l'entretien qu'il eut avec Auguste, il aurait déclaré :

« Si tu aimes cette femme, prends-la mais que les convenances soient respectées... »

On ne sait trop comment il l'entendait et, bien certainement, ce que les Romains appelaient « convenances » échappe en partie à notre entendement. Les choses, en tout cas, se passèrent de la façon suivante : Tibère l'Ancien répudia conformément à la loi sa belle Livie et poussa la bonté jusqu'à assister au mariage, quelques semaines plus tard et même à conduire lui-même, comme un père, devant le pontife, une rougissante fiancée dont la robe n'arrivait pas à cacher un ventre gros de six mois.

Il serait intéressant de savoir quel fut, en la circonstance, le cérémonial suivi. La coutume voulait que la fiancée, vêtue d'une tunique sans coutures serrée par une ceinture de laine et recouverte d'un manteau jaune safran, portant sur la tête un voile couleur de feu sous une couronne de fleurs champêtres, attendît dans sa maison tendue de tapisseries et abondamment ornée de verdure, le fiancé et sa famille. Un sacrifice était alors offert en présence de dix témoins le plus souvent dans l'atrium magnifiquement décoré et éclairé. Ensuite venait l'échange des consentements : *« Ubi tu Gaius, ego Gaïa... »*, après quoi le nouveau couple recevait les félicitations des parents et des amis avant de passer à table pour l'un de ces banquets monstres dans lesquels les Romains étaient passés maîtres et dont, d'ailleurs, Auguste tenta de modérer le luxe.

Enfin, le moment venu, l'épousée était conduite à la maison de son époux au milieu d'un joyeux cortège avec joueurs de flûte et porte-flambeaux dont l'un, le « pronubus » brandissait la torche nuptiale à la lumière de laquelle deux autres garçons devaient soulever la mariée pour lui faire franchir le seuil de sa nouvelle demeure où sa première fille d'honneur la menait enfin à la chambre nuptiale...

Tout cela, bien sûr, était charmant lorsqu'il s'agissait d'une jeune et timide vierge mais ne devait pas manquer d'un certain sel comique en se déroulant autour d'une femme enceinte.

Il est bien certain que le collège des pontifes aurait pu émettre quelques objections mais l'ex-époux de Livie était lui-même pontife, Auguste l'était également. Quant au *Pontifex Maximus,* il n'était autre que Lépide qui se serait bien gardé de contrarier Auguste en quoi que ce fût... D'une façon ou d'une autre, le mariage eut lieu et, trois mois plus tard, Livie mettait au monde Drusus. Ce qui fit dire aux méchantes langues qu'Auguste était véritablement divin puisqu'il était capable de faire un enfant en trois mois...

C'est là que se place un mystère : Livie ayant déjà mis deux enfants au monde n'avait plus à faire la preuve de sa fécondité. Auguste non plus car, sans parler de sa fille Julie, il passait pour avoir au moins quatre enfants naturels. Or, ce mariage-là demeura stérile : jamais Auguste et Livie n'eurent d'enfants ensemble.

Certains ont avancé, discrètement, une explication de ce curieux état de fait : jamais le mariage n'aurait été consommé, même après que Livie se fut délivrée d'un fardeau qui avait dû inciter les nouveaux époux à une parfaite sagesse durant la nuit de leurs noces. Et cela pour une raison que nos psychanalystes actuels expliqueraient sans doute aisément par une inhibition. Très pieux, craignant ces dieux dont on tenait tellement à ce qu'il descende, Auguste, pontife par-dessus le marché et se trouvant donc mieux placé que quiconque pour savoir que son mariage constituait une grave impiété, aurait été totalement incapable de le consommer en dépit de l'amour ardent que lui inspirait Livie.

Évidemment il semble difficile de croire à une inhibition résistant à cinquante années de vie commune, même en tenant compte du relais pris par l'âge et les déficiences de la santé mais à l'appui de cette thèse s'inscrivent les prédictions de la Sibylle de Cumes qu'Auguste lui-même avait recueillies et consignées par écrit. Voici le texte qui le concernait :

« Le second César sera le fils de celui-là (entendez Jules César) sans l'être. Il a des cheveux en toison. Il donne à Rome du marbre au lieu d'argile, des fers étroits et invisibles. Il mourra de la main de sa femme qui n'est pas sa femme pour le profit de son fils qui n'est pas son fils. » C'est en effet, Tibère, fils de Livie qui lui succédera.

Livie, d'ailleurs, n'aima jamais Auguste et il est possible

que son impuissance envers elle, si impuissance il y avait, l'eût arrangée. Elle ne cessa, sans trop prendre la peine de s'en cacher, de regretter le temps heureux de son premier mariage mais s'en consola aisément avec l'usage du pouvoir illimité qu'elle possédait sur l'Empereur.

Pour sa part, Auguste aima Livie jusqu'au dernier jour, au point d'exiger pour elle les honneurs de la divinisation et si – la chose est certaine – il ne lui fut pas fidèle selon la chair, son cœur toujours lui demeura attaché peut-être comme l'homme s'attache à certaines choses désirées qu'il ne peut atteindre réellement.

Quant à l'Empire romain, ignorant les misères psychologiques ou physiques de son maître, il connut, avec le Siècle d'Auguste, le plus grand éclat, la plus grande puissance et surtout une paix profonde que rien ne vint troubler de l'instant où, après le double suicide d'Antoine et de Cléopâtre, leur vainqueur, au jour de son triomphe, referma solennellement les portes de bronze du temple de Janus, les portes redoutées de la guerre. Elles n'allaient plus s'ouvrir avant deux cents ans...

LA NUIT D'UN CHRIST SUR LA TERRE : LE BASILEUS SE MARIE

Entre le règne de Constantin le Grand et le drame de 1453 qui vit s'écrouler l'Empire byzantin et le Croissant remplacer la Croix, le voyageur qui arrivait à Byzance soit par mer, en débarquant aux quais de marbre de la Corne d'Or, soit par terre en franchissant la double et formidable enceinte aux cent douze tours carrées était censé avoir quitté la terre pour pénétrer dans quelque cité céleste, la Cité de Dieu, chère à saint Augustin, la Jérusalem divine annoncée par l'Apocalypse.

« Et il mesura la ville avec une mesure en or et toute la ville était d'or pur, semblable à du cristal pur... »

Les édiles de la ville s'étaient donnés, au cours des siècles, beaucoup de mal pour confirmer cette impression et jamais cité n'avait fait, pour ses bâtiments une telle consommation d'or. Les cinq cents églises voient leurs coupoles revêtues d'une épaisse couche d'or et il en va de même pour les dômes des palais. Les mosaïques d'or éclatent un peu partout. Dans la rue, la principale industrie est la joaillerie, le ciselage de l'or, la coulée des monnaies, le tissage des vêtements parfilés d'or. Quant à l'empereur, à l'impératrice et à leur Cour, ils vivent au milieu d'une nuée dorée et, en fait, Byzance est le plus grand entrepôt mondial du métal jaune. Et il faut qu'il en soit ainsi car les Byzantins mettent leur orgueil à imiter le Paradis en toutes choses et entendent créer leur société à l'image de la société céleste, peuplée d'anges, d'archanges, de trônes et de dominations avec, au sommet de la pyramide, le Christ-Roi dont l'empereur, le Basileus, se doit d'incarner constamment le personnage.

S'il parvient à éviter la crasse des ruelles sordides avoisinant le port et où grouille la multitude haillonneuse de la puissante et dangereuse confrérie des Mendiants, le voyageur, l'œil encore enchanté par sa découverte de la ville couchée au bord du croissant bleu du Bosphore dans le doux vallonnement de ses sept collines et le foisonnement de ses jardins, ira de surprise en surprise. Il rencontrera des personnages vêtus, comme les saints qui décorent les églises et les icônes, de longues robes raides de broderies; il verra surgir tout à coup, au coin d'une rue, une immense croix d'or, portée au milieu du chant des cantiques et des fumées de l'encens, par une troupe armée et devra revenir de sa surprise avant de s'apercevoir qu'il a rencontré, non une procession mais un officier et ses soldats. S'il est un personnage de quelque importance et s'il est admis, au palais de la Magnaures, au Palais Sacré ou aux Blachernes en présence de l'empereur, il verra que la plupart des salles de ces palais ressemblent à des chapelles ornées, sur fond d'or, de gigantesques images du Christ Pantocrator ou de la Théotokos, la Mère de Dieu. Il verra enfin qu'auprès du trône (d'or naturellement!) érigé dans une abside où se tient assis le souverain, vêtu exactement comme les images qui éclatent au-dessus de sa tête, il y en a un autre, encore plus riche mais vide, à l'exception d'un lourd évangéliaire ouvert à la date du jour. Et s'il s'étonne, quelqu'un lui fera comprendre que le Basileus n'est que l'image du Sauveur et que le véritable maître de Byzance, c'est le Christ.

La vie religieuse d'un basileus, pourtant, aurait de quoi excéder le pape le mieux trempé. Chaque jour, accompagné du patriarche, il assiste à quelque cérémonie religieuse dans l'une des églises de Byzance. Il vit au milieu des nuages d'encens. A la fin de chaque repas, après le dessert, il renouvelle les gestes de la Cène, rompt le pain et trempe ses lèvres dans une coupe de vin et, le jour de Pâques pour symboliser la Résurrection, il apparaît entouré des Douze Apôtres, enveloppé de bandelettes comme une momie et le visage peint en blanc. Enfin ses palais fourmillent d'eunuques, formule élégante apportée en réponse à la fameuse – et combien byzantine! – querelle sur le sexe des anges. C'est cela que représentent les eunuques à la cour du Basileus : les Anges serviteurs du Christ et non les gardiens d'un gynécée qui n'en avait pas besoin, la Basilissa, dûment couronnée avant même la cérémonie de son mariage, possédant presque les mêmes pouvoirs que son époux...

Car, à Byzance, le Christ se marie. Cette effigie divine que l'on ne peut approcher qu'à genoux, ce symbole du Seigneur-Dieu dont les audiences portent le nom de Révélations et au cours desquelles il exprime sa volonté par de simples battements de paupières, ce dieu vivant dont le sceptre est une croix, qui porte une autre croix sur sa couronne constellée de pierreries, il faut bien qu'à défaut de l'intervention toujours problématique du Saint-Esprit, il prenne femme et accomplisse, comme tout un chacun, les gestes de l'amour s'il prétend avoir des enfants et constituer sa dynastie.

Mais la recherche de l'élue ne lui appartient pas. Lorsque semble venu pour lui le temps de convoler, les conseillers de la Cour se réunissent en assemblée plénière afin de déterminer les canons minutieux auxquels devra répondre la future Basilissa. Tout est réglé au gramme ou au centimètre près : la taille, le poids, les mensurations exactes, le grain de la peau, la qualité des cheveux et leur couleur, la teinte des yeux. Plus, bien entendu, une indiscutable virginité.

Une fois établis, ces canons sont recopiés à plusieurs dizaines d'exemplaires par les scribes du Palais Sacré et remis aux nombreux messagers que l'on envoie ensuite, deux par deux, dans toutes les provinces de l'empire afin de les fouiller et d'y découvrir les jeunes filles correspondant à ce que l'on demande, qui d'ailleurs varie suivant les goûts du Basileus ou du futur Basileus à marier. Ces messagers doivent passer au peigne fin les villes, les villages et jusqu'aux plus misérables bourgades sans s'occuper le moins du monde du rang social ou de la fortune des candidates.

Suivant cette coutume essentiellement démocratique, n'importe quelle jeune fille, si elle était très belle, pouvait espérer devenir, non une quelconque et éphémère Miss Byzance mais l'épouse du Christ sur la terre et la toute-puissante Basilissa, future mère de souverains et bel et bien couronnée. Telle fut l'aventure miraculeuse mais néanmoins désastreuse de Marie l'Arménienne.

Quand mourut, en 780, son époux Léon le Khazare, l'impératrice Irène s'empara du pouvoir avec une avidité qui en disait long sur les dimensions exactes de son ambition. En fait, depuis qu'on l'avait amenée à Byzance, petite Athénienne sans naissance, pour participer au concours de beauté rituel, Irène, à peine élue, se fixa un but, un seul mais immense et enivrant : posséder un jour le pouvoir. Pas celui, intéressant, certes, mais tout de même limité d'une épouse de basileus : le pouvoir absolu, le pouvoir suprême, celui que l'on exerce en régnant seule.

Ce pouvoir, elle l'avait attendu des années, tremblant seulement que la mort d'un époux peu aimé ne le lui apportât trop tard, lorsque son fils, majeur serait en âge de régner. Mais le dieu de colère et d'impitoyable justice qu'elle priait et qui ressemblait bien davantage au Jupiter tonnant qu'au miséricordieux Galiléen, avait apparemment écouté les prières ardentes de cette fanatique aux yeux d'émeraude : Léon avait quitté ce monde, lui laissant l'empire en régence, pour quelques années tout au moins car son fils, le jeune empereur Constantin VI, n'avait alors que dix ans.

Sans laisser à quiconque le temps de se retourner, Irène entreprit de faire place nette : les cinq beaux-frères qui auraient dû participer à la régence furent, soit exilés sous de vagues prétextes, soit nantis de charges où ils se retrouvaient pieds et poings liés tandis que les anciens serviteurs de leur père, Constantin V, et de leur frère Léon IV se voyaient limogés quand ils n'étaient pas discrètement supprimés s'il leur prenait fantaisie de protester. Politique brutale? Sans doute. Dangereuse? Peut-être mais Irène avait compris qu'elle ne pourrait se permettre de louvoyer. Bientôt, nul n'ignora plus dans l'empire que la Basilissa entendait régner, non en simple régente, mais bel et bien en « souverain » absolu. Et il est probable que si la nature lui eût permis de se laisser pousser la barbe, elle l'aurait fait sans hésiter.

Cette attitude ne manquait pas de courage ni d'audace car depuis des années Byzance vivait la fameuse querelle des Images et les derniers empereurs avaient tous été des iconoclastes acharnés. Or, Irène adorait les Images. Elle aimait la majesté terrible, presque sauvage, des grands Christs Pantocrators des anciennes basiliques, les Vierges hiératiques, raidies dans leurs robes-joyaux, les Saints aux longues figures ravagées par la flamme intérieure de la Foi et les macérations de la pénitence...

En sept années de règne, cette femme virile parvint à rétablir le culte des Images. En même temps, connaissant à fond l'orgueil et l'amour des richesses de son peuple, elle faisait fructifier le commerce, favorisait les arts et les échanges avec les peuples les plus éloignés, et même, sur la réputation du puissant monarque d'Occident, un roi franc nommé Charles, qui régnait sur la plus grande partie de l'Europe de l'Ouest, elle se laissait gagner par l'idée d'un mariage entre son fils Constantin et l'une des filles de ce « Charlemagne », la petite Rothrude.

Ce mariage, elle l'envisageait d'ailleurs à sa manière dédaigneuse, comme une faveur accordée par une souveraine hautement civilisée à un monarque à peu près barbare mais elle n'en avait pas moins fait ce qu'il fallait : des eunuques de haut rang – les fameux anges! – étaient partis pour le pays des Francs afin d'enseigner à l'enfant les rites compliqués d'une étiquette effroyablement tatillonne, ainsi que l'usage de la langue locale.

Les choses n'avaient pas marché. Le « Barbare » n'avait pas aimé les eunuques en robes brodées ni leur politesse oblique. En outre, il aimait sa fille. Il fit traîner les choses avec tant de virtuosité que la jeune Rothrude eut tout le temps de s'éprendre d'un jeune seigneur de la suite paternelle et, avec beaucoup de regrets apparents mais en se frottant discrètement les mains, Charles fit reconduire les seigneurs byzantins aux frontières de son empire avec beaucoup de politesses.

Contrairement à ce que l'on pourrait penser, Irène les vit revenir aussi avec une sorte de soulagement. Elle n'en était pas à son premier regret de s'être embarquée dans cette affaire, tout à fait inhabituelle pour le mariage d'un basileus et qui, en outre pouvait devenir dangereuse pour elle. Soutenu par un beau-père dont la puissance se développait de jour en jour, Constantin n'aurait eu aucune peine, l'âge venu, à se débarrasser d'une mère devenue encombrante. Or, justement, elle n'entendait pas se faire évincer par son fils.

Elle se contenta donc d'informer le jeune souverain de ce qui venait de se passer : il ne devait plus songer à la fille du roi des Francs. Or, le jeune Constantin s'était peu à peu, épris de la princesse lointaine qu'on lui destinait. Il refusa de la chasser de ses rêves ou de ses pensées et Irène se trouva devant un nouveau problème. Elle pensa le résoudre de la manière la plus simple : une épouse de chair, si elle correspondait à l'idéal féminin du jeune garçon, parviendrait sans peine à chasser l'image de la barbare inconnue et, comme Constantin venait d'avoir dix-huit ans, les messagers cuirassés d'argent furent envoyés à la recherche de l'oiseau rare. Mais à la liste des perfections physiques exigées par le Conseil, Irène avait joint un codicille bien dans sa manière : les candidates devaient être d'une grande douceur de caractère, pleines d'humilité et de timidité comme il convenait à de vraies jeunes filles. Il ne s'agissait pas, pour elle, de se retrouver un jour encombrée d'une belle-fille aussi ambitieuse qu'elle-même et qui pousserait doucement son époux à envoyer sa mère dans quelque riche couvent, méditer le reste de sa vie sur son salut éternel et y continuer, mais sur le plan métaphysique cette fois, son rôle d'épouse du Christ.

La quête des messagers dura longtemps. Il y avait toujours quelque chose qui clochait.

Un soir, deux de ces hommes qui ont parcouru longuement l'Arménie parviennent dans un village reculé du thème de Paphlagonie. Il est tard. Les messagers impériaux sont las, recrus de soleil et de poussière, affamés, assoiffés et avec un moral des plus bas : il y a des semaines qu'ils sont partis et, sur la longue route qui leur a été assignée, ils n'ont rien rencontré dont ils puissent espérer la victoire. En outre, dans cette véritable cambrousse il n'y a même pas une auberge : rien que des maisonnettes misérables, presque des huttes, où vit une humanité couleur de terre...

Un paysan qui rentre des champs leur indique, à l'écart du village, une maison moins misérable que les autres et cachée par un bouquet d'arbres. Il y a là un saint homme nommé Philarète, un prêtre du Seigneur Dieu qui a sans doute en lui le plus zélé de ses serviteurs. Bien qu'il soit loin d'être riche, il fait l'aumône régulièrement. Il accueillera sans doute des voyageurs attardés...

Philarète les accueille, en effet, non sans s'excuser d'une si misérable hospitalité. Il n'oublie pas non plus de se plaindre de la dureté des temps et des difficultés de subsister dans ce pays oublié de Dieu pour un homme qui a charge d'âmes. Car il est grand-père. Il a trois petites-filles en âge de se marier et qui sont, sans doute, condamnées à se faner dans la solitude.

Des filles en âge de se marier? Voilà qui intéresse les quêteurs découragés. Et comment sont-elles, ces jeunes personnes? Philarète ne se fait pas prier pour les montrer. Il frappe dans ses mains et l'on va chercher les jeunes filles.

En vérité, elles sont charmantes toutes les trois mais l'aînée, Marie, est une vraie beauté et, du coup, les messagers un peu endormis par le vin résiné se réveillent, consultent fébrilement leurs instructions. Quel âge a-t-elle? Quinze ans. C'est tout juste l'âge désiré. Les cheveux? le teint? la taille? tout correspond point par point aux exigences du fameux parchemin qu'ils traînent avec eux depuis des mois.

Immensément soulagés et au comble du ravissement, les messagers dévoilent alors au vieillard le but exact de leur quête et le supplient de consentir à entreprendre, avec eux, le long voyage vers Byzance. Un voyage bien fatigant certes mais qui risque de se terminer glorieusement.

L'idée de voir sa petite-fille élevée à la pourpre impériale a de quoi séduire Philarète. D'autant qu'au cas où elle ne serait pas choisie, un royal dédommagement lui serait offert, à titre de consolation comme à toutes les autres candidates éliminées. Il n'hésite donc même pas et à l'aube, toute la famille prend le chemin de la cité impériale tandis que tout le village bâille d'admiration à la nouvelle : Marie d'Amnia va concourir pour devenir Basilissa!

Marie, qui est une fille douce et simple, est éblouie par la splendeur de Byzance et plus encore par celle du palais de la Magnaure où elle est conduite dès son arrivée. Là, tout n'est qu'ors, marbres, mosaïques précieuses, étoffes rares, parfums, fleurs et joyaux, mais elle ne perd pas la tête pour autant, se réjouissant simplement de sa chance d'être admise à contempler tant de merveilles. Et comme elle n'imagine pas un seul instant qu'elle possède la moindre chance d'être élue, elle se fabrique des souvenirs à raconter lorsqu'elle retournera dans son pauvre village de Paphlagonie.

Au jour fixé, après l'avoir baignée, parfumée, habillée et dûment instruite de la façon dont elle doit se comporter, on la conduit dans une salle immense au plafond de laquelle un Christ gigantesque règne sur les Quatre Évangélistes. Une douzaine de jeunes filles s'y trouvent déjà. Toutes sont belles et superbement parées mais toutes sont nobles et riches : Marie est la seule paysanne du lot et ces filles de hauts fonctionnaires ou de généraux regardent avec dédain cette inconnue dont on ne sait d'où elle sort. Aussi se hâte-t-on de le lui faire sentir car si ces demoiselles sont prêtes à s'entredéchirer, toutes griffes dehors, pour la possession de l'empereur et de la couronne, elles se retrouvent singulièrement d'accord pour se moquer de « la paysanne ».

« Pourquoi donc ne pourrions-nous être d'accord? s'étonne Marie sans montrer la moindre amertume. Ne ferions-nous pas mieux de nous entendre? Ainsi, celle d'entre nous qui sera élue pourrait s'occuper de l'avenir des autres? »

Cette naïveté déchaîne l'hilarité générale.

« Ce serait évidemment ton avantage, lui répond la plus hautaine des jeunes concurrentes, car tu n'as aucune chance n'ayant ni naissance, ni fortune... ni véritable beauté d'ailleurs. Tu sens par trop ta campagne, ma fille! Mais moi qui suis fille de stratège, j'ai toutes les chances d'être choisie et donc aucune raison de " m'entendre " avec toi. Cesse donc de nous importuner... »

Malheureusement pour elle, la fière concurrente ne se départit pas de cette attitude superbe lorsqu'on la présenta devant ce que l'on pourrait appeler le jury. Il est composé de l'impératrice Irène, de son conseiller préféré, l'eunuque Staurakios, de quelques conseillers de moindre importance et, bien entendu tout de même, du jeune empereur. Cela ne lui réussit pas. Irène l'interroge puis, fronçant soudain les sourcils, lui montre la porte :

« Tu es belle et de bonne maison, lui dit-elle, mais le trône n'est pas pour toi... »

Les autres jeunes filles lui inspirent une méfiance analogue. Elles sont trop nobles, trop riches donc trop ambitieuses. Elles pourraient constituer, plus tard, un danger contre son pouvoir. En revanche, Marie d'Amnia suscite son intérêt car elle est visiblement timide, douce et déjà soumise. Elle pourrait faire une belle-fille idéale car, sans doute, elle passerait sa vie prosternée devant celle qui la tirerait de sa misérable condition pour la hisser au trône...

Et, comme c'est, en fait, Irène qui choisit, la petite Marie se retrouve élue. Pour marquer ce choix, Constantin descend de son trône pour lui offrir une pomme d'or. Et, tandis qu'elle pleure de joie, elle peut entendre, le soir venu, les hérauts proclamer son nom aux quatre horizons de Byzance tandis que s'élèvent les acclamations de la foule.

On pourrait s'étonner évidemment de ce que le jeune souverain n'ait pas pris une part plus active au choix de sa future épouse, ainsi que le veut la coutume. Mais c'est que Constantin se marie uniquement pour faire plaisir à sa mère. Au fond de lui-même, il n'est pas parvenu à oublier la princesse franque à laquelle il a été si longtemps fiancé et dont on lui avait tracé une merveilleuse image. Aussi, quand Irène l'a invité à venir se choisir une épouse parmi les candidates réunies pour lui (mais en se promettant bien d'aiguiller discrètement son choix) a-t-il coupé court à tous ses préparatifs oratoires en déclarant simplement :

« Choisis toi-même, Mère. Je prendrai celle qui te conviendra... »

Il ne restait plus à Irène qu'à remercier le Ciel et sa bonne étoile... et à activer les préparatifs du mariage. En novembre 788, après avoir reçu la couronne impériale, Marie l'Arménienne épousait le Basileus Constantin.

Elle avait pleuré de joie au soir de son élection. Au soir de son mariage elle pleure encore, mais c'est de déception et de chagrin, car elle a aimé Constantin au premier regard qu'elle a osé lever sur lui. Et voilà que, sans la moindre nuance, il lui laisse entendre qu'il ne l'a épousée que pour complaire à sa mère, qu'il n'éprouve aucune sorte d'amour pour elle, que son cœur appartient toujours à la fille de

Charles le Grand... et qu'elle n'a rien à attendre de lui, pas même l'ombre d'un désir pour sa beauté.

Mais Marie n'est que douceur. Elle pleurera tout à l'heure, quand elle sera seule car il va la laisser seule, elle en est persuadée. Pour le moment, elle s'incline simplement :

« Seigneur, je serai ce que tu voudras. Épouse ou amie. Sache seulement que tu n'auras pas de servante plus fidèle que moi... et que je saurai attendre. Un jour peut-être, si Dieu m'exauce, j'aurai une petite part de ton affection... »

Elle ne l'eut jamais. Bien sûr, au bout de quelque temps Constantin fit de Marie sa femme selon la chair mais il ne s'y décida que sur l'ordre d'Irène. C'est dire qu'il ne se mit guère en frais pour plaire à sa jeune épouse. Néanmoins, comme Marie était extrêmement belle et qu'il n'était pas complètement aveugle (pas encore tout au moins!), il éprouva quelque plaisir à posséder cette ravissante créature qui, en échange, lui donna deux filles : Euphrosyne et Irène.

Peut-être qu'avec le temps ce ménage-là eût pu devenir valable s'il n'y avait eu l'autre Irène, la grande. Elle allait se charger de tout gâcher irrémédiablement car, toujours aussi avide de puissance, elle tenait son fils à l'écart des affaires. Celui qui gouvernait, devant qui l'on s'inclinait, c'était son favori Staurakios, l'eunuque... ou soi-disant tel!

Un beau jour Constantin s'insurge, complote avec quelques téméraires contre le tout-puissant ministre. Mal lui en prend. Le complot est découvert. Les conjurés sont arrêtés, torturés, exécutés. Le jeune empereur lui-même est battu de verges comme un gamin, puis Irène exige que l'on reconnaisse son pouvoir supérieur à celui du Basileus.

Cette fois elle est allée trop loin. Les armées d'Asie se soulèvent, exigent la mise en liberté du « Christ Incarné ». Irène, ulcérée voit à son tour ses serviteurs emprisonnés.

Staurakios, tondu, est enfermé dans un monastère. Irène enfin se voit écartée du pouvoir, enfermée dans son palais d'Eleuthérion.

La pénitence est assez douce. Eleuthérion est sa résidence préférée, une merveille de luxe, de fleurs et d'eaux jaillissantes mais cela ne suffit pas à l'ambitieuse. Elle connaît bien son fils et règle sa conduite en conséquence. Constantin est faible, elle le sait bien. Il aura bientôt besoin d'elle et, de fait, le jeune empereur se laisse aller à la rappeler auprès de lui et ne devine pas que sous le masque de cette mère qui le couvre de tendresse se cache sa plus mortelle ennemie. Car désormais Irène n'a plus qu'un but : abattre son fils et reprendre le pouvoir.

Pour cela, elle emploie la ruse la plus perfide, le brouille avec ses partisans et ses meilleurs amis, manœuvre de façon à lui aliéner l'armée, donne en son nom des ordres iniques. Enfin elle entreprend de le perdre dans l'esprit de la toute-puissante Église et, pour cela, sacrifie impitoyablement Marie qui ne lui a jamais rien fait.

Celle-ci pourtant souffre bien suffisamment. Constantin ne l'aime toujours pas. Le Christ fait homme a des maîtresses. Sa tendre mère va lui en procurer une de plus, une affolante beauté, dûment endoctrinée par elle et qui se nomme Théodote.

Elle a bien choisi. Victime d'un violent coup de foudre Constantin ne songe plus qu'à répudier Marie. Mais pour chasser une basilissa couronnée et ayant déjà donné des enfants il faut une raison bien forte... Prête à tout pour le bonheur de son cher fils, c'est encore Irène qui ourdit le misérable complot : grassement payées par elle, des servantes accusent la Basilissa de tenter, par jalousie, d'empoisonner son époux. Immédiatement, et sans l'entendre, on décide d'envoyer Marie dans un couvent...

Personne n'est dupe de ce coup monté et le Patriarche moins encore que tout autre. Il connaît la jeune femme et, sans désemparer il fait entendre à l'empereur sa défense formelle de répudier son épouse...

C'est tout juste ce que souhaitait Irène. Excitant sournoisement le ressentiment de son fils et, en même temps, son désir pour Théodote, elle le pousse à passer outre l'interdiction. Et Constantin tombe dans le piège : officiellement répudiée, sous l'inculpation de lèse-majesté, Marie, la tête rasée est conduite de nuit dans un couvent éloigné où elle mourra quelques années plus tard, désespérée de n'avoir jamais pu revoir ses enfants.

Au tour de Constantin, à présent! En septembre 795 il épouse Théodote sous les huées de l'empire tout entier et consomme sa nuit de noces avec un enthousiasme qui en dit long sur ses sentiments. Cette fois le Christ incarné est complètement tombé de son piédestal, mais Irène lui accorde une année de plaisirs défendus, une année qu'elle saura bien employer au mieux de ses propres intérêts en travaillant artistement toutes les couches de la société. C'est facile : quelques condamnations stupides ici ou là que l'empereur signe distraitement sans même sortir du lit de sa bien-aimée qui s'entend comme personne à l'y retenir.

Il ne reste plus, au bout de ce laps de temps qu'à cueillir les fruits de l'intrigue. Se posant tout à coup en libératrice et se déclarant « indignée par les excès auxquels s'est livré le jeune empereur » cette mère parfaite fait, une belle nuit, arrêter Constantin dans les bras de Théodote et le livre au bourreau pour qu'il lui crève les yeux : une pratique assez courante à Byzance lorsque l'on voulait rendre quelqu'un inutilisable.

Cela fait, le malheureux reçut permission maternelle d'aller finir doucement ses jours dans une superbe villa insulaire en compagnie de sa chère Théodote dont cet exil doucha sérieusement la grande passion. On peut la comprendre : elle était impératrice et se retrouvait garde-malade. Mais de cela Irène n'avait cure : elle était à présent « seul maître à bord » et entendait bien le rester jusqu'à son dernier jour.

Le Destin, lui, ne l'entendait pas de la même oreille et

l'ambitieuse trouva son maître sous les aspects singulièrement dissonants d'un vulgaire général, un certain Nicéphore sans grande naissance mais encore plus malin qu'elle et qui, après lui avoir soufflé le trône, l'envoya mourir sous bonne garde dans l'île de Lesbos où la vie, depuis la disparition de l'illustre Sapho, avait perdu tout son charme. Dégoûtée, Irène choisit de quitter ce monde au mois d'août 803 tandis que, dans le Palais Sacré, Nicéphore entreprenait d'offrir à ses sujets sa version personnelle d'un Christ sur la terre.

Au cours des siècles qui suivirent, d'ailleurs, le doux Galiléen allait se voir introduit, bon gré mal gré, dans une incroyable collection de défroques humaines aussi peu saintes que possible et qui devaient l'incommoder beaucoup. Les Comnènes ne valurent guère mieux que les Anges qui ne l'étaient guère et la révolution de palais, quand ce n'était pas la révolution tout court, finit par devenir le mode normal de transmission du pouvoir à Byzance.

Veut-on quelques chiffres? Sur les cent neuf souverains qui se succédèrent sur le trône depuis Constantin jusqu'à l'entrée en scène des Turcs en 1453, vingt-trois ont été assassinés, douze moururent au couvent ou en prison, trois moururent de faim, dix-huit furent castrés, essorillés, privés de leur nez ou de leurs mains, huit périrent à la guerre ou par accident, trente-quatre seulement eurent le privilège de s'éteindre dans leur lit tandis que les autres étaient étouffés, empoisonnés, étranglés, poignardés, jetés du haut d'une muraille ou simplement chassés. Et le pire c'est qu'à peu près tous le méritaient amplement...

SOUS LES BALDAQUINS COURONNÉS

Après les dieux, demi-dieux, presque-dieux ou copies plus ou moins conformes du seul vrai Dieu, voici les rois, oints du Seigneur, investis par lui de pouvoirs et d'obligations qui les placent si fort au-dessus du commun que le moindre de leurs gestes ne se peut accomplir que sous la surveillance plus ou moins bienveillante et plus ou moins sincère de quelques centaines de regards. Voici aussi les princes, leurs corollaires et quelques grands qui les tiennent de si près que leurs existences procèdent de la même indiscrétion publique.

La vie d'un roi est publique, en effet. L'intimité lui est le plus souvent refusée et si l'on ne voit alors aucun appareil photo en batterie dans les appartements royaux – ce qui, à tout prendre est une bonne chose car les photothèques s'orneraient certainement de précieux documents touchant la manière royale qu'avait Louis XIV d'aborder sa chaise percée – du moins se trouve-t-il toujours un ou plusieurs témoins, ambassadeur étranger (les Vénitiens sont les plus habiles à ce jeu), courtisan ou simple serviteur capable de restituer, par le truchement d'une correspondance ou de mémoires, les instants les plus intimes d'une existence royale. Naturellement, outre la mort, les scènes les plus recherchées sont celles des mariages, en général, et des nuits de noces en particulier auxquelles préside un cérémonial que d'aucuns, et surtout d'aucunes, jugeront sinon barbare du moins extrêmement gênant...

Grâce à ces indiscrets, les alcôves princières sont ouvertes à tout vent. On peut, à la manière du démon Asmodée, prince des Curieux, soulever tel ou tel ciel de lit couronné et constater qu'il s'y passe souvent d'étranges choses... En effet, le choix du ou de la partenaire n'est pas un droit royal ce qui vaut, à toutes ces nuits de noces, des couleurs différentes suivant l'état d'âme de leurs acteurs. Certains abordent l'épreuve avec résignation si d'autres s'y montrent franchement récalcitrants. Et si, de-ci de-là, on rencontre parfois un enthousiaste réel ou simulé, il se trouve malheureusement bien des nuits dramatiques débouchant sur une catastrophe.

La reine Marie-Caroline de Naples, sœur de Marie-Antoinette, soupirait avec quelque raison : « Nous autres filles du Trône, on nous jette à la mer... » Elle aurait pu ajouter « que l'on sache nager ou pas... ». Vers quoi portait le flot au péril duquel étaient livrées ces innocentes? Ile heureuse ou bande de grève désolée susceptible d'être recouverte par la première grosse vague? Paisible et hospitalière baleine restituant la contrepartie féminine de Jonas intacte après une navigation sans histoire ou requin vorace qui n'en laissera que l'or de la couronne trop difficile à digérer?

Mieux valait parfois un époux rétif qu'un époux résigné qui s'entendait trop bien à faire payer très cher le sacrifice exigé par la raison d'État. Deux résignés pouvaient s'entendre mais moins bien parfois que deux révoltés. Le drame naissait souvent d'un paroxysme ou d'un désespoir.

En soulevant les rideaux de brocart que l'on refermait solennellement sur un jeune couple, on s'expose à bien des surprises, comiques, désolantes, dramatiques ou franchement burlesques car « les perles seules brillent sur la Couronne. On n'y voit pas les blessures... ».

LES NUITS RÉSIGNÉES

LA NUIT DE CATHERINE DE MÉDICIS

Le 8 octobre 1533, un petit cortège de cavaliers arrive à Marseille venant d'Aubagne. L'équipage est somptueux mais le train réduit; une cinquantaine de personnes tout au plus. En tête, dépassant tout le monde du toquet et des épaules, une sorte de géant barbu dont les yeux vifs rient encore plus que la bouche qui cependant ne s'en prive pas sous le long nez gourmand. Et tout de suite on l'acclame car, même sans considérer le velours pourpre et les joyaux qui le parent, personne ne doute d'avoir en face de lui le roi. C'est en effet François Ier qui pénètre ainsi en trombe dans sa bonne ville de Marseille, escorté de ses fils, de ses filles et d'une poignée de gentilshommes (il a laissé à Aubagne la reine Éléonore). Personne ne l'attend mais c'est tout juste ce qu'il souhaitait car il vient voir où en sont les grands préparatifs dont il a chargé Montmorency promu pour la circonstance architecte décorateur.

C'est qu'en effet un grand événement se prépare, un événement inouï même : Sa Sainteté, le pape Clément VII doit arriver trois jours plus tard pour rencontrer François. On va causer politique bien sûr mais, surtout, le Saint-Père doit célébrer en personne le mariage de sa nièce, la jeune duchesse de Florence, Catherine de Médicis avec le duc d'Orléans, Henri, second fils du Roi-Chevalier. Et le roi qui a toujours eu le souci du faste et de sa renommée, amplement méritée, de magnificence, tient à ce que tout soit plus que parfait.

Il se rassure rapidement. Montmorency a bien travaillé. Avec l'aide d'un peuple d'ouvriers, il a complètement transformé tout un quartier de Marseille entre la place Neuve et le port. Sur la place, d'abord, il a fait construire un véritable palais de bois qu'une galerie, de bois elle aussi, relie à la maison qu'occupera le roi, sur cette même place et qui est l'ancien logis des comtes de Provence remis au goût du jour. La palais de bois, réduction à peine moins éblouissante du Camp du Drap d'Or d'illustre mémoire, est destiné au pape et le grand maître Montmorency (il ne sera connétable que quatre ans plus tard) n'y a pas été de main morte pour faire riche : il a pratiquement déménagé le Louvre, Amboise et Blois pour meubler son pape. Il est vrai que celui-ci est un Médicis et que, dans la famille, on s'y connaît en meubles, tentures, sculptures, tapis, joyaux et autres raretés hors de prix sans lesquelles ne saurait vivre un grand seigneur de l'époque.

En outre, Montmorency a fait percer la muraille de la ville et celles des maisons qui y sont accolées pour établir des passages faciles entre la place et le port. L'un de ces passages est prolongé d'une longue passerelle recouverte de tapisseries et de brocarts (heureusement il ne pleut pas souvent à Marseille en octobre!) et s'avance jusqu'au milieu du Vieux-Port afin que le pape, quand il fera son entrée dans la ville puisse prendre place sur la *sedia* au beau milieu des eaux...

Satisfait, François Ier, à la manière de n'importe quel touriste emmène les enfants visiter le château d'If (malheureusement il n'aura pas le plaisir de leur montrer le cachot de Monte-Cristo ni celui de l'abbé Faria!) puis il ramène tout son monde à Aubagne! Le pape peut venir. Il ne sera pas déçu.

Justement, le voilà! Le samedi 11 octobre, la flotte papale apparaît aux premiers rayons du soleil. Et quelle flotte! Dix-huit grandes galères tendues de damas rouge, de damas violet, de damas jaune, de satin cramoisi et de soie pourpre avec, brochant sur le tout, de l'or et de l'argent à profusion. Sur l'eau unie et lisse qui les reflète, elles offrent un merveilleux spectacle que le peuple massé sur les berges acclame frénétiquement.

En tête vient la *Duchesse.* Elle porte le Saint Sacrement. Le pape ne vient qu'après sur la *Capitanesse* mais toutes deux ne sont qu'or et pourpre. Le *Bucentaure* du Doge en pâlirait de jalousie...

La flotte est aux ordres de l'amiral du Levant, Claude de Tende, mais le duc d'Albany commande l'une de ces galères en face desquelles les Marseillais, après avoir braillé d'enthousiasme, s'agenouillent...

A bord d'une frégate toute tendue de damas à crépines d'or, voici Montmorency, qui vient, au nom du roi, accueillir le Saint-Père et met genoux en terre pour baiser sa main. Clément VII n'a que cinquante-six ans mais c'est un homme usé. Son pontificat a été l'un des plus dramatiques de l'Histoire : il a subi le sac de Rome sous les lansquenets de Frundsberg et les miquelets espagnols; il a vu l'Angleterre d'Henri VIII se séparer de l'Église pour les beaux yeux d'Anne Boleyn, enfin il a dû, à Bologne, couronner empereur Charles Quint qu'il déteste autant qu'il s'en méfie. Néanmoins, il fait encore bonne contenance et, sous le trirègne étincelant, c'est toujours l'élégant, le superbe Jules de Médicis que contemple Montmorency intimidé.

Le pape prend place dans la frégate du grand maître. Elle le conduit jusqu'au Jardin du Roi, voisin de l'abbaye Saint-Victor dont il est d'ailleurs l'abbé commendataire et où il passera la nuit. Dans le Jardin le couvert est mis et le pape va dîner en compagnie des quatorze cardinaux et des soixante archevêques, évêques et abbés qui l'accompagnent. Le lendemain seulement il effectue son entrée solennelle dans Marseille au moyen de la fameuse passerelle où l'attend la *sedia.* Cette fois, encadré du jeune duc d'Orléans et du duc d'Angoulême, et bénissant à tour de bras à droite et à gauche, il va prendre possession de son éphémère palais tandis qu'Orléans et Angoulême regalopent jusqu'à Aubagne afin d'être aux côtés du roi quand il arrivera officiellement le lendemain.

Volontairement assourdie, l'entrée de François avec la reine et toute la Cour qu'il promène depuis deux ans sur toutes les routes de France est néanmoins fabuleuse car aucune cour européenne ne peut rivaliser avec celle de France. Cela n'a rien de surprenant : elle a reçu jadis les leçons d'un étonnant génie nommé Léonard de Vinci venu mourir sur les rives de Loire après avoir illuminé de ses merveilles les châteaux milanais de Ludovic le More. Et le roi François a parfaitement assimilé ses leçons.

Tout ce monde, souverains en tête vient, comme une vague scintillante, se prosterner devant le pontife romain et baiser sa main où brille l'Anneau du Pêcheur. Clément VII regarde avec curiosité la nouvelle reine de France, cette Éléonore d'Autriche qui est la sœur de l'encombrant Charles Quint. Elle est grande et assez belle avec un visage long, très blanc de teint, un vrai teint de lait qui s'accorde à sa chevelure rousse, une fabuleuse chevelure que les poètes déclarent d'un blond « ardent » et qui lui tombe jusqu'aux pieds quand ses femmes la dénouent. Il y a bien cette signature des Habsbourg, cette lèvre inférieure un peu épaisse mais d'autres qu'elle s'en accommoderont dans la suite des temps et n'en seront pas moins charmantes, témoin Marie-Antoinette.

François lui montre beaucoup de déférence. Il l'aimerait peut-être si son cœur et ses sens n'appartenaient à cette petite blonde pétulante, dorée comme un missel, que l'on a faite duchesse d'Étampes et qui tient insolemment ce rôle de favorite royale que l'on n'avait pas vu en France depuis Agnès Sorel...

Mais le pape n'est pas là pour faire la morale au roi de France. Il a bien d'autres chats à fouetter. Il s'agit de discuter – et âprement même – la dot de la fiancée qui attend à Nice qu'on l'autorise à venir. Car, pour un fils de France, la descendante des banquiers florentins est à la limite de la mésalliance bien que sa mère, Madeleine de La

Tour d'Auvergne, ait cousiné avec François Ier, et son meilleur titre est celui de nièce du pape, ce qui fait d'elle une excellence affaire (une affaire que l'Empereur a ratée bien stupidement). La naissance moindre a d'ailleurs peu d'importance : le duc d'Orléans n'est que le second fils et, grâce à Dieu, le dauphin est bien vivant.

Au fait, le voilà qui tombe malade, le dauphin François! Une sorte de fièvre maligne qui, heureusement, n'est pas la peste, toujours à craindre dans un port méridional. Inquiet, Clément VII lui envoie son propre médecin : si celui-là allait mourir, le mariage de Catherine tomberait sans doute à l'eau... ou alors les exigences du Français deviendraient astronomiques!

Le médecin papal fait merveilles et les discussions aboutissent. La dot est de cent mille écus d'or plus – en traité secret pour éviter que cela n'aille battre les grandes oreilles de Charles Quint – Milan, Gênes et Naples. L'Italie, décidément, a toujours été le péché mignon de François Ier qui aimerait bien venger Pavie. A présent, la fiancée peut venir.

Elle arrive, par la route, le 23 octobre et Marseille peut admirer son cortège dans le milieu de l'après-midi. Catherine monte une haquenée rousse, toute caparaçonnée de toile d'or. La duchesse de Camerino et Maria Salviati qui a veillé sur sa jeunesse orpheline la suivent avec douze autres dames.

La duchesse a quatorze ans (l'âge même de son fiancé). Sous d'épais cheveux noirs, elle a un visage blanc, assez plein avec un nez un peu fort, des yeux bruns légèrement globuleux mais abrités sous des cils et des sourcils bien fournis. Comme celle de la reine sa lèvre inférieure est un peu épaisse. Elle n'est pas vraiment belle mais elle a beaucoup de grâce, des mains admirables et des jambes ravissantes, ce que personne ne saurait voir pour l'instant mais n'ignorera plus quand, plus tard, elle inventera la monte en amazone pour les mettre en valeur.

Au moral, elle porte beaucoup plus que son âge et son

intelligence est bien supérieure à celle de la plupart de gens qui l'entourent mais elle a celle de n'en point fair étalage. C'est que la vie ne lui a pas ménagé les rude leçons. Sa mère est morte en la mettant au monde précocement ravagée par la vérole que lui avait s généreusement transmise son époux, Laurent de Médici abattu d'ailleurs par le mal presque en même temp qu'elle; Madeleine n'avait pas seize ans et elle était marié depuis quelques mois...

Les premières années de sa fille se sont écoulées à Rome sous la tutelle du pape et en compagnie de son demi-frèr Alexandre (la future victime de Lorenzaccio) né de amours de son père avec une belle paysanne de Collave chio. Mais elle est duchesse de Florence et doit résider dan sa ville où elle est ramenée à huit ans, toujours e compagnie d'Alexandre, pour y vivre au Palais Médicis et l'été, dans la belle villa de Poggio a Cajano, le tout sous l surveillance des Strozzi. Mais, à Florence, des trouble éclatent bientôt, un « tumulte » comme on s'entend si bien en fomenter dans la cité du Lys Rouge quand apparaît l moindre possibilité de devenir une république. L'Empereur, alors, envoie du secours à la ville déchirée par l guerre civile et la fait assiéger par le prince d'Orang qui s'arrangerait bien d'un mariage avec la petit duchesse...

Celle-ci, réfugiée au couvent des Murate, est en gran danger et le sait. Les meneurs, Bartolini, Cei et Castiglion hésitent sur le sort qu'on lui réserve : ou bien on la me dans une maison close pour la livrer à la prostitution, o bien on l'attache nue sur les remparts de la ville jusqu'à c que les assiégeants s'en aillent, ou bien on la livre tou bonnement à la soldatesque. Et de ces agréables perspectives, l'enfant n'ignore rien. Elle y pare avec une présenc d'esprit incroyable à cet âge : elle se fait raser la tête prend l'habit de moniale et proteste de sa décisio irrévocable d'entrer en religion dans ce couvent d cloîtrées.

Naturellement quand la ville capitule, il n'en est plus question et la fillette repart pour Rome où le pape entend désormais la garder : il a eu trop peur. C'est Alexandre, confié à l'Empereur qui régnera sur Florence dont Catherine ne portera plus que le titre. Pour elle, ce sera un grand mariage mais on ne sait pas encore très bien avec qui. Le plus intéressant bien sûr!...

Mais, pour l'heure présente, la politique n'intéresse plus Catherine. Elle a rencontré l'Amour. Et quel amour! Le beau, le superbe, le charmant Hippolyte de Médicis, son cousin dont d'ailleurs jadis le pape Léon X (frère de Clément VII) souhaitait qu'elle devînt l'épouse et il suffit de regarder le portrait qu'en a fait le Titien, pour comprendre l'élan de ce jeune cœur. Hippolyte, lui aussi aime Catherine : elle a tant de vivacité, de charme et d'esprit! Il est cardinal mais jetterait volontiers, pour elle, la simarre aux orties. Ce sont de ces choses qui se font aisément à Rome au XVIe siècle...

Dans le cas particulier, pourtant, cela ne se fera pas. L'idylle inquiète le pape. Il a d'autres projets pour sa nièce et, prenant prétexte du mauvais air de Rome où la malaria sévit à l'état endémique, principalement l'été, il la renvoie à Florence en avril 1532. Elle n'a plus rien à redouter. La ville est définitivement matée. Quant à Hippolyte, s'il veut continuer à mener l'existence somptueuse qu'il affectionne, il faudra qu'il se contente de son chapeau de cardinal. Un jour, peut-être, il sera pape...

Catherine n'a pas protesté. Elle sait que la politique et l'amour ne vont guère ensemble et si elle souffre de renoncer à son amour elle ne le montre pas. Machiavel qu'elle sait par cœur a déjà en elle une excellente élève. Telle est l'enfant étrange qui, en ce jour d'octobre va s'agenouiller devant François Ier aussi respectueusement que s'il était le pape. Il la relève aussitôt, l'embrasse, puis lui présente son fiancé, le duc d'Orléans avec lequel on échange des baisers protocolaires...

Au fait, comment est-il ce prince de quatorze ans qui

sera un jour un roi à idées courtes? On sait qu'il est assez grand et vigoureux pour son âge, plus que le dauphin. Le grand voyage lui a fait du bien et, s'il gardera toujours quelques stigmates de la prison sans air et sans lumière de Pedrazza où Charles Quint l'avait contraint de remplacer son père, il a tout de même repris quelques couleurs. Mais c'est un enfant mélancolique et sombre nourri à satiété de romans de chevalerie et qui s'efforcera de vivre son existence comme un héros desdits romans. En outre, il est déjà amoureux, lui aussi. Et de qui? D'une femme qui a vingt ans de plus que lui mais qui, au dramatique jour de mars 1526 où, sur la rive de la Bidassoa, il attendait d'être échangé contre le roi, son père, l'a embrassé tendrement. Il n'oubliera plus jamais ce baiser, ni cette femme : Diane de Saint-Vallier de Poitiers, comtesse de Brézé, Grande Sénéchale de Normandie. Chose curieuse, c'est chez elle, ou tout au moins chez son mari, au château d'Anet qu'a été signé le contrat décidant du mariage d'Henri avec Catherine de Médicis...

Quatre jours après l'entrée de la fiancée, le 27, on dresse le traité de mariage puis, le lendemain, ce sont enfin les noces.

Elles ont lieu dans la chapelle du logis pontifical. François Ier tout satin blanc et drap d'or conduit à l'autel Catherine en robe de brocart avec corsage de velours violet couvert de joyaux et doublures d'hermine. Elle porte les fabuleuses perles que son oncle lui a offertes comme cadeau de mariage et qui, bien plus tard, feront rêver Sacha Guitry. Mais il y en a un peu plus que sept : en fait il s'agit de gigantesques sautoirs de perles rondes, superbes, admirablement assorties et que l'on peut encore admirer sur certain portrait de la Reine-Vierge, Elisabeth Ire. Sur sa tête une couronne d'or et de pierreries, présent du roi.

Le pape célèbre le mariage puis le cardinal Sabriena chante la messe. Ensuite on échange des présents tous plus beaux les uns que les autres. C'est ainsi que le cardinal

Hippolyte, qui refusait farouchement d'accepter quelque chose, se voit gratifié du grand lion apprivoisé, naguère offert à François par Khayr el-Din Barberousse, le corsaire barbaresque...

Puis, naturellement, c'est le repas de noces et, enfin, vers minuit, le pape s'étant retiré, la reine Éléonore conduit Catherine dans la chambre nuptiale entièrement tapissée de brocart d'or. Elle préside au déshabillage, au coucher de la mariée dans le grand lit qui est lui aussi tout cousu d'or (on évalue sa décoration à 60 000 écus d'or). Puis, quand le roi amène le jeune époux, elle se retire. Mais François reste. Il n'est pas très sûr des dispositions amoureuses de son fils, ni d'ailleurs de ses capacités, et il préfère être là pour lui donner quelques conseils...

Si l'on en croit certains témoignages, il aurait été très vite rassuré : « chacun des deux jeunes époux se montrait vaillant dans la joute ». Et c'est l'âme en paix qu'il s'en va rejoindre la duchesse d'Étampes.

De son côté, le pape Clément choisit de venir aux aurores voir comment les choses se passent. Il « vint les surprendre au lit et constata avec joie le contentement qu'ils affichaient... » Peut-être l'affichaient-ils justement un peu trop. Qu'avait pu être cette nuit de noces entre ces deux adolescents déjà marqués par la vie? Un jeu nouveau? La satisfaction purement animale d'instincts sexuels déjà développés? L'un et l'autre aimaient ailleurs, mais l'un comme l'autre étaient certainement doués d'un tempérament amoureux incontestable. Catherine est italienne et c'est une Médicis, une famille dans laquelle personne, jamais, n'a boudé le lit. La révélation de l'amour physique va déboucher, pour elle, sur un amour total, une passion douloureuse, déchirante car, peu de mois après le mariage, le pape Clément meurt et la dot ne sera jamais payée.

Pour garder sa place et l'époux qu'elle s'est mise à aimer, Catherine devra tout accepter, tout subir, même que ce soit la maîtresse en titre, l'odieuse Diane de Poitiers, qui traîne presque de force Henri jusque dans sa couche pour lui faire les enfants qu'exige la dynastie. Elle apprendra le silence, la dissimulation, la diplomatie à la plus cruelle école. Il en sortira la Florentine en son deuil éternel, froide et calculatrice parce que son cœur s'est définitivement figé dans sa poitrine, mais grande reine et qui saura maintenir l'Espagnol hors des frontières du royaume. Sans la tache de la Saint-Barthélemy elle eût mérité, cent fois plus qu'une autre, qui d'ailleurs avait aussi ses taches, d'être nommée Catherine la Grande. La princesse de la Renaissance, cultivée, lettrée, gracieuse, pleine de cette gaieté italienne à fleur de peau, douée d'un charme certain n'en déplaise à ses détracteurs – sans cela comment expliquer l'espèce de tendresse que lui portait François Ier, ce connaisseur si averti – finit par accoucher d'une sorte de Louis XI femelle : c'est dire sa qualité politique...

Quant au futur Henri II, en dehors de ses amours chevaleresques et quelque peu retardataires avec la Dame de Brézé – amours qui cessèrent assez vite de rester platoniques – on sait les exigences et les brutalités de son tempérament. La sauvagerie qui caractérisera son fils Charles IX lui est due tout entière et la belle Philippa Duco qu'Henri violera sans autre préambule à Milan sera là pour en témoigner. Il n'aura certainement eu aucune peine à faire preuve de virilité au cours de sa nuit de noces. Ne fût-ce d'ailleurs que pour prouver à un père qu'il n'aimait guère et qu'il enviait secrètement, qu'il pouvait faire aussi bien que lui. La nuit de noces de Catherine de Médicis ne fut pour lui qu'un exercice d'école où le cœur n'eut aucune part. Henri ne se préoccupa guère de l'effet ressenti par sa jeune épouse et, quand il se sut aimé d'elle, il eut plutôt tendance à en montrer de l'ennui...

Trois jours après son mariage, il quittait Marseille en compagnie du dauphin et du duc d'Angoulême pour gagner Aix, laissant Catherine derrière lui avec une parfaite désinvolture. Pour celle-ci un long calvaire se profilait déjà à l'horizon. Supporté avec une résignation qui devait tout à la politique et à la raison d'État, il la conduirait plus tard à ordonner froidement d'autres mariages, d'autres résignations...

LA NUIT « SCIENTIFIQUE » DU GRAND-DUC

Politique et raison d'État constituant généralement la base des mariages royaux ou princiers et l'amour n'y jouant qu'un rôle accessoire, la résignation se voulait de rigueur chez les parties contractantes. Mais résignation ne signifiait pas toujours aveuglement et il est arrivé à certains fiancés de faire preuve d'une véritable méfiance. C'est ce sentiment, poussé peut-être un peu loin, qui valut à Christine de Lorraine une nuit de noces aussi rabelaisienne que baroque lorsqu'elle devint l'épouse de Ferdinand Ier de Médicis, grand-duc de Toscane.

Mais d'abord quelques mots sur ce Médicis qui, à l'exception de Cosme l'Ancien, de Laurent le Magnifique et de la reine Catherine fut sans doute le plus intelligent, le plus sage et le plus artiste de toute la famille.

Quatrième fils de Cosme Ier et d'Éléonore de Tolède, il reçoit le chapeau de cardinal à quatorze ans et prend la chose au sérieux. Il se crée, au sein du Sacré Collège une forte position personnelle qui lui permet de tenir tête au pouvoir pontifical et même à Sixte Quint ce qui représente une manière d'exploit. Fondateur de l'œuvre de la Propagation de la Foi, il n'en est pas moins, comme presque tous les Médicis d'ailleurs, un enragé collectionneur. C'est ainsi que la Ville Éternelle et les futurs Prix de Rome lui doivent la construction et la décoration de la célèbre Villa Médicis qu'il peuple d'une prestigieuse collection de statues grecques et latines.

Quand meurent son frère, Francesco, et son épouse, la superbe et détestable Bianca Capello, il se retrouve grand-duc à trente-huit ans et n'en éprouve nulle tristesse. Il n'a jamais aimé son frère. En revanche, il aime Florence qu'il veut prospère, puissante et surtout paisible. Aussi ne perd-il pas une seconde pour se mettre au travail et, disons-le tout de suite, le résultat sera à la hauteur de ses ambitions. En créant le port de Livourne et une puissante marine assez forte pour délivrer, le temps de son règne tout au moins, la Méditerranée des corsaires barbaresques, il assure à son pays le droit de travailler en paix. Et cette paix, même, il l'organise : fini les tournois, les fêtes guerrières, les prises d'armes, tout ce qui pourrait ranimer, si peu que ce soit, l'humeur si volontiers batailleuse des Florentins! Place au théâtre, aux marionnettes, à la musique et à la danse! Sans le savoir, Ferdinand Ier vient de créer le premier festival d'art...

Mais comme il entend asseoir sa dynastie, il lui faut une épouse. Justement sa cousine, la reine mère de France, Catherine de Médicis lui en propose une qu'elle assure parfaite : c'est sa petite-fille Christine de Lorraine, fille de sa fille Claude et du duc Charles II de Lorraine. La fille est charmante, du moins on le prétend, la dot sera belle. Ferdinand n'hésite plus : il jette définitivement sa simarre cardinalice (cela n'a aucune importance car en recevant le chapeau il n'avait pas pour autant reçu les ordres) et le mariage a lieu...

Quant à ce qui se passe au soir de ce grand mariage, mieux vaut laisser à Brantôme le soin de le raconter :

« Le soir, quand le duc l'épousa et qu'il voulut aller coucher avec elle pour la dépuceler, il la fit avant pisser dans un beau urinal de cristal, le plus beau et le plus clair qu'il put et, ayant vu l'urine, il la consulta avec son médecin. Le médecin l'ayant bien fixement et doctement inspicée (du latin *inspicere*) il trouva qu'elle était telle comme quand elle sortait du ventre de sa mère et qu'il y allât hardiment et qu'il n'y trouverait point de chemin nullement ouvert, frayé ni battu : ce qu'il fit et en trouva la vérité telle; et puis, le lendemain, en admiration dit : " Voilà un grand miracle que cette fille soit ainsi sortie pucelle de cette cour de France "... »

La naïveté de l'exclamation lui enlève beaucoup de son insolence, mais il est certain que la cour des Valois où s'ébattaient des femmes de réputations certaines comme la reine Margot, son amie Henriette de Nevers ou les belles de l'Escadron Volant n'avait que très peu de ressemblance avec une institution pieuse. Il est vrai qu'à vingt-quatre ans, Christine de Lorraine était déjà, pour l'époque, une sorte de vieille fille et qu'il pouvait y avoir des doutes sur la réalité de sa virginité à un âge aussi avancé. Comme elle n'était pas laide, il est probable qu'elle fut sauvée du péché par la religion car c'était une effroyable bigote qui, devenue veuve, dilapida la plus grosse part du trésor de son époux en fondations pieuses et entretien d'une foule de prêtres et religieux de toute sorte. Elle ne s'en montra pas moins excellente épouse et, en dépit de son « âge avancé » elle donna tout de même huit enfants à Ferdinand.

C'est à celui-ci qu'Henri IV, dont il fut toujours le fidèle soutien et ami, dut d'épouser la désastreuse Marie de Médicis qui était la nièce du grand-duc et qui, si elle apporta une dot intéressante, n'en fut pas moins mêlée à une trop grande série de catastrophes – à commencer par le coup de couteau de Ravaillac – pour que l'on se réjouisse de l'avoir vue sur le trône de France...

LA NUIT DES REGRETS : LOUIS XIV

Le plus célèbre des résignés est sans doute Louis XIV et celle qui eut le plus à se plaindre d'un tel mariage, l'infante Marie-Thérèse, reine méconnue, bafouée à la fois par son mari et par la postérité qui trouva commode de la faire passer pour une idiote, relayant ainsi les courtisans du Roi-Soleil qui, sachant bien de quel côté leur pain était beurré, s'efforcèrent à l'envi de fournir le plus d'excuses possible à une conduite qui n'en avait aucune et qui, chez quelqu'un de moins puissant, eût été jugée parfaitement inqualifiable. Il semble que, dès le lendemain de son mariage, le délicieux mari ait pris à tâche de faire payer à son innocente épouse l'extrême déplaisir qu'il s'était imposé en renonçant à l'amour d'une ambitieuse qui se voyait déjà reine de France.

Prise au piège d'une nuit de noces incontestablement réussie, la pauvre infante, après en avoir tiré des conclusions aimables et apparemment logiques, allait pouvoir constater rapidement ce qu'en valait l'aune en se retrouvant prisonnière à la fois d'une langue qu'elle eut quelque peine à assimiler et de grossesses réitérées, tandis que son époux s'en allait gambader, au propre dans les nombreux ballets que lui tricotait Benserade et, au figuré, dans les aimables plates-bandes que composaient, sur fond de Fontainebleau, Saint-Germain ou Versailles, les nombreuses jolies femmes de sa Cour. Mais revenons un peu en arrière pour examiner les faits qui conduisirent à cette nuit de noces, cause de tout le mal subi par Marie-Thérèse...

Ce jour de 1659 où le jeune roi vint lui dire qu'il souhaitait épouser sa nièce Marie Mancini, le cardinal Mazarin eut un éblouissement. Il fut à la fois abasourdi, stupéfait et un peu tenté. Voir sa propre nièce à lui, petit Italien sans naissance, escalader le trône de France pour y coiffer une couronne qu'il avait su redorer savamment, quel rêve! Mais c'était un homme qui savait mesurer ses rêves et, en fin de compte, il se retrouva épouvanté. Le négociateur espagnol, don Antonio Pimentel, ministre du roi Philippe IV, l'avait suivi à Paris après l'avoir rejoint à Lyon où il se donnait un mal affreux pour faire croire à un possible mariage du roi avec sa cousine de Savoie dans le seul but d'appâter l'Espagne. Le piège avait joué à plein; Pimentel était accouru, secrètement mais il était tout de même venu (Mazarin avait pleuré de joie en apprenant son arrivée) et si, à présent, il fallait rompre des négociations si délicates, si difficilement engagées, il n'y avait aucun doute à garder : ce serait la guerre car Philippe IV, même à peu près ruiné, ne passerait pas l'éponge sur un pareil affront : sa fille dédaignée au profit d'une petite Italienne de rien du tout...

Toutes ces pensées lui avaient traversé l'esprit à la vitesse de l'éclair mais il n'en avait pas moins gardé le silence pendant quelques instants. Et comme Louis s'inquiète de ce silence, qu'il espère peut-être joyeux, il lui répond :

« Sire, ayant été choisi par le roi votre père et, depuis, par la reine votre mère pour vous assister de mes conseils, et vous ayant servi avec une fidélité inviolable, je n'ai garde d'abuser de la confidence que vous me faites de votre faiblesse, ni de l'autorité que vous me donnez dans vos états pour souffrir que vous fassiez une chose si contraire à votre gloire. Je suis le maître de ma nièce et je la poignarderais plutôt que de la voir s'élever par une si grande trahison... »

Grandes paroles, dignes d'un grand ministre mais qui ne pénètrent guère l'entendement du jeune fou. Louis tourne les talons, file chez sa mère et va lui demander, à elle qui est femme et qui doit être sensible à ce genre de romance, de consentir à ce qu'il considère comme le bonheur de sa vie. Et même de l'aider à l'obtenir en faisant entendre raison au cardinal. Mais là aussi il se heurte à un refus.

Certes, Anne d'Autriche a de la sympathie pour cette jeune Marie et le souvenir de ses amours passées avec Buckingham, plus récentes avec Mazarin, lui permet de comprendre un tourment d'amour et un si grand désir de le vivre jusqu'au bout. Mais avec les années écoulées, elle s'est retrouvée reine avant tout, c'est-à-dire esclave de la raison d'État et elle refuse de se laisser fléchir. Louis a beau prier, supplier, se jeter à genoux en pleurant et en couvrant ses mains de larmes, elle demeure ferme sur ses positions. Et son langage rejoint beaucoup celui du ministre.

« Entre l'amour de cette fille et l'Infante, un roi de France ne saurait balancer. Songez que, si vous rompez l'alliance espagnole, c'est la guerre. Vos peuples ne vous seront guère reconnaissants d'avoir préféré votre bonheur à leur tranquillité. »

Au fond, elle ne croit guère à cette grande passion. Elle a déjà vu son fils tomber amoureux deux ou trois fois. Il oubliera cet amour-là comme les autres. C'est une question de patience...

Seulement Louis ne veut pas oublier. Marie, qui a attendu son heure dans l'ombre quand il courtisait sa sœur Olympe ou la petite de La Motte Argencourt, le tient et le tient bien. Elle se croit déjà victorieuse, surtout depuis qu'il lui a offert le magnifique collier de perles racheté à la reine Henriette, veuve de Charles Ier d'Angleterre. Elle sait qu'elle pourrait demander à Louis de renoncer pour elle à la Couronne mais il se trouve que ladite Couronne l'intéresse un peu elle aussi...

Et Mazarin s'en aperçoit bien quand il fait venir sa nièce pour l'engager dans la voie austère du devoir et lui faire renoncer à cet amour impossible. Hautaine, narquoise, sûre d'elle, Marie se moque ouvertement de son oncle. Il n'est que ministre tandis qu'elle va être reine. Alors, à quoi rime sa mercuriale? Ne ferait-il pas mieux d'accepter une fortune aussi glorieuse pour sa famille? Puisque aussi bien elle est la plus forte. Quant à la France, elle s'y fera, elle aussi...

Mais elle a été trop loin et ne va pas tarder à le regretter car, cette fois, Mazarin, toujours si aimable, si conciliant, se fâche. Il est un peu tôt pour jouer à la reine. Pour l'heure présente elle n'est qu'une insolente sur laquelle il a tout pouvoir. Qu'elle sache bien qu'il aimerait mieux la tuer de sa propre main que lui permettre de se jeter au travers de sa politique. Et comme la Cour doit prochainement partir pour Saint-Jean-de-Luz afin d'y rencontrer l'Infante, elle-même partira, dès le lendemain, pour Brouage en compagnie de ses sœurs et de sa gouvernante, Mme de Venel.

Alors Marie pleure, Marie supplie. Qu'il ne la renvoie pas, elle ne pourra pas le supporter!...

« Il a bien fallu que moi je vous supporte, vous et votre impudence, lance Mazarin. Vous partirez demain!... »

Il n'y a pas à y revenir. Le cardinal, en effet, possède pouvoir paternel sur sa nièce et Marie a beau pleurer dans les bras de Louis, celui-ci sait bien qu'il est battu. Le lendemain, 22 juin, il escorte son amie jusqu'au carrosse qui l'attend dans la cour du Louvre et, comme il ne peut cacher ses larmes, elle lui jette avec rancune, par la portière et au moment où le carrosse s'ébranle :

« Ah, Sire! Vous êtes roi, vous pleurez et je pars!... »

Là-dessus elle pique une crise de nerfs tandis que la voiture prend la route de Fontainebleau et que Louis, incapable de rester au Louvre, s'en va chasser... et entamer la première d'une longue suite de lettres d'amour.

Car Mazarin n'en a pas fini avec ces deux-là. Marie tente d'interrompre son voyage en se disant malade. Du coup Louis part pour Fontainebleau pour être plus près d'elle. Mazarin ordonne alors que malade ou non elle continue : l'air marin de Brouage la remettra. C'est souverain dans ces cas-là... Outre cela, des volumes de lettres s'échangent entre les amoureux. Courriers et mousquetaires sont sur les genoux. Mazarin, qui est parti pour la frontière, n'y peut pas grand-chose, sinon écrire :

« On dit, et cela est confirmé par des lettres de la Cour à des personnes qui sont de ma suite, que vous êtes toujours enfermé à écrire à la personne que vous aimez. Cela n'est point d'un roi... »

Ledit roi s'en moque et continue de plus belle et s'il accepte de partir enfin pour le pays où coule la Bidassoa c'est surtout parce que la route suivie est celle de Marie. D'ailleurs, faible pour une fois, la reine consent à ce que Louis et Marie se revoient à La Rochelle. Dans son esprit il ne peut s'agir que d'un adieu définitif mais elle est bien la seule à penser cela car les deux autres ont chacun sa petite idée sur cette entrevue. Louis, qui a vu naguère Olympe Mancini lui tomber dans les bras aussitôt après son mariage avec le comte de Soissons, en est venu à penser qu'il n'y aurait aucune raison pour que Marie n'agisse pas de la même façon.

Il pourrait ainsi conjuguer les exigences de la Couronne et celles de sa passion. Si elle l'aime autant qu'elle le dit, Marie trouvera certainement la solution parfaite... Il ignore que, dans l'esprit de la jeune fille, Louis et le roi ne font qu'un et elle le lui dit sans ambages :

« Si vous pensez qu'il vous sera possible d'en user avec moi comme avec ma sœur Olympe qui fut vôtre après son mariage, vous vous trompez, Sire! Je ne serai à vous qu'en mariage et jamais autrement... »

L'entrevue dure trois heures, vainement. Marie ne veut rien comprendre. Tant pis pour elle : c'est Brouage qui l'attend cependant que le roi, mécontent, à nouveau hésitant peut-être, rejoint Mazarin à Saint-Jean-de-Luz. Mazarin qui lui porte l'estocade finale en lui faisant entendre qu'il ne transigera pas avec ce qu'il considère comme son devoir.

« Au cas où je devrais rompre la négociation avec les envoyés espagnols, j'aurais l'honneur de remettre à Votre Majesté la démission de toutes mes charges. Après quoi je me retirerai sur l'heure en Italie... avec mes nièces bien entendu. »

Cette fois il a gagné. Louis XIV épousera l'Infante et, déjà le duc de Gramont chargé de demander officiellement la main de l'Infante galope vers l'Espagne avec l'escorte qui convient à un ambassadeur extraordinaire.

Étant donné les liens de famille qui existent entre les deux royautés (la reine Anne d'Autriche est la sœur de Philippe IV), il s'attend à une réception chaleureuse, familiale, pas tout à fait à la bonne franquette mais pas loin. C'est un Béarnais chaleureux fort ami des fêtes et, quand il pénètre dans Madrid en liesse, entouré d'une armée de gentilshommes en casaques roses avec plumes et rubans assortis, il pense que toute cette gaieté va l'accompagner jusqu'au trône du roi.

Or tout change quand il franchit les portes du palais royal. Pour un peu on se croirait à Byzance! Un peu abasourdi, sa troupe à falbalas sur les talons, Gramont parcourt des salles immenses et sombres au long desquelles toute une noblesse glacée qu'on dirait peinte par Le Greco, vêtue de sombre la plupart du temps mais portant des joyaux fabuleux qui ont dû, jadis, appartenir aux Aztèques, le regarde passer et tracer son chemin muet vers une sorte d'abside tendue de drap d'or où le roi, tout vêtu de noir, chapeauté de noir mais la Toison d'Or au cou le regarde venir sans un mot, sans un geste. Et le Roi Catholique ne dira pas un mot, ne fera pas un geste, n'aura même pas un battement de paupières tandis que Gramont s'agenouille et débite son discours auquel on ne répondra pas. C'est cela l'étiquette espagnole et Louis XIV y puisera certaines idées quand il se déifiera lui-même.

Après cette chaude réception on emmène les Français

qui se sentent bizarrement gênés et font un peu figure de parvenus avec leurs rubans roses, chez la reine qui les attend avec l'Infante. Les toiles de Vélasquez nous ont familiarisés avec cette mode espagnole aux immenses vertugadins qui faisait d'une femme une idole et n'était pas sans grandeur. Gramont se trouve en face d'un double Vélasquez somptueux... et tout aussi immobile qu'une toile du maître sévillan, tout aussi silencieux. Il a tout juste le droit de baiser l'ourlet des robes de brocart et de se retirer sur la pointe des pieds sans avoir osé, cette fois, délivrer sa harangue. Mais on lui permet d'assister au souper des deux princesses que des dames vêtues de blanc servent « à genoux »! Et c'est une reine élevée de cette incroyable façon que Louis XIV, plus tard, contraindra à partager son carrosse avec une La Vallière, avec une Montespan...

Heureusement pour l'ambassadeur quelque peu déphasé, le duc d'Ossuna se charge de le recevoir avec sa suite et, cette fois, la réception (et le banquet donc! six cents plats!...) est à la hauteur de sa mission.

Quant à l'infante il l'a trouvée charmante bien qu'il n'ait pas entendu le son de sa voix. Elle est petite mais fort bien faite, un visage un peu long au teint très frais, des yeux bleus légèrement globuleux et une superbe, une luxuriante chevelure blonde. De son caractère il ne peut rien deviner. Pourtant il en vaut la peine car ses éléments dominants sont la foi, la soumission, la timidité, la pureté, la dignité et une passion magistralement contenue. Il ne saura pas que cette somptueuse poupée possède de l'esprit, de la finesse et du discernement, mais les Français ne le sauront pas davantage car, à la veille du mariage, Philippe IV « met un cachet sur les lèvres » de sa fille. Elle est un otage et elle doit s'engager à n'être que le reflet d'un époux dont le sort de l'Espagne va dépendre pour longtemps, un époux qu'il faudra surtout ne jamais indisposer. Tout ce que sauront d'elle ses sujets c'est que sa charité est inépuisable et qu'elle ne craindra pas de soigner elle-même, dans les hôpitaux, les malades dangereux ou les blessés les plus rebutants.

Encore est-ce le peuple qui découvrira cela. Les courtisans, eux, jugeront plus commode de la déclarer stupide...

Bientôt c'est le départ pour Saint-Sébastien où a lieu le mariage par procuration le 3 juin 1660. Philippe IV conduit lui-même sa fille, vêtue d'une simple robe de laine blanche brodée d'argent jusqu'à l'autel où l'attend don Luis de Haro qui représente Louis XIV. Pour une fois le Roi Catholique est vêtu de gris et d'argent, assez simplement mais un énorme diamant « le Miroir du Portugal » étincelle à son chapeau auprès de la « Peregrina » qui doit être la plus grosse perle connue. Le moment venu l'Infante tend le bras vers Don Luis qui en fait autant, puis offre sa main à son père qui baise en pleurant – mais oui! – cette main qui est désormais celle de la reine de France.

Le lendemain, dans l'île des Faisans où se sont déroulées les conférences avec Mazarin, c'est la rencontre avec Anne d'Autriche de part et autre d'une ligne frontière au-dessus de laquelle la reine tend le cou pour embrasser un frère qu'elle n'a pas vu depuis quarante-cinq ans. Mais Philippe IV n'aime pas les embrassades qui compromettent la dignité et évite le baiser de sa sœur en rejetant la tête en arrière. On commence à causer un peu froidement quand un gentilhomme vient annoncer un « étranger » qui demande à entrer. C'est naturellement Louis XIV qui n'a pas encore le droit de voir sa fiancée mais qui souhaite quand même se renseigner. La mise en scène est d'ailleurs bien montée. Comme si de rien n'était, Mazarin et Don Luis de Haro vont en bavardant jusqu'à la porte mais en laissant entre eux assez d'espace pour que l'on puisse apercevoir le jeune roi.

« Voilà un beau gendre, consent enfin à déclarer Philippe IV. Nous aurons des petits-enfants! »

L'Infante, elle, a pâli. Anne d'Autriche qui s'en est aperçue lui demande doucement :

« Que vous semble cet étranger? »

Elle n'a pas le temps de répondre. Son père s'interpose :

« Il n'est pas temps de le dire! »

Encore un froid. Décidément ces Espagnols sont impossibles! C'est du moins ce que pense le jeune Philippe d'Orléans, le frère de Louis XIV, le ravissant Monsieur qui jette plaisamment :

« Ma sœur, que vous semble de cette porte?... »

Marie-Thérèse qui a rougi, bien sûr, ne peut s'empêcher de sourire :

« La porte me paraît fort belle et fort bonne! » dit-elle.

Quatre jours plus tard, c'est pour elle la séparation d'avec les siens au milieu d'un déluge de larmes. Tout le monde pleure, y compris Louis XIV. On se demande bien pourquoi à moins que ce ne soit sur lui-même. Puis Marie-Thérèse va quitter ses vêtements espagnols pour une robe française tandis que Mazarin, au comble du soulagement, remercie humblement Philippe IV d'avoir accompagné lui-même sa fille.

« Je serais plutôt venu à pied, riposte l'autre qui jouit visiblement de la stupeur du cardinal qui s'est donné tant de mal pour obtenir une princesse qu'on ne demandait qu'à lui donner... »

Le 9 juin le véritable mariage est célébré à Saint-Jean-de-Luz. Le roi est vêtu de drap d'or voilé de noir. Marie-Thérèse traîne derrière elle un grand manteau de velours pourpre semé de lys d'or, long de cinq mètres et que soutiennent à mi-distance les princesses d'Orléans et, à l'extrémité la princesse de Carignan. Une couronne de diamants est posée sur ses beaux cheveux et elle porte au corsage une rose de diamants et de perles. Elle est émue, mais il est visible qu'une joie l'habite. Derrière elle, les couleurs des costumes rappellent un peu l'Espagne : la reine mère est drapée dans des voiles noirs givrés d'argent et la Grande Mademoiselle ferme la marche avec la majesté d'une frégate entrant au port. Elle aussi est tout de noir vêtue (elle porte le deuil de son père) mais les vingt rangs de perles qui lui pendent sur la poitrine enlèvent beaucoup de sévérité à l'ensemble.

Après la cérémonie, le jeune couple, la reine mère et Monsieur dînent ensemble chez le roi mais auparavant Louis et Marie-Thérèse sont apparus au balcon pour répondre aux acclamations de façon substantielle en jetant à poignées des pièces de monnaie. A peine la dernière bouchée avalée, le roi déclare qu'il veut aller se coucher. Mais mieux vaut peut-être laisser la parole à un témoin de la scène, Mme de Motteville :

« La reine dit à la reine sa tante avec les larmes aux yeux : *Es muy temptano...* [C'est trop tôt] qui fut depuis qu'elle était arrivée le seul moment de chagrin qu'on lui vit et que sa modestie la força de sentir. Mais enfin, comme on lui eut dit que le roi était déshabillé, elle s'assit à la ruelle de son lit sur deux carreaux pour en faire autant sans se mettre à sa toilette. Elle voulut complaire au roi en ce qui même pouvait choquer en quelque façon sa pudeur et comme on lui eut dit que le roi l'attendait, elle pressa ses femmes : *Presto! Presto! Que el Rey me espera...* [Vite, vite! Le roi m'attend!]. Après une obéissance si ponctuelle qu'on pouvait déjà soupçonner être mêlée de passion tous deux se couchèrent... »

Anne d'Autriche, témoin de l'extrême confusion de la jeune reine a pitié d'elle. Visiblement, depuis que Louis l'a rejointe, Marie-Thérèse ne sait plus où se mettre. Alors, saisissant elle-même les rideaux du grand lit, la reine mère les tire avec décision après avoir béni le jeune couple puis invite tout le monde à sortir. Personne, contrairement à ce qui se faisait jusqu'alors, ne surveillera les premiers épanchements des jeunes gens :

« On ne doute point, écrit un spectateur du mariage, qu'un prince si vigoureux que le nôtre n'ait consommé le mariage... »

Confiance amplement justifiée. Dès le lendemain chacun peut constater la véritable adoration que la jeune reine porte à son époux. Elle lui voue, dès à présent, un amour total. Henriette d'Angleterre qui sera bientôt Madame et qui ne cessera d'envier à Marie-Thérèse un époux qu'elle confisquera un temps à son seul usage, écrira plus tard : « Sa passion est telle qu'elle cherche à lire dans ses yeux tout ce qui peut lui faire plaisir; pourvu qu'il la regarde avec amitié, elle est gaie toute la journée. Elle est bien aise que le roi couche avec elle... et si joyeuse lorsque cela est arrivé, qu'on le voit tout de suite. Elle aime à ce qu'on la plaisante là-dessus, rit, cligne les yeux et frotte ses petites mains... »

« Quant à Louis, toujours d'après Mme de Motteville citant la reine mère : ... " aussitôt après les noces, [Anne d'Autriche] parlant de la satisfaction et du contentement du roi [dit] qu'il l'avait remerciée de lui avoir ôté du cœur Mlle de Mancini pour lui donner l'Infante qui vraisemblablement allait le rendre heureux tant par sa beauté que par sa vertu, sa complaisance et l'affection qu'elle lui témoignait..." »

Belle déclaration maternelle destinée surtout à masquer la vérité. Louis est tellement heureux, il a si bien oublié Marie Mancini que lorsque le 27 juin, au cours du voyage de retour vers Paris, on atteint Saintes, il décide d'aller visiter La Rochelle tandis que la Cour continuera sur Saint-Jean-d'Angély...

Cela sent terriblement le coup fourré. Bien sûr Marie n'est plus à Brouage. Elle est rentrée à Paris où elle attend d'épouser un grand seigneur romain, le connétable Colonna – ces Colonna chez qui l'oncle Mazarin était jadis camérier! – mais la route de La Rochelle n'en est pas moins celle de Brouage et Mazarin ne peut s'empêcher d'être inquiet. Heureusement, il est lui-même gouverneur d'Aunis et de Saintonge : il accompagnera donc le roi, il lui montrera La Rochelle... Ce beau projet essuie un refus fort net : le roi entend voyager tout seul, ou presque. Rien que deux gentilshommes... et Philippe Mancini!

Naturellement, à La Rochelle, Louis ne jette qu'un coup d'œil distrait au grand port protestant... et file à Brouage où il va s'offrir une nuit lamartinienne : durant une partie de la nuit, le plus « grand roi du monde » va errer sur la plage comme un enfant perdu en pleurant à creuser les galets. Puis, quand il consentira à aller se coucher ce sera dans le lit même où a dormi Marie. Et là il continuera à pleurer.

Ces larmes-là, Marie-Thérèse les paiera de beaucoup d'autres larmes. Il y aura d'abord, à peine rentré à Paris, Olympe Mancini qui reprendra un temps quelque influence, puis Madame, puis La Vallière, ce « chandelier » devenu grand amour, puis l'éblouissante Montespan et les accrocs accessoires comme la princesse de Monaco ou la belle d'Artigny.

Ce sera l'honneur... et aussi la mort de Monsieur de dire un jour son fait, touchant Marie-Thérèse, à son auguste frère. La scène se passe en 1701 et le roi est à présent l'époux de la veuve Scarron et, comme Louis XIV reproche à Monsieur la vie déréglée de son fils, le futur Régent, Monsieur explose, déclare à son frère que « les pères qui ont mené de certaines vies ont peu de grâce et d'autorité à reprendre leurs enfants » et qu'il serait bon pour lui de se souvenir « des façons qu'il a eues pour la reine avec ses maîtresses jusqu'à leur faire faire des voyages dans son carrosse avec elle ».

La dispute qui suit est tellement violente que le pauvre prince, étouffant d'indignation, en meurt peu après d'apoplexie mais avec l'immense satisfaction d'avoir enfin fait entendre à son frère ce qu'il pensait de lui depuis tant d'années...

UNE NUIT AVEC MONSIEUR...

Pauvre Monsieur! Lui qui n'aimait guère les dames autrement que dans leurs ajustements, leurs plaisirs et leurs façons d'être, devait se trouver par deux fois obligé de se marier à seule fin de servir la politique de son potentat de frère! Il avait épousé la charmante et cruelle Henriette d'Angleterre quand le rétablissement du trône des Stuarts avait rendu cette alliance souhaitable mais il avait fait, avec elle, le plus mauvais ménage qui fut. Et il ne goûtait les douceurs du veuvage que depuis un peu plus d'un an quand le roi lui fit entendre qu'il lui fallait se remarier.

Avec qui, mon Dieu? Avec une Allemande, cette fois; Élisabeth-Charlotte, dite Liselotte, fille de l'Électeur palatin Charles-Louis et cousine issue de germains de feu la première Madame et dont, du point de vue de la naissance, c'est à peu près le seul titre de gloire. En dehors de cela, elle est pauvre, laide à faire rougir un miroir, aussi large que haute avec un visage épais, sans la moindre grâce mais troué de petits yeux vifs et malin. Car ce laideron a de l'esprit. Elle prend d'ailleurs fort joyeusement parti de son physique : « On n'a jamais été laide avec plus de verve, écrit-elle, ni plus à cœur joie! » Et, bien plus tard, elle fera d'elle-même cette flatteuse description :

« Ma taille est monstrueuse de grosseur, je suis aussi carrée qu'un cube : ma peau est d'un rouge tacheté de jaune; mes cheveux deviennent tout gris; mon nez a été bariolé par la petite vérole ainsi que mes deux joues; j'ai la bouche grande, des dents gâtées... »

Sur ce point elle n'est pas la seule. Les belles dents ne sont guère l'apanage du XVIIe siècle. Le roi, le premier, n'est pas très bien « meublé », la reine pas davantage. Il faut être un raffiné comme Monsieur pour exhiber de jolies quenottes...

Quoi qu'il en soit et quoi qu'il puisse en penser Monsieur épousera Liselotte. Pourquoi ce mariage en apparence désastreux avec une fille qui arrivera avec six chemises en tout et pour tout? Mais parce que Louis XIV guigne le Palatinat et que, l'Électeur n'ayant sans doute pas la moindre envie de payer la dot convenue, la petite clause de renonciation de la princesse à la succession de ses parents qui occupe modestement un bout du contrat de mariage tombera d'elle-même. Alors?...

Alors, en août 1671 le mariage est conclu, et le 16 novembre de la même année, à Metz, la maréchal du Plessis-Praslin épouse par procuration Élisabeth-Charlotte au nom de Monsieur. Pour la sécurité de son départ des terres paternelles, la princesse ne se convertit au catholicisme (du bout des lèvres d'ailleurs!) qu'une fois en France. Cette formalité remplie elle s'achemine vers son destin et vers Monsieur qui, justement s'en vient à sa rencontre en fastueux équipage. Et c'est, sur la route entre Bellay et Châlons la rencontre que l'on peut sans peine qualifier d'historique. La nouvelle Madame voit descendre de carrosse un fabuleux étalage de joaillerie scintillant sur un homme « qui, sans avoir l'air ignoble, était petit et rondouillet avec des cheveux et des sourcils très noirs, des grands yeux de couleur foncée, le visage long, mince, un grand nez et une bouche trop petite garnie de vilaines dents... » (lui aussi!...)

Quant à Monsieur, laissé d'abord sans voix par l'aspect « rustre » de cette grosse fille blonde, il ne sait que murmurer, assez haut pour qu'elle l'entende :

« Oh!... Comment pourrai-je coucher avec elle?... »

« Je vis bien, écrit Madame, que je déplaisais à Monsieur mon époux, ce que je ne dois pas trouver merveilleux, laide autant que je le suis mais je pris dès ce moment la ferme résolution de vivre avec lui de telle sorte qu'il s'accoutumât à ma laideur. Ce à quoi j'ai réussi... »

En effet, le côté grenadier de sa nouvelle épouse finit par convenir assez bien au duc d'Orléans : « Le premier choc subi, écrit Philippe Erlanger, Monsieur éprouva une surprise heureuse. Quel repos d'avoir une femme qui ne serait pas une rivale, une femme étrangère à la coquetterie, ignorante des intrigues, indifférente aux jolis garçons, une femme qui ne prétendait être ni une égérie ni Machiavel, une femme enfin si gaillarde, si crue que la pudeur envers elle semblait ridicule et qu'il était loisible de la traiter en camarade, voire en confidente!... »

Et il réussit parfaitement à lui faire trois enfants...

Reste le problème de la nuit de noces sur laquelle Madame n'a pas laissé de témoignage direct mais dont on peut déduire ce qu'elle fut grâce à un autre passage de ses Lettres dans lequel elle raconte comment Monsieur se comportait au lit et par quel étrange artifice il réussit à tenir une place fort honorable dans l'échelle comparative des géniteurs royaux.

« Monsieur, écrit la jeune épouse, a toujours paru dévot. Il m'a fait rire, une fois, de bon cœur. Il apportait toujours au lit un chapelet d'où pendait une quantité de médailles et qui lui servait à faire ses prières avant de s'endormir. Quand cela était fini j'entendais un gros fracas causé par les médailles, comme s'il les promenait sous les couvertures. Je lui dis :

« – Dieu me pardonne, mais je soupçonne que vous faites promener vos reliques dans un pays qui leur est inconnu!

« Monsieur répondit :

« – Taisez-vous! Dormez! Vous ne savez pas ce que vous dites...

« Une nuit, je me levai tout doucement. Je plaçai la lumière de manière à éclairer le lit et, au moment où il promenait ses médailles sous la couverture, je le saisis par le bras et lui dis en riant :

« – Pour le coup, vous ne sauriez plus le nier.

« Monsieur se mit aussitôt à rire et dit :

« – Vous qui avez été huguenote vous ne savez pas le pouvoir des reliques et des images de la Sainte Vierge. Elles garantissent de tout mal les parties qu'on en frotte.

« Je lui répondis :

« – Je vous demande pardon, Monsieur, mais vous ne me persuaderez point que c'est honorer la Vierge que de promener son image sur les parties destinées à ôter la virginité.

« Monsieur ne put s'empêcher de rire et dit :

« – Je vous en prie, ne le dites à personne... »

Quoi qu'il en soit il semble bien que la croyance absolue de Philippe dans le pouvoir de ses médailles ait constitué pour lui la mise en condition nécessaire à l'accomplissement de ses devoirs conjugaux avec ses femmes, mais le miracle fut sans doute plus évident avec Henriette d'Angleterre, femme jusqu'au bout des ongles, qu'avec la Palatine qui devait regretter toute sa vie de n'être point homme, qui jurait comme un reître, montait à cheval comme un hussard, adorait les histoires scabreuses et se goinfrait de bière et de choucroute. Faire l'amour avec elle devait apparaître à Monsieur comme une expérience somme toute divertissante.

Néanmoins, cinq ans plus tard, quand Madame eut donné le jour à son troisième enfant, Élisabeth-Charlotte dite Mlle de Chartres qui, en épousant Léopold, duc de Lorraine, deviendrait l'ancêtre de tous les Habsbourg à venir, de François-Joseph, jusqu'à l'assassiné de Sarajevo et jusqu'à nos jours, Monsieur pensa qu'il était temps de laisser reposer ses reliques. L'accouchement, en effet, avait été plus que pénible et avait failli devenir dramatique.

Toujours est-il qu'il s'en alla proposer à sa femme de faire désormais chambre à part. Liselotte accueillit la proposition avec enthousiasme.

« J'ai été bien aise, soupire-t-elle, car je n'ai jamais aimé le métier de faire des enfants. Lorsque Son Altesse me fit cette proposition, je lui répondis : “ Oui, de bon cœur, Monsieur! J'en serai très contente pourvu que vous ne me haïssiez pas et que vous continuiez à avoir un peu de bonté pour moi. ” Il me le promit et nous fûmes tous deux très contents l'un de l'autre. C'était aussi fort ennuyeux que de dormir près de Monsieur. Il ne pouvait souffrir qu'on le troublât pendant son sommeil; il fallait donc que je me tinsse sur le bord du lit au point que, parfois, je suis tombée comme un sac. Je fus donc fort contente lorsque Monsieur, de bonne amitié et sans aigreur, me proposa de coucher chacun dans un appartement séparé. »

Disons les choses telles qu'elles furent : Liselotte n'aima jamais son époux. Celui qui l'avait séduite, dès le premier coup d'œil, c'était le roi, ce prince rayonnant, fabuleux qui avait fait des cérémonies de son mariage une sorte de conte oriental et qui lui montrait une amitié réelle, prenant plaisir à son esprit acéré autant qu'à partager avec elle sa passion pour la chasse. Madame ne devait jamais guérir de cette « maladie-là » et souffrit mille morts quand il épousa secrètement l'ancienne gouvernante de ses bâtards, cette Maintenon pour laquelle la Palatine n'eut pas d'injure assez féroce... Traitée successivement de guenille, de guenipe, de loque, de casserole, de truie, de sorcière, de voleuse, d'accapareuse de blé, d'empoisonneuse et d'incendiaire [1], la « vieille ordure du grand homme » retourna à Madame une haine féroce et d'autant plus dangereuse qu'elle était plus sournoise. La Maintenon réussit à détacher Louis XIV de sa bonne amitié avec sa belle-sœur et brouilla plus ou moins le ménage Orléans bien que

1. On se prend à regretter que Madame eût ignoré le terme d'« emmerdeuse ». Elle en eût certainement fait un usage admirable...

Monsieur l'exécrât presque autant que sa femme.

Après la mort de Monsieur, Liselotte se réconcilia avec le roi et, en cette occasion, laissa pour une seule et unique fois parler son cœur :

« Si je ne vous avais pas tant aimé, aurais-je tant détesté Mme de Maintenon?... »

LA NUIT SURVEILLÉE DE « CARLIN »

La seconde fille de Monsieur et d'Henriette d'Angleterre, Mlle de Valois, avait épousé le roi de Sardaigne, Victor-Amédée II. Elle en eut quatre enfants. Deux filles d'abord : la première, Marie-Adélaïde, devint, avec son jeune époux, le duc de Bourgogne, les délices de Versailles et la mère de Louis XV; la seconde, Marie-Louise, épousa le roi d'Espagne, Philippe V, petit-fils de Louis XIV. Vinrent ensuite deux garçons : Victor-Amédée, prince de Piémont, et Charles-Emmanuel. Mais, autant le roi de Sardaigne adorait son premier fils, autant il vouait au second une espèce d'aversion teintée de méfiance tout à fait désagréable.

Or, voici qu'en 1715 ce prince tant chéri s'avisa de mourir d'une chute de cheval. Ce fut abominable et, à la cour de Turin, chacun se persuada qu'aucun des deux époux ne résisterait au choc. La reine s'alita et, durant de longs jours, elle condamna son appartement aux courtisans aussi bien qu'au soleil et au grand ciel bleu d'Italie. Quant à Victor-Amédée, après avoir menacé tour à tour de passer au fil de l'épée tous les chevaux de ses écuries, de se retirer dans un couvent, puis de faire un pèlerinage en Terre sainte, il choisit de cesser de s'occuper des affaires de son royaume qui, naturellement, ne tardèrent pas à s'en aller à vau-l'eau.

Ce fut au point que la reine Anne-Marie jugea prudent de mettre un terme aux manifestations de sa propre douleur afin de remettre un peu d'ordre dans la maison.

« Nous n'avons pas le droit de nous laisser aller ainsi au désespoir, dit-elle à son époux. Il nous reste un fils et il nous faut dès à présent le préparer à vous succéder.

– Lui? grogna Victor-Amédée II. Il en est bien incapable : c'est un idiot... »

La reine savait bien que son époux détestait son cadet mais elle ignorait que celui-ci le lui rendait bien. Un peu bossu, un peu goitreux, laid, méfiant et profondément dissimulé, Charles-Emmanuel à quatorze ans n'avait évidemment que fort peu d'attraits mais l'aversion que lui montrait son père en toutes occasions n'arrangeait rien. Le jeune prince reprochait surtout à son royal géniteur le surnom de « Carlin » qu'il lui avait accroché, jouant à la fois sur le diminutif de son prénom à l'italienne [1] et sur son aspect général en s'obstinant à employer une traduction française nettement injurieuse.

Néanmoins, Anne-Marie entreprit de défendre son rejeton.

« Il n'est pas idiot, loin de là. Mais jusqu'à ce jour vous avez ordonné que l'on négligeât, à dessein, son éducation afin que l'âge venu il ne pût porter ombrage à la royauté de son aîné. Il faut réparer cela. Grâce au ciel il est encore jeune et il a encore le temps d'apprendre son métier de roi... »

Victor-Amédée renifla de façon peu gracieuse mais avec le maximum de mépris.

« Lui? Je l'en crois incapable. D'abord, il est si laid! Comment croire raisonnablement qu'il soit le frère de nos autres enfants? »

La reine dédaigna l'intention blessante. Ses filles étaient ravissantes, tout le monde le savait et le défunt prince était beau, lui aussi. Mais si Charles-Emmanuel n'était pas un prix de beauté, Victor-Amédée lui-même ne constituait pas

1. Carlino.

une réussite exceptionnelle. Sa figure étroite, grêlée de petite vérole offrait un fond peu aimable à un nez fort long qui s'ornait, au bout, d'une manière de boule. En outre, il était rouquin avec, sous ledit nez, deux virgules de même nuance qui prétendaient au rôle de moustaches. Au moral : entêté comme un âne rouge du Poitou et presque aussi malin. Sa diplomatie souterraine mais efficace était passée à l'état de proverbe comme d'ailleurs son avarice qui était sordide.

Été comme hiver, Sa Majesté sarde portait le même habit marron sans garnitures, les mêmes gros souliers de cuir solide, les mêmes chemises de toile rude et, pour ne pas user les basques de cet éternel habit, il avait fait garnir de cuir la poignée de son épée. Brochant le tout venait une vaste houppelande bleue assez minable grâce à laquelle on aurait pu le prendre pour un simple meunier si le roi n'avait réfugié dans ses perruques et ses chapeaux tous ses éclats de magnificence. Personne n'avait de perruques comme les siennes! On les lui envoyait d'ailleurs de Paris et ses chapeaux, parisiens eux aussi, compensaient par l'exubérance du plumage la regrettable absence de dentelles des jabots.

Néanmoins, pour son fils aîné, le roi n'avait pas lésiné et lui avait offert une éducation soignée en se rattrappant sur celle du cadet. Et voilà que tout était à recommencer! Mais comment faire autrement?

Alors, bien vite, on essaie de rattraper le temps perdu. L'infortuné Carlin se voit accablé de professeurs. On l'assomme d'économie politique, de balistique, de stratégie, de littérature, de mathématiques, de diplomatie. Puis, pour l'égayer, on le fait danser, ferrailler, tirer au pistolet, monter à cheval, sauter des obtacles avant de le replonger dans ses livres. Tant et si bien que le malheureux se voit à deux doigts de parvenir à l'état prédit depuis toujours par son père : un ahuri complet.

Pour couronner le tout, à vingt et un ans, on le marie. En 1722, il épouse Christine-Louise de Neubourg, fille du comte palatin de Sulzbach. Dès lors, destinée à porter couronne, la pauvre fille se voit soumise au même régime coupé, il est vrai, durant les loisirs de neuvaines nombreuses pour assurer la descendance royale...

Mais, dix-huit mois plus tard, Christine-Louise meurt, à peu près épuisée, sans avoir éprouvé la plus petite nausée, annonçant la plus faible intention de donner un héritier à son mari. Qui, d'ailleurs, n'est pas tout à fait son mari car si Carlin est laid, il n'est pas aveugle et il a pu constater sans la moindre peine que son épouse princière était encore plus laide que lui. Il s'est bien gardé d'y toucher.

Ce qui n'empêche Victor-Amédée, retour des funérailles, de laver copieusement la tête du veuf.

« Apparemment vous n'êtes bon à rien, Carlin? Voilà votre épouse partie pour un monde meilleur sans nous avoir donné d'héritier? Savez-vous qu'il va falloir vous remarier et que cela coûte très cher, un mariage!...

Carlin accepte la mercuriale sans broncher. S'il n'avait tant espéré régner un jour, il eût volontiers envoyé promener Monsieur son père et ses projets matrimoniaux avec tous les honneurs dus à leur majesté. D'ailleurs, les femmes ne l'intéressent pas. Les filles d'honneur de sa mère se moquent de lui et il n'est jusqu'aux chambrières qui ne se permissent, sur son passage, des rires étouffés aussi désobligeants que possible.

Cet état de choses n'a pas échappé à l'une des dames d'honneur de la reine qui a les meilleures raisons de se vouloir dans les bonnes grâces de la famille royale. A quarante-cinq ans Anne-Thérèse de Cumiane, marquise de Spigno Monferrato, est une belle créature aux cheveux noirs, aux dents superbes et à l'esprit avisé. Son teint de lait, ses beaux yeux sombres et sa gorge florissante lui ont toujours valu, de la part de Victor-Amédée, un accueil flatteur tandis que sa piété et son apparente absence d'ambition en font l'une des conseillères les plus écoutées de la reine.

Et un beau jour, Mme de Spigno s'en va faire connaître à Anne-Marie le fond de sa pensée. Trouver une nouvelle épouse au prince est la chose du monde la plus aisée mais ne servira rigoureusement à rien... si l'on ne surveille pas étroitement ce qui se passe dans sa chambre.

Et comme la reine s'étonne, elle développe son propos. Le prince qui n'a jamais approché une femme en a peur et celle qu'on lui avait donnée n'avait vraiment rien pour le mettre en appétit. Il faudrait des conseils avisés, pertinents, éclairés... Des conseils que la mère est bien incapable de donner. Que la chère marquise aille donc en toucher un mot au roi! Ce genre d'affaire est davantage de son ressort...

Victor-Amédée écoute sa visiteuse avec d'autant plus d'intérêt qu'il la trouve charmante. Et c'est, entre eux, le début d'une intimité fort agréable où le bonheur de Carlin sert de prétexte à toutes sortes de marivaudages. La marquise est chargée de trouver matière à déniaiser Carlin et à le mettre en condition de faire bonne figure lors de son prochain mariage. Elle devra même le surveiller de près dès que le mariage aura eu lieu.

« Il n'est pas question, déclare Victor-Amédée, de laisser mon fils faire ce qu'il voudra quand sa nouvelle épouse sera auprès de lui.

– Puis-je tout de même, suggère Mme de Spigno, adjurer Votre Majesté de faire en sorte qu'elle ne soit point trop laide? »

Elle ne l'est pas. Elle est même ravissante. C'est une petite Allemande fraîche comme une rose, douce comme un ange et blonde comme le soleil, mais affublée d'un nom impossible : Polyxène de Hesse-Rheinfeld. C'est sans importance pour Carlin qui, dès le premier coup d'œil se montre enchanté. Il l'est même tellement qu'on craint, en haut lieu, les méfaits d'une trop grande timidité.

Pourtant, Mme de Spigno s'est arrangée pour que Carlin se débarrasse de son encombrant pucelage avec l'aide d'une jolie fille dont l'Histoire n'a malheureusement pas retenu le nom. Mais il paraît tellement extasié, tellement heureux tout d'un coup!... Il y a là de quoi lui faire perdre ses moyens tout neufs.

« Ma chère, dit alors le roi à la marquise, il n'y a qu'une solution à ce problème : il faut que nous soyions là!

– Qui? Vous, Sire?...

– Non : nous! Vous et moi!... »

C'est ainsi qu'au soir du mariage, après que, sur les dernières révérences, la Cour se fut retirée et que les rideaux du lit eurent été tirés, le roi alla se jeter dans un fauteuil pour y attendre la suite des événements tandis que Mme de Spigno s'installait discrètement derrière les rideaux qu'elle écartait de temps à autre d'un doigt prudent pour chuchoter tel conseil qui lui semblait judicieux. Ils devaient l'être car, se retirant sur la pointe des pieds aux petites heures du matin, elle alla réveiller Victor-Amédée qui avait fini par s'endormir dans son fauteuil, bercé sans doute par l'écho des soupirs, et lui glissa des informations tellement encourageantes que celui-ci, enchanté, décida que l'on continuerait à « aider » Carlin. Mais pas lui. Les veillées étaient trop fatigantes pour un homme de son âge et puis Mme de Spigno se tirait tellement bien de sa délicate mission qu'il n'y avait aucune raison pour qu'elle ne continuât pas.

Et cela donne le résultat suivant : chaque soir, la marquise se rend chez le roi pour y prendre ses ordres et les communiquer au prince qu'elle doit discrètement conseiller. Et le lendemain matin, elle y retourne pour rendre compte de sa mission et de la façon dont les conseils ont été suivis.

Cela vaut, aux deux complices une infinité de conciliabules chuchotés dans le silence du cabinet royal et sur un sujet suffisamment brûlant pour que Victor-Amédée s'enflamme à son tour. Et l'une des nuits de surveillance s'achève le plus naturellement du monde dans le lit du roi où la belle marquise fait merveille.

Dès lors, Carlin, enfin laissé à lui-même, put s'offrir le

luxe d'aimer sa jeune femme comme il l'entendait et ne réussit point si mal...

Mme de Spigno non plus car, en 1728, la reine Anne-Marie ayant quitté ce monde, elle se vit offrir par son amant un mariage morganatique béni à minuit dans la chapelle du palais de Turin. Enfin, elle atteignait son rêve : devenir une sorte de Maintenon savoyarde, régner par l'entremise de son époux, tout régenter, être reine sans couronne mais reine tout de même...

Hélas! il y a loin de la coupe aux lèvres. A peine marié, est-ce que Victor-Amédée ne décide pas d'abdiquer « afin de vivre désormais à l'abri des soucis du pouvoir, en simple gentilhomme campagnard entre sa bonne épouse et ses chiens... »? La malheureuse crut en mourir de dépit car elle n'avait aucun moyen de dissuasion : c'eût été avouer que son amour si désintéressé s'adressait bien plus à la Couronne qu'à son porteur. Et il fallut, la rage au cœur, partir pour le glacial château de Chambéry après avoir assisté, le 7 septembre 1730, à l'abdication solennelle de Victor-Amédée...

L'hiver fut affreux. La vieille forteresse médiévale était pleine de courants d'air. Victor-Amédée eut des rhumatismes et Madame un coryza chronique. En outre il n'y avait pas le moindre confort.

Après tant d'épreuves, la Maintenon savoyarde crut que tout allait changer : son époux en eut assez de Chambéry et décida soudain de rentrer à Turin et d'annuler son abdication...

Mal lui en prit. Carlin était devenu Charles-Emmanuel III et entendait le rester. Il lança ses troupes aux trousses de Monsieur son Père et le fit arrêter une nuit dans le lit de la marquise. L'ex-roi devait mourir de rage, au château de Moncalieri, quelques mois plus tard. Quant à son épouse, arrachée à demi nue du lit conjugal, elle fut conduite au couvent de la Visitation à Pignerol où elle vécut encore quarante interminables années, inconsolable du marché de dupe qu'elle avait eu l'imprudence d'accepter.

UNE NUIT « À VUE DE NEZ » POUR LE GRAND DAUPHIN

Un jour de l'automne 1678, Louis XIV convoque, à Saint-Germain, un homme dans les capacités duquel il place une grande confiance car il le sait diplomate, avisé, et homme d'expérience. En un mot le président Colbert de Croissy, frère cadet du ministre qui est âgé de cinquante-trois ans, qui est fin, habile et qui sait la Cour comme personne. Il est l'un des négociateurs de la paix de Nimègue signée depuis peu et c'est avec un secret espoir qu'il se rend à l'invitation du souverain. Va-t-on lui octroyer une récompense en rapport avec ses mérites?

Certes, on le remercie mais, surtout, on le charge d'une nouvelle mission tout aussi délicate : cette fois il s'agit de marier l'unique fils (légitime et encore vivant à ce jour) de Sa Majesté.

A cet énoncé, Colbert de Croissy marque une surprise flatteuse pour le roi mais qui masque sa déception : a-t-on besoin d'un diplomate de sa force pour marier le Dauphin, l'héritier du plus beau trône du monde? C'est à la portée de n'importe quel grand seigneur, même légèrement obtus...

« Si mon fils me ressemblait, admet enfin le grand roi avec plus de sincérité que de modestie, j'en demeurerais d'accord. Mais tel n'est pas le cas. Lorsqu'il ne chasse pas le loup, Monseigneur demeure des heures entières assis dans un fauteuil à contempler le bout de ses souliers ou le pommeau de sa canne...

– Le Prince est un silencieux, Sire. Il réfléchit beaucoup sans doute. On ne saurait l'en blâmer.

– Un silencieux? Hum!... Un peu trop peut-être. Il ne dit pas trois paroles dans une année.

– C'est qu'il pense en conséquence...

– Vous croyez? Croissy, Croissy! Je commence à craindre que vous ne soyez trop bon diplomate! Vous n'osez pas me dire que mon fils ne parle pas parce qu'il n'a rien à dire et que, s'il montre un goût si vif pour la musique c'est qu'elle lui permet de rester assis à ne rien faire en s'accordant même, de temps à autre, un petit somme... »

Au supplice, Croissy choisit de ne pas répondre. Il est de mode, à la Cour, d'accorder au Grand Dauphin « un certain génie » mais c'est uniquement parce que l'on ne sait trop quel autre talent lui octroyer. A dix-sept ans, déjà grassouillet, lourd et endormi, son seul véritable passe-temps est la chasse au loup, mais il s'est donné tant de mal pour détruire les rares spécimens assez las du monde pour s'aventurer encore autour de Saint-Germain ou de Fontainebleau que, depuis quelque temps, sa louveterie en est réduite à chasser le lapin. Réduit à l'inaction, Monseigneur s'est résigné à s'ennuyer dans un fauteuil ou bien à s'endormir en écoutant un concert.

Dieu sait pourtant qu'il a été élevé soigneusement! Son premier gouverneur, le duc de Montausier, partisan convaincu de la manière forte, l'a roué de coups presque quotidiennement tout en partageant avec lui un savoir certain. Quant au second, Bossuet, le grand Bossuet, son enseignement, moins énergique, ne péchait ni par manque de science ni par défaut d'élévation. Seulement, s'adressant à Monseigneur le Dauphin, ses hautes leçons entraient par une oreille et ressortaient par l'autre. En fait, fils d'un tel père, le jeune Louis aurait eu quelque peu tendance au complexe d'infériorité, bien qu'il s'en accommodât parfaitement...

Laissant au roi le soin d'estimer lui-même les capacités de son héritier, Croissy se contente d'attendre que l'on veuille bien lui confier le nom de la princesse à laquelle on pense. On le renseigne rapidement : il s'agit de la jeune sœur de l'Électeur de Bavière, la princesse Marie-Christine. Une alliance avec la Bavière conviendrait assez à Louis XIV car, dix ans plus tôt, il a passé, avec l'Électeur, un traité d'alliance stipulant qu'en cas de décès de l'Empereur le Bavarois soutiendrait sa candidature au trône impérial. En outre on dit la princesse pleine d'esprit, de cœur et ornée d'une haute culture...

A merveille! En ce cas il n'y a guère d'obstacle... Eh bien si, il y en a un : le roi craint que sa candidate ne soit laide. Il sait bien que, lorsque dans une cour étrangère on s'étend sur les qualités morales d'une fille à marier, cela cache généralement de sérieux défauts physiques. Et c'est en cela que réside la mission de Colbert de Croissy : découvrir la vérité sur l'aspect de Marie-Christine de Bavière. La famille royale compte déjà un monument de laideur avec la seconde Madame qui est d'ailleurs une « Bavière » elle aussi, il ne s'agit pas de hisser au trône de France un autre épouvantail. Et le roi d'insister :

« Je veux la vérité!... »

Et voilà l'ambassadeur extraordinaire parti pour Munich!

Il n'a pas encore quitté le territoire français que, là-bas, on sait déjà ce qu'il vient faire. Il y a cette grande écrivassière de Palatine qui n'arrête pas de noircir du papier à destination de l'Allemagne et puis les « observateurs politiques » et les espions ne manquent pas dans les entours du Roi Très-Chrétien. Aussi, à Munich règne une certaine fièvre mêlée d'une certaine anxiété. Principalement chez la princesse Marie-Christine-Anne-Victoire.

Comme une bonne partie des princesses d'Europe, elle tourne depuis longtemps ses regards vers ce pays de France où un roi fastueux est en train de construire un palais où travaille un peuple d'artistes et dont on dit qu'il sera le plus beau du monde. Or, quand elle apprend qu'un ambassadeur vient tout exprès pour elle, la jeune fille éprouve une véritable angoisse. Elle a trop d'intelligence pour ignorer qu'elle a peu de beauté et, justement, elle désire passionnément plaire et être épousée. Que faire dans ce cas?...

Eh bien, d'abord essayer de se mettre en valeur et quand elle apprend que le Français est entré dans Munich, Marie-Christine décide de le recevoir vêtue de sa plus belle toilette – une robe toute brodée d'or – et debout sur une estrade abritée par un dais de velours rouge dont les crépines d'or retomberont gracieusement autour de sa tête et mettront une ombre douce sur son visage. Car c'est là qu'il y a un problème...

Quand vient l'heure de la réception, Colbert de Croissy entre, fait ses révérences, débite un compliment bien tourné auquel la princesse répond en excellent français et avec beaucoup de bonne grâce. Puis, pour se donner le temps de l'examiner sans trop avoir l'air d'y toucher, l'ambassadeur se lance dans une harangue tellement longue et tellement filandreuse que la pauvre enfant (elle n'a que dix-huit ans) doit lutter contre une somnolence dont la sauve heureusement la station debout.

Rentré chez lui, Croissy après avoir tourné en rond pendant un moment dans sa chambre, s'installe à une table, prend une plume neuve, du papier et se met en devoir d'écrire à son maître :

« Quoique je l'aie regardée fort fixement et que je me sois attaché à considérer sa taille et tous les traits de son visage, loin d'y trouver quelque chose de choquant, il m'a paru, quoiqu'elle n'ait aucun trait de beauté qu'il résulte de ce composé quelque chose qu'on peut bien dire agréable. La taille m'a paru d'une moyenne grandeur, parfaitement bien proportionnée, la gorge assez belle, les épaules bien tournées, le tour du visage plutôt rond que long, la bouche ne peut être dite ni petite ni fort grande, les dents sont blanches assez bien rangées, les lèvres rebordées assez régulièrement; elles ne sont pas véritablement fort rouges mais on ne peut dire qu'elles soient pâles; le nez est un peu gros par le bout, mais on ne peut pas dire qu'il soit choquant et qu'il fasse une grande difformité; les joues sont assez pleines, les yeux ni petits, ni grands, ni bien vifs, ni trop languissants. Je n'ai vu sa main et son bras qu'un instant et n'en puis faire la peinture; j'avoue seulement que je n'y ai pas vu la même blancheur qu'à la gorge; son teint m'a paru un peu brun et de la manière que l'on voit la plupart des filles qui ne savent pas ce que c'est que polir un peu la Nature. Enfin, Sire, ce sera une princesse très parfaite et, à mon sens, plus capable de plaire que de plus belles personnes... »

Cette belle page achevée que n'eût pas désavouée un Normand, Croissy la relit, pousse deux ou trois soupirs et s'en va se coucher, remettant au lendemain l'envoi du courrier pour la France. Il lui est, en effet, revenu en esprit qu'il doit, le lendemain également, déjeuner au palais et il espère pouvoir, ayant contemplé la princesse en pleine lumière, parfaire ainsi sa description dont il n'est pas pleinement satisfait. La chose qui le tourmente le plus est le nez de la princesse. Même dans l'ombre des tentures il lui est apparu plus important qu'il n'a osé le dire et il se demande honnêtement s'il n'a pas été victime d'un jeu de lumière ou des ombres de ces maudites tentures.

Le lendemain venu, Croissy rentrant du palais, reprend sa lettre et ajoute, très vite et en *post-scriptum* :

« Je viens d'assister au repas de la princesse et, l'ayant examinée en plein jour et longtemps, je me vois forcé d'avouer qu'elle a le tour de la bouche et le bas des joues très rouges et quelques taches jaunes sur le haut du visage. D'ailleurs, toutes les vertus morales et les grâces de l'esprit... »

Et, cette fois, il expédie le tout.

Au reçu, ce morceau de littérature issu d'une plume aussi éminemment diplomate, laisse le roi perplexe. Il en conclut sans peine que Marie-Christine est loin d'être une beauté mais, d'autre part, il est attaché à ce mariage qu'il juge souhaitable sur bien des points. Ne serait-il pas possible que cette jeune fille, sans être belle, eût tout de même quelque charme?

Il va poser la question à Mme de Maintenon qui n'est pas encore marquise mais dont il prend déjà volontiers le conseil.

« Le roi ne possède-t-il pas déjà un portrait de la princesse de Bavière? dit la dame.

– Si fait! mais vous savez ce que sont ces portraits de cour : un tissu de flatteries, de rubans et d'affiquets qui s'entendent à déguiser la vérité. C'est pourquoi j'ai dépêché M. de Croissy.

– Alors, Sire, il faut lui envoyer ce portrait et lui demander d'en écrire sur ce qu'il en pense. »

L'idée paraît excellente à Louis XIV qui envoie incontinent le tableau en Bavière porté par un chevaucheur de sa Grande Écurie. Colbert de Croissy le reçoit sans aucun plaisir car, entre-temps, il s'est pris d'une amitié pour une jeune princesse à la fois sage, bonne et intelligente et il aimerait bien qu'elle épouse le Dauphin. Mais, esclave du devoir, il n'en répond pas moins que le portrait est flatté puis il se perd, pour noyer le poisson, dans des considérations vagues :

« La princesse a le bas du visage plus agréable, surtout quand elle ne rit pas mais le peintre lui a fait le visage un peu plus long qu'il n'est et, surtout, le nez un peu moins gros... »

Ah! Ce nez! Il en pleurerait, le malheureux ambassadeur! Pourtant c'est impossible de le passer sous silence. Il est tellement évident, tellement... Non, jamais embarras plus cruel n'a été infligé à un diplomate doublé d'un homme de cœur.

A Saint-Germain, Louis XIV commence à s'inquiéter lui aussi de ce nez qui paraît traumatiser son ambassadeur. Aussi, pour en avoir le cœur net, décide-t-il d'envoyer en renfort l'un de ses portraitistes favoris : le jeune De Troy.

« Et surtout, recommande-t-il, pas de flatteries, pas de

complaisance! Je veux la vérité... quelle qu'elle soit. »

De Troy jure tout ce que veut le roi et gagne Munich où, sous l'œil mi-inquiet, mi-sévère de Croissy il se met à l'ouvrage. Un ouvrage qui d'abord, n'avance guère : Marie-Chritine est atteinte, dès le début des séances de pose, d'une fluxion qui lui fait une joue deux fois plus grosse que l'autre. On doit attendre que les choses rentrent dans l'ordre. Après quoi le peintre met les bouchées doubles, usant sans jamais réussir à la lasser la patience de la jeune fille.

Enfin, le portrait est achevé, emballé, envoyé en France tandis que, soupirant de plus belle, Colbert de Croissy reprend sa plume : ce malheureux De Troy, séduit sans doute par le charmant caractère de son modèle, l'a enjolivé. Il a diminué le fameux nez et, cela, il faut que le roi le sache.

En possession de la lettre et du tableau, Louis XIV est bien près de se mettre en colère. De qui se moque-t-on? De Troy a juré de faire ressemblant et cependant Colbert de Croissy dit qu'il a flatté, que son nez n'est pas assez gros du bout. Mais qu'est-ce qu'il peut bien avoir, ce nez?...

Mme de Maintenon hasarde que la princesse a peut-être du charme et que le charme n'a rien à voir avec la beauté. Sinon comment expliquer les circonlocutions de Croissy et l'aberration d'un peintre qui prend le risque de déplaire au roi en déguisant une vérité qu'on lui demande?

« Des regards différents peuvent voir une même femme différemment », dit-elle.

C'est une grande vérité mais à double tranchant. Colbert de Croissy a vu la princesse d'une façon, De Troy d'une autre, comment la verront les courtisans d'abord, ces impitoyables dénigreurs, puis, surtout, le Grand Dauphin? Après tout, c'est lui qui doit épouser... Et si quelqu'un s'avisait de faire sentir sa laideur à la pauvre princesse? Quel scandale! Un scandale toujours possible avec les fauves policés qui peuplent les palais royaux...

Louis XIV connaît bien sa Cour et il décide que le mariage aura lieu et qu'il n'y aura pas de scandale car il entend prendre ses précautions. Et, un beau soir, au souper de la reine on voit soudain apparaître le roi dans un appareil fort inhabituel : Sa Majesté, sans perdre un pouce de son habituelle dignité, fait son entrée, portant sous le bras un tableau. Un valet armé d'un marteau et de clous marche gravement derrière elle.

Arrivé près du fauteuil de Marie-Thérèse, Louis la salue, laisse peser sur l'assemblée inclinée un regard olympien puis désigne au valet l'un des murs tendus de soie :

« Mettez le crochet ici. »

Quand l'homme a fini, le roi accroche lui-même le portrait de Marie-Christine, recule de quelques pas pour juger de l'effet puis déclare :

« Voici la princesse de Bavière qui va, sous peu, devenir notre fille très chère. Quoiqu'elle ne soit pas belle, elle ne déplaît pas et elle a beaucoup de mérite. »

C'est sans appel. Personne ne s'y trompe et, avec un petit silence, il reste à venir contempler le portrait et à faire entendre tout ce que l'on peut trouver de flatteur. Évidemment, dès que le roi a tourné les talons, on se précipite, on échange des commentaires consternés. Dieu qu'elle est laide! Moins que Madame bien sûr, mais très laide tout de même. Et la marquise de Sévigné d'écrire, peu après :

« Il y a quelque chose à son nez. Cela fait mauvais effet tout d'abord... »

Il y a bien quelqu'un qui pourrait se permettre de protester et c'est naturellement le premier intéressé : le Grand Dauphin. Et l'on est à l'affût de sa réaction, on attend son avis qu'il ne se presse d'ailleurs pas de donner. Entre une chasse, un concert et un somme, il vient tout de même donner un coup d'œil distrait au portrait en compagnie de son ancien gouverneur Montausier devenu Premier Gentilhomme de sa chambre. On retient son souffle... Que va-t-il dire?

« Pourvu que ma femme ait de l'esprit et soit vertueuse, déclare-t-il paisiblement, je serai content quelque laide qu'elle puisse être... »

Et voilà. Et il s'en retourne écouter ses violons laissant les potineurs à leur déception. Monseigneur est très content comme cela et si quelqu'un se tourmente, ce n'est certes pas lui. Au fait c'est le roi. Louis XIV finit par rêver de ce fameux nez et quand il apprend que la princesse est entrée en Lorraine, il n'y tient plus : il expédie à sa rencontre son maître d'hôtel, Sanguin, avec ordre de rapporter son impression première dans toute sa fraîche nouveauté. Sanguin, le roi le sait, est « un homme vrai et qui ne sait point flatter... »

Et Sanguin part, suivi de près par la Cour qui doit rejoindre la princesse à Vitry-le-François. C'est là que, deux jours avant l'arrivée officielle, le messager secret rejoint son maître.

« Alors?...

– Eh bien, Sire, sauvez le premier coup d'œil et vous serez fort content... »

Le premier coup d'œil? Diable! Il doit tout de même y avoir quelque chose. Le surlendemain, à deux lieues en amont de Vitry, c'est la minute de vérité... Des carrosses poudreux qui s'approchent, s'arrêtent... Une portière qui s'ouvre... Une forme féminine, pleine de juvénilité saute de la première voiture et court s'agenouiller devant le roi qui, tout à coup, aimerait fermer les yeux mais se force à regarder en face l'arrivante. Et, aussitôt il sourit : quoi? Tant de bruit pour si peu? Certes, Marie-Christine n'est pas belle : il y a ce teint trop foncé et puis ce nez trop gros du bout mais quel charmant sourire et quels yeux pleins de douceur...

Tout heureux, il la relève, l'embrasse puis, faisant avancer le Dauphin :

« Voilà de quoi il est question, Madame : c'est mon fils que je vous donne... »

Et un nouveau miracle se produit. L'indifférent, l'apathique Dauphin se trouve si content qu'il tombe amoureux de sa petite femme au nez trop gros qui d'ailleurs le lui rend. Et la nuit de noces de ces résignés-là sera une vraie nuit d'amour, une nuit de gens heureux d'être ensemble qui aura lieu à Châlons au milieu de l'allégresse générale. Le roi était si content de sa belle-fille qu'il la couvrit littéralement de joyaux, déchaînant même la jalousie de la reine. Mais il avait eu tellement peur que ce mariage-là ne fût un échec...

Cette première nuit châlonnaise allait ouvrir sur une existence quasi bourgeoise. Quand le roi s'installa à Versailles, le jeune couple se fit construire à Meudon une petite maison, trop modeste au goût de Louis XIV mais où il se trouvait bien : Louis chassait, écoutait de la musique, Marie-Christine lisait, jardinait et faisait des enfants. Elle en fit trois... et beaucoup trop de fausses couches qui la menèrent au tombeau à trente ans.

Son mari la pleura beaucoup mais, par la suite, il lui trouva une remplaçante en la personne d'une certaine Emilie Joly de Choin qu'il épousa morganatiquement et qui était bien la créature la plus affreuse que l'on eût jamais vue. La Cour, accablée, ne l'appela jamais autrement que « La Choin »... Mais Monseigneur se moquait de la Cour : il l'aimait comme ça!

LA NUIT DES LARMES :
MAURICE DE SAXE MARIE SA NIÈCE

La scène qui se déroule à Nangis, soixante-sept ans plus tard, le 6 février 1747, pourrait n'être que la réédition de celle qui s'est déroulée près de Vitry-le-François en 1680. Là encore, un roi, sa cour s'en viennent au-devant d'une princesse étrangère qui va devenir dauphine. Là encore, c'est la raison d'État qui commande le mariage, mais choses et gens sont bien différents et c'est fort heureux sinon nous ne serions pas là.

Le roi, c'est Louis XV. Le Dauphin... eh bien, il est absent. Il traîne quelque part derrière et on ne le retrouvera que le lendemain à Brie-Comte-Robert. La princesse vient encore d'au-delà du Rhin mais n'est qu'à peine allemande. Fille de l'Électeur de Saxe et roi de Pologne Auguste III, Marie-Josèphe est polonaise de cœur et d'éducation ayant été élevée au couvent des Dames du Saint Sacrement de Varsovie et aimant de tout son cœur ce pays sur lequel règne son père. Enfin, il y a là un personnage de tout premier plan : le héros de Fontenoy et de Raucoux, le fameux, l'immense, le gigantesque maréchal de Saxe qui est le *deus ex machina* du mariage.

Marie-Josèphe est sa nièce – ou sa demi-nièce car si Auguste III et Maurice de Saxe sont tous deux fils d'Auguste II, le premier a eu pour mère une très régulière princesse royale et l'autre la très belle comtesse Aurore de Kœnigsmark. Et ce mariage, le grand homme l'a voulu comme une récompense supplémentaire couronnant toutes celles que sa valeur lui a méritées : le bâton de maréchal de France, le château de Chambord avec le droit d'y faire stationner son régiment et d'y garder les canons pris à Raucoux, le rang de prince souverain sur ses terres où le curé n'arrête pas de baptiser des bébés diversement colorés dus aux cavaliers, diversement colorés eux aussi, qui composent le superbe régiment de Saxe-Volontaires. A présent, il s'est mis en tête de donner une reine à la France et il est en train d'y parvenir, ayant fait tout ce qu'il fallait pour cela.

Il s'est occupé de tout, même des détails les plus inattendus chez un maréchal de France. C'est ainsi que la mère de Marie-Josèphe a reçu de lui cette lettre qui fait sourire venant d'un guerrier aussi fameux.

« Je suis informé du trousseau. En général tout ce qui est garde-robe appartient à la dame d'atours qui est Mme la duchesse de Lauraguais; elle fournit toutes les parures, linge, dentelles et reprend ce qui ne sert plus. C'est le plus grand bénéfice de sa charge. Quant aux bijoux, diamants et pierreries, il y en a une quantité considérable pour le service de Mme la Dauphine mais dont elle ne peut disposer, qui sont pierreries de la Couronne; quant à celles qu'on lui apporte et qu'elle acquiert, elle peut en disposer comme bon lui semble et cet article ne va pas à la dame d'atours.

« Votre Majesté ferait bien de donner à la princesse quelques pièces d'étoffe de Hollande, s'il y en a de belles, fond satin ou or, dans le goût des étoffes des Indes ou de Perse parce qu'ici il n'y en a pas et que l'entrée de ces étoffes est défendue; s'il s'en trouvait de belles chez les Arméniens à Varsovie, il serait bon d'en faire acheter.

« Comme on ne trouve point de belles fourrures ici, il serait bon de donner aussi à la princesse une belle palatine doublée de martre zibeline, comme on les porte en Russie, qui sont longues et chaudes et font un bel ornement avec le manchon assortissant. L'on ne fait nulle part les tours de robes et des corsets baleinés aussi bien qu'à Dresde, il faudra en donner quelques-uns qui pourront servir de modèles par la suite.

« Il faut seulement observer une chose qui est que le tailleur ne fasse pas la taille trop longue. C'est un défaut dans lequel nos tailleurs tombent souvent, ce qui donne un air gêné et rend les jupes trop courtes, ce qui n'est pas dans le goût du maître de ce pays-ci. Je ne sais si je me fais entendre en parlant ajustements et ma façon de m'exprimer paraîtra peut-être ridicule à Votre Majesté mais je la supplie de m'excuser de ma bonne volonté... »

La lettre du maréchal n'étonna guère la reine. Comme toute l'Europe elle savait les retentissantes aventures sentimentales de son beau-frère. Il connaissait trop bien les femmes pour ne pas savoir les habiller aussi bien qu'il les déshabillait...

Mais retournons sur la route de Nangis où Louis XV attend toujours. Cette fois, aucune inquiétude ne l'habite touchant le physique de sa future belle-fille : ses portraits sont charmants et sa réputation aussi. Il se tourmenterait plutôt sur la façon dont va se comporter son fils en face de sa nouvelle épouse car, veuf depuis huit mois de l'infante Marie-Thérèse, Louis n'a pas encore fini de pleurer son épouse. Il n'a même pas voulu venir jusqu'ici alléguant qu'il verrait sa fiancée bien assez tôt.

L'inquiétude, elle est tout entière du côté de Marie-Josèphe et il faut avouer qu'il y a de quoi.

D'abord, si elle se sent polonaise de cœur, cela risque de ne pas suffire à lui attirer les bonnes grâces de la reine. Marie Leczinska certes est polonaise de sang mais il se trouve justement que son père, le joyeux Stanislas Leczinsky a été détrôné par Auguste III et ce sont de ces choses dont on n'aime guère à se souvenir.

En outre, la nouvelle venue n'ignore pas qu'elle épouse un veuf et quel veuf! Un veuf de huit mois qui ne se console pas d'avoir perdu sa jeune épouse morte en couches après tout juste dix-sept mois de bonheur. Car, pour une fois, ce mariage-là était un mariage d'amour... Quel accueil va-t-il lui faire? De temps en temps, Marie contemple la miniature du Dauphin qu'elle porte attachée par une chaîne d'or à son poignet droit depuis qu'en l'accueillant à la frontière française, sa première dame d'honneur, la duchesse de Brancas, la lui a offerte. Il est charmant, ce jeune prince et le duc de Richelieu qui l'escorte depuis le mariage par procuration à Dresde assure que le portrait est fidèle. S'il pouvait l'aimer un peu, elle pourrait, peut-être, être heureuse?...

Mais voici que le carrosse s'arrête. Une foule scintillante barre la route avec des voitures dorées, des chevaux empanachés. Mme de Brancas fait descendre la princesse et lui indique le roi devant lequel elle doit aller s'agenouiller. Marie-Josèphe a si peur d'apercevoir le modèle de la miniature avec une mine sinistre qu'elle se précipite avec toute l'ardeur de ses quinze ans, s'affale aux pieds de Louis XV et supplie :

« Sire!... Je vous demande votre amitié... »

Louis XV sourit comme il sait sourire quand il veut, relève cette jolie blondinette qu'il trouve charmante, l'embrasse et l'assure que, cette amitié demandée, elle vient de se l'acquérir et pour toujours... Il est très heureux de la voir arrivée à si bon port et elle peut être certaine de trouver en lui un véritable père. Quant au Dauphin... eh bien, mais on le rencontrera demain. Il était souffrant la veille au soir mais il a écrit une lettre... Et on donne la lettre à la princesse.

Or elle n'est pas adressée à la fiancée, cette maudite lettre mais bien à Mme de Brancas. On ne s'en aperçoit que trop tard quand Marie-Josèphe éclate en sanglots : le Dauphin y confie à la dame d'honneur que personne au monde ne réussira à lui faire oublier sa première femme... C'est la catastrophe! On s'indigne. Le roi est très mécontent. L'oncle Maurice aussi qui a embrassé et réembrassé sa nièce et qui s'efforce de la consoler. Il tordrait volontiers le cou de ce galopin stupide comme il sait si bien le faire avec un fer à cheval qu'il transforme en tire-bouchon d'une seule main. Mais enfin on ne peut pas rester indéfiniment sur cette route glaciale et l'on repart. Marie-Josèphe cette fois prend place avec le roi.

Le lendemain, à Brie, le premier contact avec le dauphin Louis n'a rien d'encourageant. Le Prince a les yeux rouges et il est tout juste poli. Pendant tout le temps que durera le voyage de retour à Versailles, c'est Louis XV qui fera tous les frais de la conversation. Le Roi est gai, enjoué, il montre à la jeune fille tout ce qui, sur le chemin peut l'intéresser et celle-ci lui en est reconnaissante car cette gentillesse rend un peu moins pénible le silence obstiné de Louis qui regarde par la portière et s'occupe bien plus des foules que l'on rencontre que de sa fiancée.

Le 9 février c'est la grande cérémonie. Les dames de la dauphine l'ont revêtue d'une robe tissée d'or et rebrodée d'or dont le poids est de soixante livres. Le maréchal de Saxe qui l'a soupesée, a hoché la tête en contemplant la silhouette blonde, si juvénile encore de sa nièce :

« Elle pèse plus lourd qu'une cuirasse! » déclare-t-il.

Et c'est en fait ce qu'elle est pour la fiancée du désespéré. Elle lui permet de se tenir bien droite en tenant bien haut sa tête couronnée de diamants durant l'interminable cérémonie, le banquet et le bal qui suivent. Le Dauphin a ouvert la danse avec sa femme puis il a disparu dans un coin.

Pour amuser sa belle-fille, le roi a commandé un bal masqué. Des dominos de toutes couleurs s'y croisent mais l'on remarque bientôt certain domino jaune qui n'arrête pas de visiter les buffets dressés dans les premiers salons des grands appartements. Il s'empiffre, repart, revient, recommence à manger et à boire comme s'il n'avait encore rien pris, repart encore, revient de nouveau...

Son manège intrigue le roi qui le fait surveiller. Qui peut bien être ce glouton? Quand on découvre le pot aux roses c'est un éclat de rire général : le domino sert d'abri à tous les Suisses de la Maison du Roi qui viennent à tour de rôle manger et boire à la santé des mariés.

Seul le Dauphin n'a pas ri. L'heure tragique est arrivée pour lui. Il est temps d'aller au lit et d'y aller en présence d'une foule considérable : la famille royale et les principaux de la Cour, marquise de Pompadour en tête.

C'est la seconde fois que Louis subit cette cérémonie mais la première fois il était joyeux et n'avait qu'une hâte : voir disparaître tout ce monde afin de rester seul avec sa petite infante rousse. Aujourd'hui, il donnerait n'importe quoi pour qu'elle refuse de s'en aller, cette foule, afin qu'il puisse y demeurer isolé comme il l'était à la chapelle et durant le festin... ou alors qu'un cataclysme se produise! La foudre sur le toit de Versailles, un tremblement de terre, n'importe quoi! Mais qu'il puisse échapper à ce supplice : donner à une inconnue, à une étrangère la place de la bien-aimée disparue...

Marie-Josèphe n'est guère en meilleure forme mais elle ne le montre pas ainsi qu'en témoigne la lettre que le maréchal de Saxe enverra le lendemain à son frère, le roi de Saxe :

« A quinze ans, il n'y a plus d'enfants dans ce monde-ci et, en vérité, elle m'a étonné. Votre Majesté ne saurait croire avec quelle présence d'esprit Madame la Dauphine s'est conduite et Monsieur le Dauphin paraissait un écolier auprès d'elle. Une fermeté noble et tranquille accompagnait toutes ses actions et, certes, il y a des moments où il faut toute l'assurance d'une personne formée pour soutenir avec dignité ce rôle. Il y en a un, entre autres, qui est celui du lit où l'on ouvre les rideaux lorsque l'époux et l'épouse ont été mis au lit nuptial, ce qui est terrible car toute la Cour est dans la chambre. Et le roi me dit pour rassurer Madame la Dauphine de me tenir auprès d'elle.

« Elle soutint tout cela avec une tranquillité qui m'étonna. Monsieur le Dauphin se mit la couverture sur le visage; mais la princesse ne cessa de parler avec une liberté d'esprit charmante, ne faisant pas plus attention à ce peuple de Cour que s'il n'y avait eu personne dans la chambre. Je ne l'ai quittée et ne lui ai souhaité la bonne nuit que lorsque les femmes eurent refermé les rideaux. Tout le monde sortit avec une espèce de douleur car cela avait l'air d'un sacrifice et elle a trouvé le moyen d'intéresser tout le monde pour elle.

« Votre Majesté rira peut-être de ce que je lui dis là, mais la bénédiction du lit, les prêtres, les bougies, cette troupe brillante, la beauté, la jeunesse de cette princesse, enfin le désir que l'on a qu'elle soit heureuse, toutes ces choses ensemble inspirent plus de pensées que de rires. Il y avait dans la chambre tous les princes et toutes les princesses qui composent cette Cour, le roi, la reine, plus de cent femmes couvertes de pierreries et d'habits brillants. C'est un coup d'œil unique... »

Tandis que son carrosse l'emporte vers son château du Piple où l'attend la jolie Marie de Verrières [1], Maurice de Saxe est loin d'être tranquille. Il donnerait beaucoup pour savoir ce qui se passe, à la même heure, derrière ces sacrés rideaux. Il sait bien, lui, qu'à la place de ce benêt de Dauphin, il n'irait pas se cacher sous ses draps alors qu'une si charmante enfant attend son bon plaisir.

Ce qui s'y passe? Il vaut mieux que le bouillant maréchal ne le voie pas. A peine la chambre s'est-elle vidée que le prince s'est mis à sangloter comme un enfant perdu et ne semble pas décidé à s'arrêter. D'abord interdite par ce bruyant chagrin, la Dauphine s'est laissée gagner peu à peu par l'ambiance. Bientôt les larmes lui viennent, à elle aussi, et la voilà qui pleure, puis qui sanglote. Et voilà les deux jeunes époux, chacun le nez dans son oreiller, qui pleurent à qui mieux mieux...

La Dauphine pleurait-elle en contrepoint de son époux, ou bien le prince eut-il conscience des légères secousses que leur double chagrin imprimait au lit, toujours est-il qu'entre deux hoquets il parvint à articuler :

« Par... pardonnez-moi... Madame... de... de vous donner une telle... image! »

1. Qui sera l'aïeule de George Sand.

Seigneur! Il a parlé!... Du coup, les larmes de la Dauphine tarissent comme par enchantement. Elle essuie ce qu'il en reste puis, avec beaucoup de gentillesse, elle se penche vers son larmoyant époux :

« Laissez couler vos larmes, Monsieur, et ne croyez pas que je sois offensée. Elles me prouvent, au contraire, ce qu'il m'est permis d'espérer si je sais, un jour, mériter votre estime. C'est le propre d'un noble cœur que la fidélité au souvenir et je sais trop ce qu'il a dû vous en coûter d'accepter notre mariage... »

Cette voix douce, compatissante, agit comme un baume. A son tour, Louis cesse de pleurer. Pour la première fois, il regarde vraiment sa jeune femme. Elle est bien mignonne avec ses beaux cheveux blonds, ses yeux bleus pleins de compréhension et son petit nez rougi par les larmes... Alors il tente un sourire, le réussit presque et murmure :

« Merci, mon petit cœur... »

Bientôt, Marie-Josèphe sera « mon petit cœur » pour toute la famille royale conquise par sa bonté, sa patience et sa gentillesse. Pour l'heure présente, les deux époux finissent par s'endormir chacun dans son coin et quand, au matin, les dames de la Dauphine viendront examiner les draps, elles n'y trouveront pas ce qu'elles étaient venues chercher. Mais les oreillers eux, sont encore humides...

Le roi fronça les sourcils mais jugea préférable de ne rien dire et de laisser faire la nature. C'était la sagesse car cette nuit si bien trempée marqua le début d'une affection, fraternelle d'abord mais qui, peu à peu, devint plus tendre. Le Dauphin découvrit rapidement qu'entre sa jeune femme et lui il y avait bien des goûts communs : la lecture, l'étude, la piété, la musique, les fleurs et une certaine simplicité dans la vie quotidienne. Leur appartement devint une sorte d'îlot paisible au milieu de l'agitation d'une cour frivole et brillante...

On ne sait pas exactement au bout de combien de temps le Dauphin se décida enfin à considérer Marie-Josèphe comme une épouse et non plus comme une sœur. Il semble que ce fut tout de même assez rapide car lorsque, le 26 août 1750, la Dauphine donna le jour à une petite fille, Marie-Séphirine qui ne devait vivre que cinq années – elle avait déjà eu trois enfants mort-nés. Mais à partir de cette naissance, le Dauphin ne s'arrêta plus. Vinrent ensuite le duc de Bourgogne qui mourut à dix ans, ce dont ses parents pensèrent périr de chagrin, puis le duc d'Aquitaine qui ne vécut que quelques mois. Le suivant, Berry, allait être beaucoup plus solide. Il avait trente-neuf ans quand sa tête tomba sur l'échafaud de la place de la Révolution : on l'appelait Louis XVI. Les suivants aussi demeurèrent de ce monde : Louis XVIII, Charles X puis Marie-Adélaïde, reine de Sardaigne et enfin Élisabeth, la charmante et si touchante Madame Élisabeth dont la Terreur fit une martyre.

Ce destin dramatique de ses enfants, la Dauphine qui ne fut jamais reine n'eut pas à en souffrir. Elle avait trente-cinq ans lorsqu'elle s'éteignit, le 13 mars 1767. Le Dauphin dont elle avait tenu à soigner elle-même la dangereuse variole l'avait précédée dans la tombe deux ans plus tôt...

ENCORE DES RELIQUES!
LE PRINCE DE LIGNE SE MARIE

Si quelqu'un, dans la seconde moitié de ce XVIIIe siècle où se sont épanouies les grâces les plus achevées, a mérité le titre de prince charmant c'est bien Charles-Joseph, prince de Ligne. Comme dans les meilleurs contes de fées, les dames à la baguette magique avaient dû se disputer à qui passerait la première auprès de son berceau. Physique séduisant, charme, esprit, élégance, fortune, rien ne lui manquait. Pas même le nimbe prestigieux d'un grand nom grâce auquel les portes de tous les souverains d'Europe s'ouvraient devant lui avant même qu'il y eût frappé.

Aussi fut-il un prince sans frontière et, avant même que quiconque y eût pensé, pas même lui, un Européen avant la lettre.

« J'aime, disait-il, mon état d'étranger partout : Français en Autriche, Autrichien en France, l'un et l'autre en Russie; j'ai cinq ou six patries, c'est le moyen de se plaire en tous lieux... »

Non seulement il s'y plaisait mais il plaisait, ayant tous les talents, toutes les grâces et se montrant doué en toutes choses mais principalement pour l'amour et l'amitié. Sur ce dernier point, il eut celle de la Grande Catherine, de Frédéric de Prusse, de Talleyrand, de Marie-Antoinette à laquelle il vouait une sorte de vénération ce qui ne l'empêcha nullement d'être l'amant de la Du Barry et l'ami d'une véritable foule de personnages dont la lecture d'un éventuel Gotha de l'époque donnerait une liste assez satisfaisante.

Ses premières années cependant ne lui avaient guère apporté le bonheur dans ce superbe château de Belœil, proche de la frontière belge, où il suffit de pousser une porte pour le retrouver à chaque pas. Son père, Claude-Lamoral, était un terrible petit bonhomme sujet à des crises de fureur tellement intenses qu'elles terrorisaient tout son monde.

« Quand il se mouchait, il avait l'air d'étendre un drapeau; quand il toussait, c'était un coup de canon qui faisait retentir les voûtes; quand il se tournait il faisait rentrer tout le monde sous terre; sa canne avait l'air d'un sceptre ou d'un fouet. Mon père ne m'aimait pas. Je ne sais pourquoi car nous ne nous connaissions pas. Ce n'était pas la mode, alors, d'être bon père ni bon mari. Ma mère avait grand peur de lui. Elle accoucha de moi en grand vertugadin et elle mourut de même quelques années après, tant mon père aimait les cérémonies et l'air de dignité... »

La pauvre Élisabeth de Salm mourut, en effet, âgée à peine de trente-cinq ans, quatre ans après avoir donné le jour à son fils. Outre Charles-Joseph, elle avait également mis au monde deux filles, aussi laides qu'il était charmant, l'aînée surtout, Marie-Christine, gracieusement surnommée « le Grand Diable » mais en qui le père se retrouvait et avec laquelle il avait d'homériques disputes.

A la suite de l'une de ces querelles, il ordonna superbement à Marie-Christine de se retirer dans sa chambre.

« Elle ne veut pas y aller, raconte son frère. Mon père, pour la faire sortir, la traîne avec le fauteuil où elle était et accroche la porte. Et la tête insubordonnée lui dit : " Je savais bien que vous étiez mauvais père, mais vous êtes aussi mauvais cocher. " Cette douce enfant devait mourir chanoinesse de Remiremont... »

Avare à faire rougir Harpagon, Claude-Lamoral tient si

serrés les cordons de sa bourse que, la plupart du temps, Monsieur son fils tire le diable par la queue. Aussi n'émet-il aucune objection lorsque Monsieur son père le fait revenir toutes affaires cessantes de Mons où il tient garnison avec le régiment de Ligne dont il est, naturellement, le plus brillant fleuron. But du voyage : on va marier l'héritier du nom.

A qui? Où? Quand? Comment? Ce sont là des questions qu'aucun garçon soucieux de sa paix intérieure se fût risqué à poser à un tel père. Claude-Lamoral, d'ailleurs, se contente d'indiquer à son fils que l'on part pour Vienne et qu'il ait à faire ses malles en conséquence.

Vienne? Le jeune prince y était deux mois plus tôt ayant définitivement choisi d'y passer les loisirs que lui laissait son service. Il s'y était même bien amusé mais l'idée d'y retourner, flanqué cette fois d'un père si peu récréatif lui souriait infiniment moins. Mais que faire d'autre sinon obéir? D'autant qu'il connaissait, dans l'aristocratie autrichienne plus d'une bien jolie fille dont il se fût parfaitement accommodé comme épouse. Il passa donc tout le voyage à faire des rêves et, en procédant par élimination, à essayer de deviner quelle était celle qui avait réussi l'exploit de se faire agréer par son redoutable géniteur.

Arrivé à destination, on ne lui en dit pas davantage. Claude-Lamoral se rend à la Cour, flanqué de son fils, fait des visites mais sans rien soupçonner de ses intentions. Un soir, les deux hommes s'en vont dîner au palais Kinsky. Grand dîner, beaucoup de monde et pas mal de jeunes filles que Charles-Joseph considère avec une sorte d'avidité. Cette jolie blonde? Ou alors cette brunette?... à moins que cette rousse?... Tout à ses cogitations, il passe le temps du dîner sans parvenir à se faire une opinion. Aussi tombe-t-il des nues quand, une fois rentré au logis, le prince-père lui annonce qu'il sera fiancé dans quelques jours à la princesse Marie-France-Xavière de Liechtenstein...

Au premier abord il ne voit pas du tout de qui il peut

s'agir? Laquelle était-ce donc? Comment cela, laquelle? Mais, sacrebleu, il a soupé à côté d'elle!... La découverte déchaîne une irrésistible hilarité : quoi? cette gamine? Elle ne doit guère avoir plus de douze ans.

« Elle en a quinze et c'est un fort bon âge pour un garçon de dix-huit!... Vous l'épouserez, vous dis-je! »

Pourquoi pas, après tout...

« Huit jours après, j'épousais. J'avais dix-huit ans et ma petite femme en avait quinze. Nous ne nous étions rien dit. C'est ainsi que je fis ce qu'on prétend être la chose la plus sérieuse de la vie : je la trouvais bouffonne pendant quelques semaines et ensuite indifférente... »

Naturellement, le mariage a lieu dans le superbe palais Liechtenstein, construit à la fin du XVIIe siècle, l'un des plus beaux de Vienne, et non moins naturellement avec toute la pompe normale pour une si grande union. C'est le 6 août 1755.

Le soir venu, on se prépare pour la nuit de noces. Les matrones de la famille Liechtenstein sont venues, avant la bénédiction du lit nuptial glisser sous les oreillers quelques reliques familiales particulièrement efficaces afin que Dieu donne vigueur au jeune mari et fécondité à son épouse. Puis le lit est béni en grande cérémonie et la nouvelle princesse de Ligne y est amenée par toutes les femmes de sa parenté tandis que, dans une autre chambre, on prépare Charles-Joseph à entrer dans le sanctuaire.

« On y paraît en robe de chambre et la mienne, au milieu de l'été, était de satin couleur de feu avec des perroquets brodés en or perchés sur une quantité de petits arbres brodés en vert... », écrit-il.

Le malheur, c'est que, cette robe de chambre, il la reconnaît du premier coup d'œil. Elle appartient à son père et elle est loin d'être neuve.

« Quel fut mon étonnement lorsque mon père, avec un air de satisfaction et jouissant de la surprise, me fit passer les bras dans cette vieillerie avec laquelle je lui avais vu essuyer plus de cinquante accès de goutte. Mon père, en revanche, avait l'air du marié et ne portait que des habits brodés sur toutes les coutures... »

Ainsi accoutré et flanqué de Claude-Lamoral ajusté comme un petit-maître, on l'emmène dans la chambre, on l'installe dans le lit où l'attend l'épousée plus morte que vive. On ferme les rideaux, on éteint les lumières et le héros se met à l'ouvrage.

A défaut de beauté, Marie-France avait celle que confèrent quinze printemps et les choses eussent dû se passer normalement. Mais il y avait les reliques! Et le malheur voulut qu'elles se manifestassent de tout autre façon que celle qui leur était habituelle.

Délogés de sous leurs oreillers par le mouvement qu'imprimaient au lit les deux jeunes gens, les reliquaires se mirent à vagabonder dans le lit, s'arrêtant où ils le pouvaient et de préférence sous les reins ou les genoux, ou le dos de Charles-Joseph. Le malheureux ne chassait l'os du métacarpe de saint Jean que pour se retrouver aux prises avec un orteil de saint Gall ou affronté à trois poils de la barbe de saint Joseph bien connu pour la sollicitude avec laquelle il a, de tout temps, veillé sur la conclusion heureuse du mariage.

Le malheureux sortit de là moulu et truffé comme une galantine mais vainqueur. Il en sortit d'ailleurs beaucoup plus tôt qu'il ne le pensait car, à peine venait-il de s'endormir que voilà les matrones, belle-mère en tête, qui reparaissent avec le manque de discrétion inhérent à leurs fonctions. Il ne s'agissait pas d'apporter aux jeunes époux l'agréable café viennois bien chaud qui leur aurait rendu bonne humeur et chaleur mais de leur faire changer de chemises; celles dans lesquelles s'était accompli l'acte majeur de dévirginisation ne devant à aucun prix tomber entre les mains des jeteurs de sorts...

Écœuré, Charles-Joseph choisit d'abandonner le lit, d'enfiler une chemise de jour et, laissant sa femme se rendormir, s'en alla chasser dans la forêt viennoise.

Pendant le voyage de retour à Belœil, il se consola de

cette nuit de noces inconfortable et se dédommagea des charmes un peu simplets de sa princesse en troussant, à Prague, l'une des femmes de chambre de l'hôtel de Waldstein. Puis, une fois Marie-France installée dans les splendeurs du château familial, il s'en alla d'un pas léger voir ailleurs si l'herbe était plus verte.

La guerre de Sept Ans qui allait bientôt éclater lui donnait un prétexte valable pour ne revenir à Belœil que périodiquement, tout juste pour engrosser sa femme à qui cela procurait une saine occupation.

« Étant fort sensible et fort bonne, elle ne gênera personne, pas même moi... »

Il aurait pu dire : surtout moi...

LES NUITS RÉTICENTES

INCONSOMMABLE ROZALA!

S'il avait eu le choix, Hugues Capet, premier roi d'une dynastie destinée à faire quelque bruit dans le monde, eût peut-être préféré un autre genre de fils que celui dont le Ciel l'avait gratifié. Non qu'il ne l'aimât pas ou que le garçon fût malingre ou mal venu. Tout au contraire, à la ressemblance de son père, Robert était taillé pour porter le harnois de guerre : il pliait une barre de fer entre deux doigts comme une vulgaire baguette de coudrier et l'on pouvait espérer d'un tel homme une longue et noble lignée de rois.

Roi, d'ailleurs, Robert l'est déjà depuis un an, en cette année 988, exactement depuis que son père, duc de Neustrie, a été élu roi par les grands. Hugues, désireux d'asseoir sa descendance et peu soucieux de laisser la moindre chance aux vagues résidus carolingiens pouvant surgir ici ou là, a fait couronner son fils peu de temps après lui-même. Malheureusement, le garçon de quinze ans n'a pour la royauté qu'une attirance fort mince et, en dehors de lui, Hugues Capet n'a eu que des filles de son mariage avec Aalis d'Aquitaine. Plus un bâtard qu'il a déjà neutralisé en le confiant à l'Église.

Or, c'est justement l'Église qui attire le plus Robert. Il est pieux (le surnom lui restera), doux, tolérant, aimant la lecture, l'étude et pratiquant l'humilité en toutes circonstances et avec un manque d'à-propos qui met son père hors de lui. Ainsi le garçon ne supporte pas que, pour l'hommage, on s'agenouille devant lui afin de baiser le bas de sa robe ou sa chaussure de lin brodé. Il proclame qu'un roi n'est, après tout, qu'un homme comme les autres et que Dieu seul peut se permettre de voir des hommes prosternés devant lui.

Ces théories, un peu avancées pour les oreilles capétiennes du grand Hugues, valent naturellement à l'imprudent de solides mercuriales paternelles. Robert doit se mettre dans la tête qu'un roi est, d'abord, l'élu de Dieu, son représentant sur la terre et un peu son image. En tout cas au moins autant que les statues. D'ailleurs le peuple ne comprendrait pas qu'il en soit autrement. En conséquence, Robert fera bien de se tenir tranquille la prochaine fois qu'un de ses sujets s'agenouillera devant lui...

Pour ce qui est de la guerre, c'est la même chose : le jeune roi montre beaucoup plus de sympathie au froc noir des moines qu'à la broigne aux écailles d'acier et Hugues se demande ce que fera Robert quand il sera tout seul sur le trône confronté à des vassaux plus que turbulents. Alors il pense que la meilleure chose à faire est de ne pas le laisser seul sur ce trône et qu'en lui donnant pour compagne une femme d'expérience le problème pourrait se trouver résolu. D'autant que l'amour pourrait être un excellent moyen de ramener le garçon dans le cours normal de la vie.

Malheureusement, la « femme d'expérience » qu'il va chercher en a peut-être un peu trop. Un père normalement constitué aurait choisi, pour donner le goût de la vie et de l'amour à un moinillon de seize ans, quelque fillette joliment tournée et en rapport d'âge, ou un peu plus âgée, mais pas beaucoup plus. Or, voulant joindre les intérêts de son fils à ceux du royaume, Hugues s'en va chercher Rozala, fille du roi de Provence et d'Italie du Nord, Bérenger. Rozala est veuve du comte de Flandre, Arnoud II : une jouvencelle de quarante-huit printemps, riche et bien pourvue de terres, certes, mais qui aurait pu sans grand-peine être la grand-mère de son époux. Pour l'expérience, elle n'en manque pas, c'est sûr. Et, naturellement, les flatteurs de la Cour paternelle ne tarissent pas d'éloges sur sa sagesse, son intelligence et son extrême beauté. C'est la Rose de Sâron, le lys dans la vallée, la belle des belles, la rose d'automne plus qu'une autre exquise...

Quand elle arrive à Orléans où doivent se dérouler les noces, on s'aperçoit sans peine que les courtisans – et provençaux encore! – sont déjà ce qu'ils seront toujours : incorrigibles. En dépit de l'apparat qui l'entoure, de la magnificence des robes de soie brodées qui l'emballent et des lourds bijoux qui la parent, la rose d'automne ressemble beaucoup plus à un vigoureux sarment de vigne qu'à une fleur fragile. Par la taille et la naissance c'est vraiment une très haute dame, mais ses charmes ne vont guère plus loin.

A l'aspect de la fiancée, l'impénétrable Hugues Capet se garde bien de laisser paraître son impression. Mais il n'en va pas de même du jeune Hugues, comte de Chalon qui est l'ami d'enfance de Robert.

Les deux garçons se connaissent depuis toujours. Elevés pratiquement ensemble ils ont été aussi camarades d'école, ayant suivi l'un et l'autre à Reims l'enseignement du grand Gerbert, l'ancien berger auvergnat devenu moine dont la science, fantastique pour l'époque, et les idées avancées font chuchoter aux esprits retardataires qu'il a fait un pacte avec le Diable (ce qui ne l'empêchera nullement, par la suite, de devenir pape). Robert et Hugues ont écouté ses leçons avec une véritable passion et pris chez lui le goût de la poésie et des beaux chants liturgiques mais, chez le comte de Chalon, les aspirations sont bien moins mystiques et ils comprend mal l'espèce de fascination que le cloître exerce sur son ami. Un roi, selon lui, ne devrait avoir d'autre ambition que régner, procréer et aimer... mais pas dans les conditions offertes à Robert.

Et Hugues d'aller trouver le roi et de le supplier de se

procurer une autre épouse pour son fils. Cette femme-là, jamais, ne donnera d'enfants. Elle n'en a pas donné à son premier mari et il n'y a aucune raison pour qu'à son âge, elle soit plus féconde. Alors à quoi rime une dynastie sans héritiers?

« Robert aura des enfants plus tard », répond Capet...

Il n'ajoute pas que, dans son idée, Rozala n'est là que pour quelque temps. Il serait bien étonnant qu'elle ne meure pas beaucoup plus tôt que son époux. Et sa dot, elle, sera acquise à tout jamais... Il renvoie donc le jeune Chalon à ses chiens de chasse et s'en va activer les préparatifs du mariage, un mariage qu'il veut aussi chrétien que possible afin qu'au moins la majesté des sacrements inspire à son fils quelque considération et quelque ardeur pour sa femme.

Jamais union ne fut plus consciencieusement bénie. En dehors de la cérémonie où ni l'encens ni les cierges n'avaient été ménagés, on aspergea d'eau sainte tout le contenu de la chambre nuptiale et, naturellement, le lit plus que tout le reste. Puis l'on referma les tentures qui servaient de portes sur les nouveaux époux.

Demeuré seul avec l'imposante dame qui a bien été obligée de déposer ses joyaux et ses soieries, Robert ne sait trop quelle contenance prendre. En tout cas, une chose est certaine : jamais il n'arrivera à investir cette forteresse car il se sent déplorablement privé d'ardeur guerrière. Aussi, après avoir dansé d'un pied sur l'autre pendant un moment en mordillant la chaîne d'or qui lui pend sur la poitrine, il abandonne le combat avant même le premier engagement et, assurant Rozala de son profond respect il s'en va coucher ailleurs, couvrant sa retraite sous l'hypocrite excuse de sa sollicitude pour sa femme. Après une journée aussi épuisante elle a sûrement grand besoin de repos. Il n'ajoute pas « à son âge » mais le cœur y est...

Et il sort tandis que Rozala dépitée essaie vainement de le retenir...

Le lendemain, il se trouve souffrant, et le surlendemain

est un vendredi, jour de pénitence. Et Rozala attend toujours... Avec de moins en moins de patience il faut bien l'avouer. Il lui plaît beaucoup ce jouvenceau couronné et le fait qu'il tarde tant à lui rendre hommage l'indispose. Au bout de trois jours, elle s'en va se plaindre, avec un brin d'aigreur, à un beau-père qui est tout juste un petit peu plus jeune qu'elle...

Hugues Capet est scandalisé et, naturellement, il s'en va toucher deux mots de l'affaire à son garçon :

« Tu l'as épousée, tu dois en faire ta femme, lui dit-il. C'est une question de politesse...

– Mon père, je ne saurais... », se contente de répondre Robert sans entrer plus avant dans les détails de son ignorance. Et le père naturellement s'y trompe. Quelle stupidité de n'avoir pas exigé que Robert fasse quelques gammes avec une servante suffisamment délurée avant de se lancer dans ce concerto pour contrebasse! Bien sûr, le pauvre enfant ne sait pas comment s'y prendre...

Capet s'en va, à son tour, trouver Hugues de Chalon pour lui demander de procurer à son coquebin de fils quelque initiatrice capable de lui apprendre à se montrer galant avec une dame, fût-elle d'âge canonique. Le jeune comte se retient de faire remarquer à ce père entêté qu'il avait bien prévu le désastre mais ne s'en met pas moins aussitôt en campagne, pensant, comme le père, que le plus tôt sera le mieux pour tout le monde et que le vin étant tiré il convient de le boire au plus vite.

Mais il peut aligner indéfiniment proverbes et jolies filles, tout échoue lamentablement : non seulement Robert refuse de toucher à sa femme mais il n'éprouve pas davantage l'envie de toucher aux autres. A croire qu'elles lui font peur. Il suffit d'un sourire un peu alangui, d'un regard un peu appuyé et il pique un fard puis file à la chapelle y chanter vêpres ou complies...

Et cela dura plus de trois ans. Trois ans de refus obstinés de la part de Robert et de bouderies, coupées de scènes de la part de Rozala. Au bout de ce laps de temps, Hugues

Capet, de guerre lasse, remercia Rozala et autorisa son fils à la répudier.

« Arrivé à sa dix-neuvième année, écrit le moine Richer, le roi Robert répudia, parce qu'elle était vieille, sa femme Rozala, italienne de nation. Cet acte criminel de répudiation fut censuré alors par quelques hommes d'un esprit sage, mais en secret cependant et il n'éprouva pas d'opposition ouverte... »

L'opposition, elle, n'allait guère tarder à se manifester. Quelques mois après le départ de Rozala, en 993, le jeune Robert tombait amoureux, mais amoureux fou, d'une cousine : Berthe de Bourgogne. Elle était plus âgée que lui, elle était mariée à Eudes, comte de Blois, et elle avait quatre enfants mais, dès qu'il la vit, Robert ne songea plus qu'à une seule chose : s'approprier Berthe. Mais comment? La manière directe, mérovingienne en quelque sorte, eût consisté à faire massacrer Eudes par des sicaires bien entraînés mais les aspirations à la sainteté de Robert ne s'accommodaient pas de ce moyen. Il trouva mieux.

Sur ses terres, Eudes avait à endurer un voisin singulièrement pénible : le comte d'Anjou, Foulques Nerra, une sorte de forban bâtisseur de donjons, noir de poil, noir de peau et encore plus noir de conscience. Sans scrupules, sans pitié et sans autre loi que son bon plaisir, ce joyeux personnage devait passer sa vie à semer autour de lui, outre les donjons, la richesse et la misère, la torture et le sang puis à galoper périodiquement sur la route de Jérusalem pour obtenir le pardon de ses énormes péchés. Après quoi ragaillardi et purifié, Foulques rentrait chez lui et recommençait de plus belle jusqu'au prochain voyage.

Ce fut lui que Robert jeta sournoisement dans les jambes du comte de Blois. Cela donna trois ans d'une guerre meurtrière qui d'ailleurs ne vint pas à bout du comte Eudes. Ce fut une grippe qui s'en chargea. Eudes prit froid, alla se coucher et mourut au moment où l'on s'y attendait le moins. Berthe était veuve.

Il restait à Robert à dédommager Foulques Nerra de ses bons offices, à lui payer un nouveau voyage à Jérusalem... puis à épouser Berthe quelques semaines après la mort d'Hugues Capet.

On sait la suite : le refus de l'Église, puis l'excommunication, l'interdit, l'anathème majeur fulminé contre les coupables enfermés dans un palais où les rares serviteurs passaient à la flamme tous les objets qu'ils touchaient, la terreur à travers le royaume, attisée par l'approche de l'an mille et les bruits de fin du monde, enfin la soumission après deux ans de bonheur maudit, la répudiation de Berthe et le retour à la vie du royaume en 998...

Quatre ans plus tard, Robert, décidé à assurer sa dynastie, épousait Constance d'Arles. Elle était belle mais mauvaise comme la gale et traînait après elle toute une cour de jolis troubadours que Robert, revenu à une intense piété, ne pouvait regarder sans méfiance. Mais quoi? Cette chipie de Constance lui donna cinq enfants et il n'en demandait pas plus. Le vaisseau capétien pouvait continuer hardiment son chemin...

LA NUIT AU DÉBOTTÉ : HENRI IV ET MARIE DE MÉDICIS

Dans les premiers jours du mois d'octobre 1600, Sully s'en vint déclarer joyeusement à son maître :

« Sire, nous venons de vous marier... »

S'il s'attendait à un écho enthousiaste, il fut déçu : Henri IV « demeura un instant étourdi, puis il se mit à arpenter sa chambre à grands pas, rongeant ses ongles et visiblement en proie à une grande émotion... Enfin, frappant du poing la paume ouverte de sa main gauche, il s'écria, non sans exhaler un énorme soupir :

– « Fort bien donc, s'il n'est pas d'autre remède. Puisque, pour le bien de mon royaume, vous dites que je dois me marier, eh bien, marions-nous!... »

Puis il s'en alla retrouver sa maîtresse, l'insupportable et dangereuse, mais ravissante, Henriette d'Entragues.

En fait, il était déjà légalement marié. A Florence, les contrats venaient d'être signés et, le 5 octobre, le beau duc de Bellegarde, qui avait été l'amant de Gabrielle d'Estrées, épousait par procuration Marie de Médicis, nièce du grand-duc Ferdinand Ier – le méfiant époux de Christine de Lorraine qui avait placé sa nuit de noces sous le signe de l'urinal.

C'était beaucoup à cause de lui qu'Henri IV, alors follement amoureux de la demoiselle d'Entragues, s'était résigné à ce mariage. Ferdinand s'était toujours montré un ami et un allié fidèle. C'était lui qui avait réconcilié l'ancien « parpaillot » avec le Saint-Siège, lui encore qui avait poussé la Sérénissime République de Venise à reconnaître, bonne première, ce roi de France « de hasard, sans sou ni maille [1] », lui enfin qui avait, inlassablement, ouvert sa bourse pour conforter le trône mal cimenté de son ami. A maintes reprises, il avait fourni à Henri les sommes nécessaires à l'entretien de son armée et les circonstances étaient nombreuses où le roi de France avait fait appel à sa bourse. Résultat : en 1600, les dettes d'Henri envers Ferdinand se montaient à la coquette somme de 973 450 ducats d'or qu'il était parfaitement incapable de rembourser.

A vrai dire, ses dettes ne lui causaient aucune insomnie. C'était Sully qui s'en souciait pour lui. Or, un an environ avant la conclusion du mariage, le roi avait dit à son ministre :

« Le duc de Florence a une nièce que l'on dit assez belle; mais étant d'une des moindres maisons de la chrétienté qui porte le titre de prince, n'y ayant pas plus de soixante ou quatre-vingts ans que ses devanciers n'étaient qu'au rang des plus illustres bourgeois de leur ville et de la même race que la reine-mère Catherine de Médicis qui a tant fait de maux à la France et à moi en particulier, j'appréhende cette alliance de crainte d'y rencontrer aussi mal pour moi, les miens et l'État... »

Cette confidence en forme d'hésitation n'était pas, comme l'on dit, tombée dans l'oreille d'un sourd. Une chose était certaine : Marie de Médicis était fort riche. Sa dot pouvait, non seulement éteindre les plus grosses dettes, mais encore procurer à la France les ressources dont elle avait le plus grand besoin. Sourd aux incessantes querelles et raccommodages du roi et de son Henriette dont il avait fait une marquise de Verneuil, laquelle prétendait se faire épouser, Sully, impavide et obstiné, avait poursuivi les tractations en vue du mariage. C'était à présent chose faite et il n'était plus possible de revenir en arrière.

1. La maille était une petite monnaie de cuivre.

Le 17 octobre, en effet, la nouvelle reine de France s'embarquait à Livourne à bord d'une galère dont la vue allait laisser les Marseillais pantois quand elle ferait son entrée dans leur port – qui étant alors le seul n'était pas encore Vieux. C'était une énorme machine entièrement dorée, jusqu'à la ligne de flottaison tout au moins, décorée aux armes de France et aux armes de Toscane. Et quelles armes! Celles de France tout en saphirs et diamants, celles de Toscane tout en rubis, émeraudes et saphirs. Derrière ce monument qui fait un peu nouveau riche, il y a seize autres galères portant 7 000 hommes de troupe et deux mille Florentins, familiers, seigneurs ou serviteurs de la princesse : un vrai débarquement! Tout ce monde étale un luxe ébouriffant.

A vrai dire, il faut cela pour que les gens de Marseille se décident à ovationner leur nouvelle souveraine car elle est loin d'être belle et comme elle ne sait pas sourire, elle n'est même pas sympathique.

Elle a « le naturel terriblement robuste et fort », elle est « riche de taille, grasse et en bon point ». Au XXe siècle, la jeunesse populaire voyant passer son équivalent articulerait les mots de « dondon » ou de « mémère » et si Rubens a tiré de son mariage une série de peinture où la luminosité de la chair trouve moyen d'éclater au milieu de la luxuriance des couleurs, il ne lui a tout de même pas fait grâce d'un centimètre et, à vingt-six ans, elle en paraît quarante.

A l'époque, d'ailleurs, les beautés abondantes sont assez prisées. On aime qu'une femme ait de la fesse et du téton. Les Flamandes jouissent, en cette matière, d'une réputation flatteuse, sauf en Provence peut-être où les goûts sont différents. Avec Marie de Médicis, le pinceau courtisan de Rubens a pu s'en donner à cœur joie en exaltant ce qui est passable, en gommant ce qui l'est moins.

Certes « le teint est fort blanc quoiqu'un peu grossier », les bras sont beaux et la gorge opulente. On ne voit pas comment il pourrait en être autrement. Mais – dans une

escription honnête de la nouvelle reine il y a beaucoup de
mais » ou de « quoique » – les traits du visage sont lourds,
es yeux plutôt ronds et sans éclat. « Rarement, écrit
Philippe Erlanger, visage refléta si fidèlement un carac-
ère. Le premier regard suffit à faire comprendre que Sa
Majesté est sotte, orgueilleuse, violente, opiniâtre, indo-
ente et facile à gouverner... » C'est, en fait, très exactement
e caractère qu'elle révélera durant son temps de règne
ıvec, en outre, une absence totale de cœur, un égoïsme hors
le pair et une tendance marquée à l'ingratitude. Ce n'est ni
ıne belle femme ni une bonne femme mais elle est
ollement riche, elle a le goût du faste et elle s'y connaît
nieux en pierreries – qu'elle adore – qu'un joaillier du
Ponte Vecchio.

De son côté, l'idée d'épouser un homme de vingt ans plus
ıgé qu'elle ne lui sourirait guère s'il n'avait l'auréole
prestigieuse de la Couronne. D'abord, elle est amoureuse
l'un des deux frères Orsini, Paolo et Virginio, qui font
partie de sa suite. Peut-être même des deux... Ensuite elle
ı'ignore pas grand-chose des aventures amoureuses de son
utur époux mais elle se croit de taille à mettre bon ordre
lans sa maison. Sa sœur de lait, cette étrange Leonora
Galigaï qui ne la quitte pas, ne lui répète-t-elle pas à
ongueur de journée que le Béarnais ne vivra pas
éternellement et qu'elle sera une grande reine?

Le contraste est flagrant entre ces deux femmes que l'on
ıe voit jamais l'une sans l'autre. Marie est une grande
génisse blonde, Leonora, noire comme un pruneau avec des
yeux de chat, est presque naine et hystérique mais elle est
d'une dangereuse intelligence. Une intelligence dont elle
ınimera la marionnette qu'elle s'est donnée pour idole : le
séduisant et vaniteux Concino Concini qui fait, lui aussi,
partie du voyage.

Le mariage doit avoir lieu à Lyon. Depuis plusieurs
semaines Henri IV est en guerre contre le duc de Savoie au
sujet du marquisat de Saluces et la base de ses opérations
est Grenoble. Lyon fera un bon point de jonction entre les

fiancés : l'un venant de Marseille et l'autre des bords de l'Isère.

Avec sa vaste escorte, Marie de Médicis voyage à petites journées paresseuses, en suivant le Rhône, d'abord jusqu'à Avignon où le légat du pape offre à la nouvelle reine une somptueuse réception. Il y a bal au Palais des Papes dont la splendeur est intacte. Puis, les danses terminées, et comme Marie de Médicis songe à se retirer, les grandes tapisseries tendues sur les murs de la grande salle s'abaissent et laissent voir des tables illuminées et toutes servies. Le banquet est digne d'un souverain pontife et, au dessert, chacune des dames reçoit en présent la statue en sucre d'une divinité mythologique...

C'est à regret que la Florentine quitte la cité du Rhône dont la lumière lui rappelle sa ville natale, un regret qui s'accentue quand son cortège, doublé de celui du légat, rencontre le mistral. Il fait froid, soudainement, et il faut bien se rendre à l'évidence : on est en novembre et le temps est de moins en moins beau.

Lorsque l'on arrive aux abords de Lyon, le 9 décembre, il neige et même il gèle. Il y a du verglas et du givre partout ce qui est aussi inhabituel que désagréable. Néanmoins, le château de La Mothe prévu pour y accueillir la reine est aussi confortablement équipé que possible. De grands feux brûlent partout et, dès que le train de la reine est entré, on referme soigneusement toutes les issues et même on relève l'antique pont-levis.

C'est devant ce pont-levis qu'arrive, tard dans la soirée, une troupe de cavaliers transis qui réclament l'hospitalité. Les gardes font la sourde oreille. Et même ils crient aux intrus de passer leur chemin et d'aller se faire pendre ailleurs. Cela pourrait durer longtemps si l'un des cavaliers ne s'avançait et n'ordonnait d'un ton sans réplique d'ouvrir devant lui : c'est le Roi qui a voulu surprendre sa « femme » et la voir sans l'apparat des rencontres officielles.

Aussitôt, c'est le branle-bas de combat. Le pont-levis

'abat, la herse se relève, les portes s'ouvrent, les porteurs de torches et les valets se précipitent tandis que les chevaux entrent au galop.

Henri IV saute à terre, secouant le givre de ses vêtements et de sa barbe. Où est la reine? On lui dit qu'elle est en train de souper, seule, dans la grande galerie. On veut la prévenir mais il s'y oppose : que l'on n'en fasse rien! Henri entend jeter discrètement son premier coup d'œil.

Pendant ce temps, dans la galerie, Marie fait honneur à la cuisine lyonnaise et ne prend pas garde à l'entrée soudaine de Bellegarde, qu'elle connaît déjà, et de Bassompierre qu'elle ne connaît pas – mais des têtes nouvelles elle en voit tous les jours! – qui saluent et restent près de la porte et la bouchent en partie. Ce qu'elle mange doit être délicieux car Marie ne s'aperçoit pas de la présence du roi. En effet, caché derrière ses deux amis, Henri observe sa nouvelle épouse et la détaille...

C'est seulement quand elle a fini que celle-ci se rend compte de l'attitude bizarre des deux hommes. Devinant quelque chose d'anormal, elle refuse alors les autres plats qu'on lui présente puis, se déclarant fatiguée, se lève pour regagner sa chambre. Cette façon qu'ont les Français de la regarder ainsi lui déplaît souverainement.

On lui apprend, alors que le Roi vient d'arriver et, avec un cri effarouché, elle n'en bat que plus vite en retraite, pressée de retrouver l'abri, inviolable à son sens, de son appartement particulier.

Si elle pense que le nouveau venu n'en franchira pas le seuil elle se trompe. A peine est-elle entrée qu'un petit bonhomme cuirassé, botté et éperonné se précipite à sa suite, se rue sur elle, la prend dans ses bras et l'embrasse sur la bouche. Tout ce qu'elle a pu voir c'est qu'il a un grand nez rougi par le froid, une barbe grisonnante et que son œil bleu brille à la fois de curiosité et de plaisir anticipé.

Tandis que les dames plongent dans leurs révérences et

que la duchesse de Nemours, première dame, qu'Henri a saluée courtoisement après ses effusions, s'apprête à servir de truchement – elle est née Anne d'Este et l'italien est sa langue maternelle – le roi s'écrie en se frottant les mains.

« Il fait si froid que j'espère que vous m'offrirez la moitié de votre lit, Madame, car, étant venu à cheval, je n'ai pas pu apporter le mien... »

La proposition est si verte que Mme de Nemours cherche en vain des circonlocutions pour en atténuer la brutalité. Elle objecte que le mariage n'est pas encore béni par le légat du pape et que, peut-être, il conviendrait d'attendre un peu. De son côté, Marie de Médicis qui n'a pas très bien saisi ce qu'on lui veut mais qui entend faire preuve de bonne grâce, déclare, sans trop savoir à quoi elle s'expose, qu'elle n'est venue que pour complaire et obéir à la volonté du roi... »

La cause est entendue et l'on imagine sans peine le large sourire du Vert-Galant. Que l'on mette donc la reine au lit! Pendant ce temps, il ira faire un brin de toilette. Et les femmes de s'empresser.

Mais Marie qui a enfin compris ce qui va se passer, perd contenance, ainsi que le rapporte l'un des gentilshommes de la suite du légat, Agucchi, qui fut témoin de la scène :

« Quand la reine comprit les intentions du roi, elle fut saisie d'une telle frayeur qu'elle devint froide comme la glace et que, portée dans son lit, elle ne put s'y réchauffer, même dans des draps brûlants... »

Tandis que bassinoires et « moines » s'activent pour réchauffer la reine de France, Henri IV reparaît. Le brin de toilette a vraiment dû être tout petit pour avoir été aussi vite troussé!... Tallemant des Réaux prétend que, durant cette nuit inattendue, Marie de Médicis « quelque bien garnie qu'elle fût d'essences de son pays, ne laissa pas d'être terriblement parfumée par l'odeur de gousset de son époux, au point qu'elle s'en trouva mal... »

Le bon roi Henri, en effet, se lavait peu et son époque fut

sans doute l'une des plus négligées de l'histoire de France. Il sentait mauvais des pieds... et d'ailleurs et, selon un contemporain qui, après tout, était peut-être bien une contemporaine, il « puait le bouc et l'ail ». Habituée à tous les raffinements luxueux de la toilette, à l'usage des parfums les plus rares, Marie de Médicis dut, en effet, trouver l'épreuve pénible.

Au lendemain cependant, elle eut le bon goût de n'en point faire état, se montra, pour une fois, souriante et déclara aimablement « qu'elle était bien aise de l'avoir trouvé (le roi) plus jeune qu'elle ne le pensait et qu'elle ne le pouvait croire d'après sa barbe blanche... »

Quant à Henri, il dit qu'il « avait été attrapé de l'avoir trouvée plus belle et plus gracieuse qu'il ne se l'était persuadé... »

Est-ce le début d'une tendre lune de miel? En aucune façon. Ce n'est que simple eau bénite de cour destinée aux oreilles du légat et des envoyés de Ferdinand de Médicis. Néanmoins jusqu'à la date du mariage qui eut lieu huit jours après, le 18 décembre, Henri ne quitta guère Marie et lui fit une cour assez convenable.

Mais, à peine mariée, il la plantait là sous prétexte d'affaires urgentes qui le réclamaient à Paris et, voyageant par terre et par eau, il atteignit en deux jours la capitale... qu'il ne fit que traverser pour s'en aller rejoindre à Verneuil son indispensable Henriette d'Entragues. La belle venait d'accoucher et son empire sur Henri était plus puissant que jamais.

Pendant ce temps, Marie avait repris son lent et solennel voyage à travers le royaume et ce fut seulement dans les tout premiers jours de février qu'elle fit son entrée dans Paris, un Paris ébloui par les splendeurs de sa suite et qui lui réserva un accueil encourageant.

Beaucoup plus encourageant, à coup sûr, que celui du Louvre « mi-ruiné, mi-construit, mi-antique, mi-moderne » qui était dans un tel état que la malheureuse crut à une mauvaise plaisanterie : ce n'était, en effet, que peintures sales, tentures déchirées ou montrant la corde et meubles bons pour le rebut. On était vraiment fort loin des merveilles du palais Pitti...

Henri d'ailleurs n'était pas là et la jeune mariée apprit du même coup qu'elle avait une rivale et que cette rivale allait lui en faire voir de toutes les couleurs. Mais ce fut Marie qui l'emporta. Elle avait pour elle la richesse – et le vieux Louvre grincheux s'en aperçut, qu'elle transforma en résidence au luxe tapageur – et la plus ponctuelle des fécondités.

Quand elle en fut à six enfants, la favorite, qui avait été détrônée récemment par la toute jeune et ravissante Charlotte de Montmorency, rendit les armes, fit sa soumission et choisit de l'aider à effacer du siècle un époux qu'elle avait toujours détesté...

LA NUIT DE L'OBÉISSANCE : LOUIS XIII ET ANNE D'AUTRICHE

Avec ses Italiens arrogants, sa naine hystérique et le beau Concini qu'elle avait fini par épouser, avec ses astrologues, ses mages et ses parfumeurs, Marie de Médicis devenue régente fut un désastre pour la France. Le seul bien qu'elle lui fit – encore que ce fut tout à fait involontaire – fut l'arrivée aux affaires du jeune évêque de Luçon, Armand-Jean du Plessis de Richelieu, qui eut l'habileté de ne pas laisser soupçonner son génie tant que vécut Concini.

Elle eut, entre autres méfaits, une influence néfaste sur la nuit de noces de son fils, le jeune roi Louis XIII, bien que, pour une fois, ses intentions fussent tout à fait louables. Mais c'était une femme qui ignorait pudeur et délicatesse... Le résultat en fut la mésentente tenace qui, au fil des années, s'installa entre le roi et la reine de France.

C'est à Bordeaux, au mois de novembre 1615 qu'a lieu le mariage qui est d'ailleurs un double mariage : Louis XIII va épouser Doña Ana, infante d'Espagne et sa sœur, Elisabeth, va devenir la femme du frère de Doña Ana : Philippe, prince des Asturies, le futur Philippe IV. Ce sont tous des enfants : Louis a quatorze ans, Ana six jours de moins que lui, Elisabeth a treize ans et Philippe dix ans. Mais les choses se font avec un parfait synchronisme car, au jours précis où, dans la cathédrale Saint-André de

Bordeaux, le cardinal de Sourdis marie Madame Elisabeth au prince des Asturies par le truchement du duc de Guise qui tient la place de l'époux, à Burgos, en l'église des Augustins, l'archevêque de la ville royale unit le roi de France, représenté par le duc de Lerma, Premier ministre, à l'Infante.

Et, presque aussitôt après les cérémonies, les nouvelles mariées se mettent en route afin de se trouver au même instant de part et d'autre de la Bidassoa pour y être échangées à la manière des prisonnières politiques qu'elles vont être en fait, mais avec le faste en plus.

Tandis que voyagent les princesses, les princes tuent le temps comme il leur plaît. On ignore ce que fait alors le futur roi d'Espagne mais, pour sa part, Sa Majesté Très-Chrétienne a choisi de s'exercer au noble métier du pâtissier en confectionnant elle-même des massepains dont elle raffole. A d'autres instants Louis XIII fait voler ses oiseaux, joue avec ses soldats qui ne sont pas de plomb mais d'argent... et s'introduit en compagnie des jeunes garnements qui lui tiennent lieu de cour dans la chambre à confitures du cardinal de Sourdis qu'il met joyeusement à sac. Il semble avoir besoin d'un renfort de sucreries pour se remettre du chagrin que lui cause le départ de sa petite sœur Elisabeth qu'il aime beaucoup.

Il réussit surtout à se donner une bonne indigestion. Mais cela a l'avantage de le distraire de soucis plus graves. Il y a cet affreux Concini, devenu le tout-puissant maréchal d'Ancre, qu'il exècre. Et puis il y a le contexte politique et, en cette fin d'automne 1615, il n'a rien de réjouissant... Une fois de plus, la France frise la guerre civile. Il a fallu lever une armée pour tenir en respect les princes brouillons : Condé, Bouillon, Longueville et Mayenne – toujours les mêmes quel que soit le siècle! – qui rassemblent leurs troupes et publient manifeste sur manifeste. Le prétexte en est, bien sûr, Concini que l'invraisemblable faiblesse de la reine mère a fait scandaleusement riche, mais, en fait, Condé travaille pour lui-même.

Le prince a fait alliance de nouveau avec les huguenots. Il s'efforce de rallumer les guerres de Religion et se pose ouvertement en adversaire des mariages espagnols. Autant de raisons pour Marie de Médicis, qui tient à ces mariages, de presser le mouvement, de raccourcir les distances d'où le choix de Bordeaux. Il faut qu'à la fin de l'année tout soit définitivement réglé afin que tout rentre dans l'ordre...

Pour le jeune roi, l'année qui s'en va vers sa fin a été assez éprouvante. En mars, il a mené le deuil de la reine Margot, première épouse d'Henri IV, morte dans son superbe hôtel de la rue de Seine. Il l'appelait « Maman, ma fille » et l'aimait bien. Aussi l'a-t-il beaucoup pleurée. En juin, il a encore pleuré en posant, sur le Pont-Neuf, la première pierre du socle chargé de supporter la grande statue équestre de son père et, pour finir, en novembre il vient de pleurer beaucoup au mariage d'Elisabeth. Au milieu de toutes ces larmes, une seule vraie joie mais en forme de révélation : M. de Pluvinel, lui ayant donné sa première leçon, lui a dit qu'il était un homme de cheval-né et qu'il serait un grand cavalier... Ce sont de ces choses qui marquent un adolescent et qui lui donnent l'impression d'être bien près de devenir homme tout court.

A présent, il attend l'Infante sans émotion excessive. On lui a dit qu'elle était charmante, mais il ne s'intéresse pas encore à la nature féminine et pense qu'elle sera surtout, et pendant pas mal de temps, une compagne de jeux. Aussi l'attend-il comme il attendrait un camarade : avec une satisfaction mêlée de curiosité.

Mais, lorsqu'il apprend, le 21 novembre, que Doña Ana approche de Bordeaux, il décide d'aller à sa rencontre « incognito » afin de voir à quoi elle ressemble. Il arrive à Castres, à cinq lieues de la ville, juste à temps pour assister au relais et voir l'Infante, qui était allée se réchauffer chez un notable, remonter en voiture et, du fond de son propre carrosse, il l'examine soigneusement mais sans se montrer.

Quand le cortège est reparti, il ordonne à son cocher de

suivre à distance. C'est seulement à deux lieues de Bordeaux qu'il décide de paraître, ordonne que l'on presse l'allure et que l'on remonte le cortège jusqu'à la voiture où se tient la jeune fille que nous appellerons désormais Anne puisqu'elle est en France.

Arrivé à la même hauteur, le cocher royal retient ses chevaux et Louis, se penchant à la portière crie gaiement en se montrant lui-même du geste :

« Io son incognito!... Io son el Rey incognito! »

Un large salut, un grand sourire puis il crie au cocher :

« Touche, cocher! Touche!... »

Et l'attelage royal, lancé au grand galop distance rapidement les voitures de l'Infante, beaucoup plus lourdes avec leurs chargements de bagages. Les deux jeunes époux se reverront le soir même à l'évêché de Bordeaux qui est logis du roi.

Tout de suite, Louis traite Anne en camarade mais avec une nuance de galanterie charmante. Ainsi, le 22 octobre, il se rend chez elle qui est en train de s'habiller, lui présente M. de Souvré, son gouverneur et son médecin Héroard puis bavarde joyeusement. L'Infante a un petit problème : elle cherche une plume incarnate pour la mêler à la blanche de sa coiffure.

« Le Roy, raconte Héroard, lui présente son chapeau où il y avait des deux, luy disant qu'elle en prît ce qu'elle en voudrait : elle le fit et le luy rend. Soudain, il lui dit : " Il faut aussi que vous me donniez un de vos nœuds " qui estoit incarnat. Elle, en souriant le lui donne et il l'applique en façon d'enseigne au pied de sa plume... »

Le 25 octobre, c'est le mariage à la cathédrale. Rarement on a vu couple juvénile mieux assorti. Louis est aussi brun qu'Anne est blonde. Il est tout vêtu de satin blanc brodé d'or, comme un prince de légende. Elle porte le long manteau royal en velours violet fleurdelisé d'or et une couronne étincelante. Elle est charmante avec un teint de fleur et les plus jolies mains du monde.

C'est une cérémonie en forme de conte de fées... à ceci près qu'il a fallu, au dernier moment, remplacer au pied levé le cardinal de Sourdis : l'amateur de confitures n'a rien trouvé de mieux, en effet, que de prendre d'assaut, la nuit précédente, le Château-Trompette pour en extraire un de ses amis de cœur, un certain Hautcastel, condamné à mort pour Dieu sait quelle folie et dont la reine mère a refusé la grâce. Plantant là les pompes royales Son Eminence a choisi la liberté en compagnie de son ami. Il a fallu aller chercher l'évêque de Saintes pour le remplacer...

Le mariage ayant eu lieu à cinq heures de l'après-midi, il n'a pas été prévu de banquet, contrairement à l'habitude. La journée a déjà été suffisamment longue et, en rentrant à l'évêché vers six heures, Louis conduit Anne directement à sa chambre – une belle chambre tendue de rares tapisseries d'or et d'argent représentant l'histoire d'Artémise. Louis la salue, lui souhaite le bonsoir, l'embrasse et rentre chez lui en demandant, tant il se sent fatigué, qu'on le serve au lit.

S'il espère une soirée paisible, il se trompe. Marie de Médicis ne l'entend pas ainsi : pour faire taire Condé et sa bande de trublions, il ne suffit pas que le mariage soit célébré, il faut encore qu'il soit consommé. Ainsi, pour donner d'abord à son fils quelques idées folâtres, lui dépêche-t-elle quelques gentilshommes particulièrement avertis en matière de femmes. Guise, Gramont et deux ou trois autres s'en viennent donc prendre position autour du lit royal et, sous couleur de « donner de l'assurance » au jeune roi entament le chapitre des « bonnes histoires ». Celles de l'époque sont d'une verdeur toute rabelaisienne et, pour un pudique tel que l'est Louis, elles n'ont rien d'encourageant. Il rit un peu, du bout des lèvres. Visiblement cela ne l'amuse guère et il aimerait bien mieux dormir afin d'être dispos pour la chasse du lendemain.

Malheureusement pour lui il ne saurait en être question car voici la reine mère qui fait son entrée.

« Mon fils, dit-elle, ce n'est pas tout d'être marié. Il faut que vous veniez voir la reine, votre femme, qui vous attend... »

Si Louis étouffe un soupir, c'est discrètement. Il a trop l'habitude d'obéir pour oser protester.

« Madame, dit-il poliment, je n'attendais que votre commandement. Je m'en vas, s'il vous plaît, la trouver avec vous. »

On lui donne sa robe de chambre, ses bottines fourrées et le voilà parti, suivi de sa nourrice, de son médecin, du marquis de Souvré et du marquis de Rambouillet. Beringhen, le premier valet de chambre ouvre la marche armé d'un chandelier. Il est alors huit heures du soir.

Anne est déjà couchée, sa nourrice auprès d'elle lorsque le petit cortège pénètre chez elle. La reine mère s'approche du lit et dit :

« Ma fille, voici votre mari que je vous amène; recevez-le auprès de vous et l'aimez bien, je vous prie. »

Elle reste dans la ruelle tandis que Louis se couche. Puis elle se penche sur eux et parle quelques instants, mais si bas que personne ne peut entendre. Pourtant chacun peut voir que les deux enfants ont rougi. Elle les quitte, revient vers le centre de la chambre.

« Allons! dit-elle. Sortons tous d'ici!... »

Qu'a-t-elle dit à ces deux enfants? Quel conseil... ou quel ordre a-t-elle donné avec cette brutalité qui la distingue si souvent? Elle ignore la tendresse et, fréquemment, son comportement a frôlé la grossièreté et la vulgarité. Sans songer à s'encombrer de périphrases elle a dû, fidèle à ses habitudes, appeler un chat un chat et indiquer, en quelques mots sans nuances, ce qu'il convenait de faire. D'où la rougeur des deux visages...

Avant de quitter la chambre, elle ordonne aux deux nourrices de demeurer et de laisser le roi et la reine ensemble pendant environ une heure et demie. En tout cas pas plus de deux heures...

« A dix heures un quart, note le médecin Héroard, il (le roi) revint après avoir dormi environ une heure et fait deux fois, à ce qu'il nous dit. Il y paraissait : le g... était rouge... »

En effet, dès son retour, Héroard, qui aime son jeune maître, l'examine avant de le remettre au lit. Les notes qu'il prend, pour lui-même d'ailleurs, semblent difficiles à mettre en doute. D'autre part, les deux nourrices restées dans la chambre affirmeront l'une et l'autre que le jeune roi a bel et bien consommé son mariage et par deux fois.

Pourtant, il existe une thèse selon laquelle cette « nuit de noces » n'aurait été qu'un simulacre. On aurait « fait semblant » toujours à cause de Condé que l'on savait déjà prêt à attaquer le mariage. Mais faire semblant impliquait un souci de délicatesse envers la pudeur de ces deux adolescents dont Marie de Médicis était bien incapable et dont le ton de l'époque même, l'une des plus grossières de notre histoire, était fort éloigné.

Les conséquences de l'ordre donné par la reine mère porteront loin dans le temps. Les deux enfants que l'on contraint à ce jeu sans nuances sont totalement inexpérimentés. Le jeune roi ne ressemble en rien à son père sur le plan charnel. Les débordements de ce joyeux paillard dont il lui est arrivé d'être le témoin consterné et les drames domestiques qu'ils entraînaient lui ont inspiré une certaine répugnance pour l'amour physique. Pour l'Histoire qui se plaît aux surnoms, il sera d'ailleurs « Louis le Chaste », un sobriquet peu fréquent chez les Bourbons.

Or, voilà que, sans transition, il passe des confitures aux réalités physiques du mariage, des réalités qu'il juge sales et dégradantes et auxquelles il ne se pliera que par devoir et par obéissance...

Le résultat est piètre. Il a dû être très maladroit et, pour la petite reine, l'épreuve fut certainement pénible, en admettant qu'il ait réussi à la déflorer, ce qui n'est pas certain, même après deux tentatives. Les rapports des nourrices, pas plus que les notes d'Héroard ne font mention de l'examen des draps. Quoi qu'il en soit, Anne d'Autriche ne se retrouvera pas, au lendemain de ses noces, amoureuse de son jeune mari.

Dans les jours qui suivent, l'entourage royal pourra constater que les jeunes époux n'éprouvent guère de plaisir à se trouver ensemble, qu'ils rougissent et se montrent gênés. De toute évidence, la conclusion hâtive et brutale de leur jour de gloire demeure entre eux. Il faudra beaucoup de temps pour que son souvenir s'atténue suffisamment. Il faudra quatre ans...

C'est seulement le 25 janvier 1619 que Louis entrera de nouveau dans le lit d'Anne. Encore faudra-t-il l'encourager sérieusement à rééditer une expérience qui lui fait peur car, durant ces quatre années, ses connaissances amoureuses en sont restées au même point. Or, la jeune reine est devenue très belle, donc plus impressionnante...

Évidemment, Louis a changé, lui aussi. Depuis deux ans, depuis le coup de pistolet de Vitry qui, sur le pont du Louvre a fait justice de l'infâme Concini, Louis est le maître chez lui. Il serait temps qu'il le devînt aussi auprès de sa femme.

Un double mariage va l'y engager.

Le 11 janvier 1619, le roi et la reine signent le contrat de mariage de Christine de France, sœur de Louis XIII, avec le prince de Piémont, Victor-Amédée de Savoie. Et, à cette occasion, le nonce apostolique glisse respectueusement au roi.

« Sire, je ne crois pas que vous voudriez recevoir cette honte que votre sœur ait un fils avant que Votre Majesté n'ait un dauphin? »

Louis rougit, marmonne qu'il y pensera mais en fait il est très embarrassé. Hypernerveux, il craint comme le feu de rééditer la nuit de Bordeaux. Il lui plairait assez, bien sûr, d'avoir un fils et même de se montrer brillant aux yeux de sa femme afin de lui faire oublier la pénible expérience vécue sous l'œil curieux des nourrices. Mais il sait bien qu'il n'a aucune technique et, d'ailleurs, il ne connaît pas grand-chose au mécanisme d'un corps féminin.

Or, au Louvre, un second mariage se prépare : celui de la demi-sœur du roi par la grâce de Gabrielle d'Estrées, Catherine-Henriette de Vendôme avec le duc d'Elbœuf, Charles II de Lorraine. Et chacun, dans l'entourage de Louis, de l'encourager à bien observer ce qui va se passer.

Pour mieux observer encore, celui-ci, au soir du 20 janvier, assiste au coucher des nouveaux époux comme le veut la coutume mais ne se retire pas avec le reste de la Cour. Il va rester là jusqu'à onze heures du soir afin d'assister à la consommation du mariage et de recevoir ainsi, du nouveau couple, une manière de leçon de choses. Leçon qu'on lui dispense volontiers.

L'époque est toujours aussi peu délicate. En outre, la fille de la Belle Gabrielle, sûre de sa beauté, ne s'encombre d'aucune pudeur superflue. Non seulement elle se prête de la meilleure grâce du monde à la démonstration mais encore, une fois la leçon terminée, elle déclare gracieusement au roi :

« Sire, faites vous aussi la même chose avec la reine et bien vous ferez! »

Louis XIII rentre chez lui tout songeur. Certains espéraient le voir courir aussitôt chez la reine pour mettre en pratique sa science toute neuve mais il n'en fait rien. Il a besoin d'assimiler tout cela et choisit d'aller se coucher. Mais le lendemain, il retourne coucher dans sa chambre, et le surlendemain aussi... et encore le soir d'après. Luynes, son meilleur ami, son mentor même depuis l'exécution de Concini commence à mordre sa moustache : Sa Majesté entend-elle réfléchir encore longtemps?

Le 25 au soir, comme le roi vient de se retirer chez lui avec l'intention évidente de se mettre au lit pour y dire confortablement ses prières, le duc se décide à passer à l'action et à interrompre sans plus tarder les oraisons royales. Il est onze heures du soir. Une très bonne heure pour une visite à la reine. Est-ce que le roi ne pense pas que ce serait une chose à faire?...

Non, le roi ne le pense pas : il a sommeil. Allons! Un petit effort! Il faut en finir avec une situation qui risque à la longue de devenir non seulement embarrassante mais légèrement ridicule!... Eh bien non. Louis est bien dans son lit et il n'a pas la moindre envie d'en bouger... Luynes, alors, d'attaquer sa grande scène et, fin comédien, il y excelle. Et le voilà qui plaide, qui prie, qui supplie et même qui pleure! Le roi ne comprend-il pas qu'il faut un dauphin au royaume et même quelques autres enfants? Alors qu'attend-il pour le mettre en chantier? Que le Parlement vienne en délégation l'en supplier avec les dames de la Halle et ces Messieurs de la Basoche? Que la reine soit hors d'usage et lui-même résolument cacochyme?

Rien n'y fait. Gêné d'abord, Louis s'est peu à peu ému devant les prières de son ami et même il s'est mis à pleurer, lui aussi! Ces larmes éclairent Luynes qui, du coup, essuie ses yeux. Il comprend que le roi a peur. Peur de la reine, peur de lui-même alors que peut-être l'envie ne lui manque pas. Pour s'en assurer, il décide de brusquer ce grand enfant et de tenter le tout pour le tout. Il couchera peut-être à la Bastille mais du moins il aura fait tout ce qu'il pouvait.

Et le voilà qui se penche sur son maître, l'attrape à pleins bras, l'arrache de son lit.

« Beringhen! Le bougeoir! » crie-t-il.

Le premier valet, d'ailleurs prévenu, se précipite pour éclairer la scène et prendre la tête d'un incroyable cortège composé de Luynes portant sur son épaule, comme un simple paquet, son roi qui proteste, gigote et se débat, et de Héroard, le médecin qui ferme la marche en se frottant les mains et en riant dans sa barbe.

Heureusement, le chemin n'est pas long entre la chambre du roi et celle de la reine et Luynes est doué d'une grande force nerveuse. Quelques instants de course et il dépose son royal paquet sur le lit d'Anne d'Autriche qui l'accueille en riant...

Cette nuit-là, Louis XIII restera chez sa femme jusqu'à deux heures du matin, ayant accompli fort convenablement et par deux fois son devoir conjugal avec l'approbation muette de la première femme de chambre de la reine, Mme de Bellière, témoin discret de la scène.

Peu de temps après, Anne se déclarera enceinte mais perdra son fruit par la faute de sa dangereuse amie, la duchesse de Chevreuse. Elle perdra aussi, hélas, l'amour fragile que son époux lui portait après cette folle nuit où M. de Luynes avait joué si gaillardement le rôle de Cupidon. Mme de Chevreuse qui déteste le roi veillera à ce que cet amour ne renaisse jamais et il faudra, à la fois, un gros orage et les prières d'une sainte fille, Louise de La Fayette qui fut le grand amour de Louis XIII, pour que Louis XIV puisse enfin faire son apparition... dix-neuf ans plus tard!

LES NUITS ANGLAISES... ET BIZARRES

LA NUIT DES CARTES : HENRI VIII ET ANNE DE CLÈVES

Quand Jane Seymour, troisième épouse du roi Henri VIII, meurt au palais d'Hampton Court, le 24 octobre 1537, douze jours après avoir mis au monde l'héritier tant désiré, le roi fait montre d'une douleur spectaculaire mais exagérée car il n'a qu'une « lueur de chagrin ». S'il pleure, c'est surtout sur lui-même : il se retrouve seul sur son trône et c'est un homme qui a horreur du vide.

Il n'est pas loin de penser que le Ciel lui en veut et entend lui faire payer la guerre qu'il fait au pape... En effet, il n'y a pas dix-huit mois que la tête ravissante d'Anne Boleyn, la « sorcière », est tombée à la Tour de Londres sous la grande épée du bourreau de Calais. Si peu de temps et le voilà veuf de nouveau alors qu'il se croyait bien parti pour un bonheur paisible en compagnie de la chère, très chère Jane, si blonde, si placide et si douce! Qui aurait pu supposer qu'elle mourrait si jeune après n'avoir donné qu'un seul enfant? Henri, qui espérait tant une vaste famille, se retrouve bizarrement abandonné, délaissé et horriblement solitaire...

Pour meubler le temps, il décide de se montrer bon père. Cela consiste essentiellement à tourmenter quotidiennement nourrices, gouvernantes et valets et à paraître à une fenêtre du palais, le bébé dans les bras, en lui faisant des mines afin que le bon peuple de Londres sache quel brave homme il est et s'attendrisse sur son sort...

Mais tout cela ne prend guère de temps et les nuits sont longues dans son vaste lit dont l'immensité déserte lui donne de l'urticaire, sans compter l'ulcère qu'il traîne à une jambe depuis une chute de cheval et ne lui laisse guère de repos. Au moins, chère Jane savait en prendre soin!... Et soupirs et larmes de revenir.

Aussi quand Cromwell, son conseiller le plus écouté – on peut même sans crainte de se tromper dire : son âme damnée – qui le connaît bien vient chuchoter qu'il doit, dès à présent, songer à reprendre femme, Henri le regarde-t-il d'un œil faussement courroucé et mouillé de larmes hypocrites mais déjà intéressé. Il répond au chuchotement par un grand « Hélas!... » mais pose, mine de rien, quelques questions évasives touchant les princesses européennes éventuellement bonnes à marier. Et cela alors même que la chère, très chère Jane n'a pas encore gagné son dernier logis dans la chapelle de Windsor!...

A peine y est-elle déposée qu'il l'oublie pour entamer d'actives discussions avec Cromwell touchant sa remplaçante. Tout naturellement, on pense d'abord à la France, si proche, et Henri suggère sans rire, qu'un choix de princesses lui soit envoyé à Calais afin qu'il puisse les voir et se rendre compte de leurs qualités respectives.

François Ier, lui, rit beaucoup d'une telle prétention.

« Il semble, dit-il, que les Anglais agissent avec les femmes comme avec leurs chevaux : ils en réunissent un certain nombre et les font trotter pour choisir ceux qui courent le mieux... »

Il rit... mais il ajoute qu'il ne lui plairait pas que sa fille prît place dans ce genre de concours.

On pense ensuite à la catholique Marie de Guise que le premier protestant anglais n'intéresse pas, puis à Christine de Danemark, veuve du Sforza de Milan. Mais Christine fait répondre que « n'ayant pas de tête de rechange » elle préfère ne pas tenter l'aventure.

Ces deux refus font tout à fait l'affaire de Cromwell car il a déjà sa candidate : une protestante, Anne, fille du duc

Jean III de Clèves qui serait, selon le chancelier anglais, le couronnement de la lutte menée par Henri contre l'Église de Rome.

L'idée ne déplaît pas à Henri mais, avant de se décider, il désire que son peintre, Holbein, aille faire le portrait de la princesse. Tous les visiteurs du Louvre connaissent ce portrait, un très beau portrait mais passablement flatté : le peintre a atténué considérablement la cicatrice en V qui marque le front d'Anne depuis qu'elle est tombée, enfant, sur une paire de ciseaux, et il a totalement gommé les traces de petite vérole du visage. Et Cromwell, au reçu du portrait et s'appuyant sur « certains rapports secrets » d'affirmer hautement qu'Anne de Clèves surpasse Christine de Danemark en beauté « comme l'or du soleil surpasse l'argent de la lune ». Un élan poétique tout à fait inhabituel chez lui et qu'il ne va guère tarder à regretter...

En vérité, les « rapports secrets » sont remarquablement discrets sur la personnalité de la princesse : on sait qu'elle a trente-quatre ans, qu'elle sait lire et écrire mais seulement le bas-allemand, que broderies et travaux d'aiguille n'ont pas de secrets pour elle, pas plus que la science abstraite du blason où elle est capable d'en remontrer au héraut d'armes le plus chevronné. Derniers détails : elle ne boit pas trop de bière et elle commence à apprendre l'anglais.

Henri se contente de cela et, convaincu d'épouser prochainement une vraie beauté, il ordonne de grandes cérémonies et se livre à une véritable débauche de préparatifs. Puis, quand il apprend qu'Anne a quitté Clèves, il dépêche à Calais le comte de Southampton, Fitzwilliam, pour y attendre la nouvelle reine et l'escorter à travers la Manche.

Le mauvais état des routes retarde le cortège de la princesse qui n'arrive à Calais qu'à la fin du mois de décembre 1539. Mais avant de passer la mer, il faut encore attendre une quinzaine de jours car les vents sont contraires. Pour meubler le temps, Fitzwilliam s'occupe consciencieusement de son précieux dépôt : il lui fait visiter le port, il organise pour elle des joutes et joue aux cartes avec elle. La future reine d'Angleterre est déjà d'une assez belle force à certains jeux mais elle ne connaît pas le « Cent » qui est le jeu préféré d'Henri VIII. Fitzwilliam se hâte de le lui apprendre et, en vérité, elle apprend très vite.

Entre deux parties, le comte envoie message sur message vantant tous la grâce, la belle allure et la « remarquable beauté » de la princesse et l'on ne sait trop, à la lumière de ce qui va suivre, ce qu'il faut en conclure : ou bien le comte de Southampton boit trop, ou bien il s'est trouvé victime d'un de ces dangereux coups de foudre comme s'entendent parfois à en infliger les laiderons confirmés. Mais enfin, vient le temps de l'embarquement par un temps à peu près possible : on passe le Channel, on débarque à Douvres et l'on prend, au milieu des foules rassemblées, le chemin de Londres.

De Londres où Henri ne tient plus en place. Pour se montrer galant, il décide soudain d'aller surprendre sa « Reine » à Rochester où elle doit faire escale, à trente miles de la capitale. Et il s'embarque secrètement sur un petit bateau en compagnie de Russel, d'Anthony Browne, demi-frère de Fitzwilliam, et d'un paquet de superbes zibelines destinées aux étrennes de sa fiancée.

Quand on atteint Rochester, il envoie Browne en éclaireur, lui recommandant de revenir au plus tôt lui donner son impression tout à fait franche. Hélas, quand celui-ci revient, mal remis de ce qu'il vient de voir, le malheureux trouve tout juste assez de voix pour annoncer que la dame attend son seigneur. Et on n'en peut rien tirer de plus car il se déclare brusquement très souffrant.

Inquiet tout à coup, Henri VIII se dirige à grands pas vers la chambre où sa future l'attend. Elle est debout, très droite, les mains sur le ventre, au milieu d'un cercle de dames qui « ressemblent à des chevaux de Frise » et qui répondent à des noms aussi mélodieux pour une langue anglaise que Schwartzenbrock, Brempt, Oosenbruch, Loc et Willik. Et toutes, suivantes et maîtresse sont empaquetées de robes impossibles...

Au seuil de la pièce, Henri reste pétrifié, n'en croyant pas ses yeux. Il est « déconcerté et étonné au possible » et il faut un moment pour qu'il reprenne possession de ses moyens. Enfin il se décide, s'avance vers la princesse qui l'attend avec un sourire béat et lui tend sa joue. Mais, arrivé au pied du mur, l'épreuve lui paraît trop rude. Il bredouille une vague salutation à laquelle la princesse, qui n'a pas compris, répond : « Ja!... Ja!... » avec un large sourire, grommelle quelques paroles inintelligibles accueillies par de nouveaux « Ja!... Ja!... », puis, incapable d'y résister plus longtemps, tourne les talons et sort en oubliant totalement de donner les zibelines. Et c'est seulement quand il se retrouve dans sa barque qu'il explose.

« Je ne vois rien en cette femme qui ressemble au portrait qu'on m'en a fait et je m'étonne que des gens intelligents aient pu en parler comme ils l'ont fait. Votre frère serait-il devenu fou? » jette-t-il à la figure de Browne qui ne sait plus où se mettre. Et moins encore lorsque sa femme, qui a été placée auprès de la future reine, revient en disant qu'elle a des manières et des allures si grossières qu'il est à craindre que le roi ne puisse jamais s'en accommoder.

A Greenwich, l'on se retrouve officiellement et l'on retrouve aussi Cromwell, plus mort que vif quand il peut constater à quoi ressemble en réalité cette future reine qu'il proclamait si belle. Soucieux de détourner la colère qu'il sent venir, il se contente de murmurer :

« Il me semble... qu'elle a le maintien digne d'une reine... »

Le roi pose sur lui un regard qui pèse cinq tonnes.

« C'est vrai. Mais si j'avais été mieux renseigné, jamais elle ne serait venue ici... »

Elle, toujours elle! La pauvre Anne n'a même plus droit à un nom!

« Sire, bredouille le chancelier qui sent une désagréable sueur froide glisser le long de son dos, elle gagne peut-être à être connue. Elle est grande, semble bien faite...

– Quel moyen a-t-on de le savoir avec tous ces harnachements qu'elle porte. Les Français disent qu'avec les robes allemandes n'importe quelle femme serait laide, même si elle était jolie...

– Eh bien... ne faut-il pas espérer que, sans la robe?... »

Mais le roi n'entend pas être calmé. Il tourne comme un ours en cage.

« Si elle n'avait pas fait ce long voyage et si je ne craignais de faire scandale et de pousser son frère du côté de l'empereur et du roi de France, jamais je ne la prendrais! Mais maintenant les choses sont trop avancées... »

Il les trouve même tellement avancées qu'il s'arrange pour retarder le mariage. La pauvre princesse est sur des charbons ardents. Ce mariage est inespéré pour elle, surtout à son âge, et même si Henri ne lui plaît guère – il est beaucoup tros gros! Et puis il y a cet ulcère à la jambe qui n'est pas très engageant! – elle ne veut à aucun prix retourner tirer l'aiguille auprès de sa mère où elle s'ennuie à périr.

Enfin, la résignation vient au roi.

« Allons! finit-il par dire, il n'y a rien à faire. Il faut me mettre sous le joug!... »

Il soupire à faire tomber les murs et le regard qu'il jette à Cromwell est meurtrier. L'autre se demande s'il y survivra.

Le jour du mariage, qui est le 6 janvier 1540, Henri traîne à sa toilette, perd du temps, met les patiences à rude épreuve et quand il autorise enfin Cromwell à annoncer qu'il est prêt à aller chercher sa fiancée, il pousse un nouveau soupir.

« Mon Dieu! Si ce n'était pour satisfaire le monde et mon royaume, je ne ferais jamais ce que je dois faire aujourd'hui... »

Et c'est avec la mine d'un condamné marchant à l'échafaud qu'il conduit Anne de Clèves à l'autel.

Le soir venu, quand on le déshabille avant qu'il n'aille rejoindre sa femme dans la chambre nuptiale, sa mine s'est encore allongée. Ni le banquet ni le bal, qu'il aime pourtant presque autant l'un que l'autre, ne l'ont déridé et l'on ne peut compter ses soupirs. Il ne cesse de marmotter des choses inaudibles qui font dresser les cheveux sur la tête de Cromwell. Pour l'unique fois de sa vie, le chancelier souhaiterait presque être catholique afin de pouvoir brûler un cierge devant un saint quelconque au moment où son maître franchit le seuil fatal.

Il ne dort guère de la nuit et quand, le lendemain, il revient aux nouvelles, il garde le faible espoir que les choses se sont arrangées sur l'oreiller. Et, tout d'abord il le croit. Le roi est en train de prendre son petit déjeuner et il dévore. Cromwell juge la chose de bon augure : si Henri éprouve le besoin de refaire ses forces, c'est qu'il en a dépensées...

Hélas, quand le chancelier se hasarde à demander si la reine plaît davantage au roi, celui-ci explose :

« Non, monsieur! C'est encore pire! Je l'ai laissée pucelle comme devant! D'ailleurs il est impossible qu'elle le soit encore avec des seins et un ventre comme elle en a. Quand je les ai touchés, le cœur m'a tellement manqué que je n'ai pu ni voulu pousser plus avant. C'est une jument des Flandres... Mais, ajoute-t-il plus calmement, elle joue très bien au Cent.

– Au... Cent? Fait Cromwell qui croit avoir mal entendu.

– Parfaitement. Est-il défendu de jouer aux cartes pendant sa nuit de noces?... »

Et plantant là son chancelier abasourdi, Henri s'en va en traînant la jambe et en claquant la porte.

Quelques jours plus tard, chez la reine, quatre de ses dames dont deux parlent l'allemand – Lady Edgecombe et Lady Rutland – lui expriment leur vœu de la voir bientôt enceinte. Anne leur répond qu'elle sait très bien qu'elle ne l'est pas encore. Lady Edgecombe demande alors :

« Comment Votre Grâce peut-elle le savoir?

– Je le sais très bien. »

Petit silence troublé seulement par le léger froissement des soieries que l'on brode puis, à nouveau, Lady Edgecombe :

« Je ne voudrais pas contrarier Votre Grâce mais je crois, moi, qu'elle est toujours vierge. »

Ce qui fait rire la reine.

« Comment pourrais-je être vierge, dit-elle, puisque je couche chaque nuit avec le roi? Quand il entre au lit, il m'embrasse, me prend la main et me dit : “ Bonne nuit, mon cœur. ” Et le matin, il m'embrasse et me souhaite le bonjour. N'est-ce pas suffisant? »

A son tour, alors, Lady Rutland intervient :

« Madame, il en faut plus, sinon nous pourrons attendre longtemps le duc d'York que tout le royaume désire...

– Non, dit la reine. Je suis contente de n'en pas savoir plus... »

Dit-elle vrai ou force-t-elle une naïveté peut-être toute apparente? Et qui l'arrange? Les cours allemandes de l'époque offraient alors un mélange d'austérité et de grossièreté et il semble difficile de croire que, vivant trente-quatre années dans le cercle étroit d'un burg rhénan plein d'une soldatesque plus que grossière et où il y avait toutes sortes d'animaux, Anne eût gardé les innocences d'une enfant de dix ans. Le secret de cette incroyable candeur tient peut-être dans le fait qu'Henri déplaisait à Anne au moins autant qu'Anne déplaisait à Henri. En revanche, l'état de reine d'Angleterre convenant parfaitement à la jeune Allemande, elle n'avait aucune envie d'y renoncer.

N'est-il pas étrange ce « Je suis contente de n'en pas savoir plus... »? Eût-elle avoué en savoir plus sur les réalités du mariage qu'elle eût été obligée de se montrer offensée de se voir ainsi dédaignée, avec toutes les conséquences possibles d'une telle attitude. Le cher Henri ne s'entendait-il pas à merveille à faire disparaître ceux ou celles – fussent-elles épousées – qui le gênaient si peu que ce soit?

Grâce à ce curieux comportement, Anne de Clèves réussit à s'entendre très bien avec Henri. Beaucoup plus intelligente qu'elle n'avait bien voulu le laisser paraître au premier abord, elle se mit très vite à l'anglais et put bientôt faire montre d'un jugement sain et clair qu'Henri apprécia. En outre, il avait trouvé en elle une adversaire de choix aux cartes et, enfin, Anne eut l'habileté d'aimer entendre son époux chanter en s'accompagnant du luth...

Les choses auraient peut-être pu durer longtemps encore dans le *statu quo* si l'œil avide du roi n'était tombé soudain sur une adorable créature : la jeune Catherine Howard dont il s'éprit de façon foudroyante. Dès lors, il n'eut plus d'autre idée que d'en faire sa femme.

Il ne savait trop comment présenter la chose à cette brave fille dont il s'était fait une amie, mais Anne le connaissait trop à présent pour ne s'apercevoir de rien. Sentant peut-être venir discrètement un petit vent de Tour de Londres, elle facilita la tâche à Henri. A la grande surprise de celui-ci, non seulement elle n'émit aucune protestation mais encore elle se déclara toute disposée à accepter la répudiation, jouant en cela une partie d'une rare finesse. Une partie qu'elle gagna haut la main.

Enthousiasmé par tant de bonne volonté, Henri lui accorda une rente de quatre mille livres par an, lui fit don des châteaux de Richmond et de Blechingley qui comportaient l'un et l'autre de vastes dépendances et des parcs superbes, lui offrit des joyaux, des meubles, de la vaisselle plate, des robes splendides et, pour couronner le tout, prit un décret qui en faisait la « sœur du roi ». Anne devait avoir la préséance sur toutes les autres dames, aussitôt après la reine et les enfants royaux.

Et Anne de Clèves, sortie indemne et très riche d'une

dangereuse aventure, s'installa joyeusement dans une existence qui lui convenait tout à fait et qu'elle partagea d'ailleurs avec un discret gentilhomme.

« Elle est plus joyeuse que jamais, dit la chronique de l'époque, et porte une robe nouvelle tous les jours... »

Ce fut Cromwell qui, décidemment mal inspiré par l'invasion prochaine du clan Howard, paya les tribulations amoureuses de son maître : le 28 juillet suivant, il montait à l'échafaud. Non celui noble et élégant de la Tour de Londres, mais celui du bas quartier de Tyburn, celui des voleurs et des criminels de droit commun.

Ce jour-là, au manoir d'Oatlands Henri VIII épousait la fraîche et ravissante Catherine Howard... qui avait six ans de moins que sa fille Marie. Il avait choisi la campagne pour une nuit de noces qu'il voulait enchanteresse, loin surtout des horreurs de la peste qui s'installait à Londres. Elle ne fut enchanteresse que pour lui et il fut obligé, un triste jour, de s'en rendre compte.

Mais quand, un peu plus d'un an et demi après, le 13 février 1542, il fit décapiter sa trop jolie et trop folle petite reine, ce fut « sa sœur » Lady Anne de Clèves qui vint essuyer les grosses larmes qu'il répandait continuellement...

LA NUIT DU WHISKY :
LE FUTUR GEORGE IV
ET CAROLINE DE BRÜNSWICK

Une autre princesse allemande, montée en graine et pas très belle, est venue en Angleterre pour y vivre une nuit de noces au moins aussi peu orthodoxe que la précédente mais dont les conséquences allaient se révéler beaucoup plus dramatiques.

C'est pour conclure ce mariage, celui du prince de Galles avec la princesse Caroline de Brünswick que, par un jour brumeux et glacé du mois de février 1795, James Harris, Lord Malmesbury s'embarque au pont de Londres. Sans le moindre enthousiasme. Il pense qu'on lui a donné là une fichue commission, tout à fait indigne d'un grand diplomate et qu'on le récompense bien mal des services – fort brillants naturellement – qu'il n'a cessé de rendre à la Couronne anglaise. Ce mariage, en admettant qu'il parvienne à le réaliser, va sûrement le brouiller avec beaucoup de monde, sauf, bien entendu avec le roi. Seulement, le roi George III est fou...

Cela a commencé sept ans plus tôt quand George III, brave homme au demeurant, sage, économe et rangé a commencé à manifester des troubles mentaux d'un genre assez particulier. Victime, de toute évidence, d'une *overdose* de Shakespeare dont il raffole, il s'est pris subitement pour le roi Lear, a exigé qu'on l'habille de longs vêtements blancs façon druide et s'est mis à son clavecin. Il ne sait pas jouer de la harpe celtique mais, en revanche, c'est un remarquable claveciniste et, aussi passionné de Haendel que de Shakespeare, il s'est mis à en jouer jours et nuits...

Pour combattre cette folie, somme toute assez douce, les médecins ont employé les grands moyens d'un art qui en matière de neurologie n'était guère plus évolué qu'à l'âge des cavernes. Le pauvre roi a été enfermé, ligoté, battu et affamé. Sans obtenir d'ailleurs le moindre résultat. On n'a même pas réussi à le rendre enragé, ce qui est encore une chance...

Or cette thérapeutique barbare a profondément réjoui le tendre fils de ce malheureux roi car il y voyait les signes précurseurs d'une fin prochaine et de sa non moins prochaine accession au trône.

C'est un curieux personnage que le prince George. C'est même un personnage franchement odieux : un libertin criblé de dettes, obèse et cynique, un joueur et un débauché n'aimant guère que lui-même et cette couronne qu'il convoite si âprement. Il pousse même l'absence de cœur jusqu'à singer, pour amuser ses amis après boire, le comportement de son père durant ses crises.

On ne lui connaît qu'une faiblesse sentimentale : la passion égoïste qu'il éprouve, depuis dix ans, pour l'une des plus jolies femmes de Londres : Maria Fitzherbert. Au moyen d'un chantage au sentiment assez lamentable – car la malheureuse a commis l'erreur de s'éprendre de lui – « Georgie » l'a convaincue d'accepter un mariage morganatique, un mariage que l'on cache soigneusement car Mrs. Fitzherbert est catholique et le prince sait bien qu'il ne sera jamais roi si l'on apprend qu'il a épousé une papiste. D'où des démentis, des secrets minables et des brusqueries publiques dont la jeune femme se trouve souvent blessée et qui la rongent.

Or, à la fin de 1794, le roi a réussi à se dégager suffisamment de ses brumes musicales pour constater, avec une stupeur indignée, le genre de vie que mène son fils et le montant astronomique de ses dettes. Et, comme il ignore tout du mariage secret, il propose à « Georgie » une solution qui lui paraît convenable : ou bien il se range en épousant une princesse digne de régner plus tard à ses côtés et l'on paiera ses dettes, ou bien il refuse et on l'abandonne à la meute tenace de ses créanciers qui sont gens tout à fait capables d'envoyer un prince de Galles moisir sur la paille humide de Fleet Street, la prison pour dettes.

Le Parlement joint ses instances à celles du roi : il réglera les dettes du prince de Galles si celui-ci se marie. Or, en Angleterre, c'est le Parlement qui tient les cordons de la bourse et il y a donc tout intérêt à tenir compte de ses « conseils ».

Songeant à l'avenir, Georgie a capitulé. On lui a proposé sa cousine germaine, Caroline de Brünswick : il a accepté sans même demander à voir un portrait car il traite là une affaire comme une autre. Une affaire dont il convient de se débarrasser au plus tôt afin de retourner aux plaisirs habituels et aux compagnons de ces plaisirs : Lord Moïra, Mr. Orlando Bridgeman et surtout l'incomparable Brummell, arbitre des élégances londoniennes et ami de cœur de Georgie.

Pendant ce temps, à Brünswick, une vieille petite ville allemande coincée entre la lande de Lüneburg et la chaîne du Harz, Lord Malmesbury a été mis en présence de la fiancée. C'est une sorte de poulain échappé, une grande fille de vingt-sept ans pas très belle, pas très laide non plus, intelligente mais fantasque, et surtout élevée à la diable dans cette morose petite Cour allemande, entre des parents désunis qui font régner autour d'eux une atmosphère pesante dont leur fille a souffert. Elle n'a pas la moindre éducation et, de plus, extraordinairement populaire, elle se montre avec les petites gens d'une familiarité qui suffoque l'ambassadeur anglais.

Il est de moins en moins ravi de sa mission, Malmesbury. Il souhaitait ramener une fiancée dépourvue d'imagination, froide, indifférente, une sorte de statue de la respectabilité simplement capable de porter couronne et de faire des enfants. Or, cette Caroline qui piaffe, gambade et s'enthousiasme à l'idée de devenir princesse de Galles d'abord, puis reine d'Angleterre ensuite, lui donne froid dans le dos. Quelque chose lui dit qu'il va à une catastrophe. Mais a-t-il le moyen de reculer? Son avis n'a aucune importance...

Sur le chemin du retour, il essaie d'expliquer à la princesse que la discrétion, et même un certain aveuglement, lui semblent un comportement souhaitable. Mais il perd son temps et ses paroles : Caroline ne veut rien entendre. Comment expliquer à cette innocente qui ne cesse de remercier le Ciel que l'homme qu'elle va épouser est fermement décidé à ne rien faire, mais vraiment rien du tout, pour lui plaire?

Encore Malmesbury ignore-t-il ce qui se passe à Londres où l'on s'occupe de constituer la maison de la future princesse de Galles. En effet, c'est à Lady Jersey, sa dernière maîtresse déclarée, que Georgie vient de faire attribuer le poste de dame d'honneur de sa femme.

Lady Jersey est, avant tout, une intrigante. Depuis peu, elle a réussi à supplanter Maria Fitzherbert dans les bonnes grâces du prince et elle n'entend pas en rester là. Ce qu'elle veut, c'est prendre assez d'influence sur son amant pour régner, à travers lui, sur l'Angleterre. Pas plus!

Dans ce but, elle a poussé à la roue du mariage et cela en vertu de deux bonnes raisons : l'argent bien sûr, puisque les dettes vont être payées, et l'élimination totale de la Fitzherbert qu'elle déteste. Jusque-là, elle a parfaitement réussi : Georgie se marie et il a envoyé à la pauvre Maria une lettre, odieuse à force de sécheresse, et dans laquelle il lui exprime froidement son intention de ne plus jamais la revoir. Au reçu de cette lettre, l'épouse morganatique a fait ses malles et elle est partie sur le continent. Cela fait, Lady Jersey a exigé le poste de dame d'honneur afin de garder la haute main sur le nouveau ménage et de pouvoir, tout à son aise, assurer sa domination en détruisant celle, fort hypothétique mais toujours possible, de la nouvelle venue.

En apprenant, par courrier, la nomination de cette mégère, Malmesbury pense vraiment que le Ciel est contre lui : jamais mariage ne s'est annoncé plus mal. Et cette Allemande qui fredonne à longueur de journée!... Il peut s'armer de courage car l'arrivée sera pire encore que tout ce qu'il a pu imaginer.

Tout d'abord, Lady Jersey qui est venue au-devant de la princesse jusqu'à Douvres, comme le veut le protocole, s'arrange pour arriver au château avec un tel retard qu'il s'en faut d'un cheveu que la fiancée ne trouve porte close. Ensuite, comme elle a pris la peine de regarder un portrait et qu'à l'arrivée elle a, en femme à la mode, trouvé fort réjouissante la mise modeste et archaïque de Caroline, elle la fait affubler et coiffer, sous couleur de la mettre au ton de la Cour, d'une manière non seulement peu seyante mais franchement ridicule en dépit des efforts de Lord Malmesbury.

Aussi, quand la pauvre princesse pénètre dans le salon du palais Saint-James où toute la Cour l'attend, essuie-t-elle des sourires et des chuchotements dont le moins qu'on puisse dire est qu'ils manquent de la plus élémentaire politesse. S'il a envie de rire, pourtant, Georgie n'en marque rien et son attitude est d'abord convenable. Peut-être parce que le roi est là!... Il salue gravement sa fiancée, l'embrasse puis, seulement la voit de près (il est myope). Et le léger soupir de soulagement que s'est permis Malmesbury s'étrangle dans sa gorge : Georgie s'est armé de son face-à-main et, après avoir longuement examiné Caroline du haut de sa grandeur, il lui tourne brusquement le dos et réclame :

« Donnez-moi du cognac, Malmesbury!

– Est-ce que Votre Altesse n'aimerait pas mieux un peu d'eau?

– De l'eau? Vous rêvez! J'ai grand besoin d'un cognac! »

Il l'avale d'un trait puis fonce vers la porte et déclarant bien haut qu'il va chez sa mère.

Quand les ondes de la stupeur générale se sont un peu effacées, la princesse demande à l'ambassadeur si son fiancé est toujours aussi désagréable. Il se hâte de lui répondre que non et de mettre au compte de la reine Charlotte [1] qui est souffrante le comportement bizarre d'un fils dont il dépeint soigneusement l'inquiétude... toute fictive d'ailleurs : Georgie est simplement parti continuer sa cure de cognac sous un plafond moins solennel.

« De toute façon, dit alors la jeune fille, je le trouve très gros. Il ne ressemble pas du tout aux portraits que j'ai vus. Et même il est franchement affreux!... »

Prêt à pleurer, Malmesbury accorde alors une pensée pleine de nostalgie à sa chère ambassade de Saint-Pétersbourg où il se trouvait si bien naguère encore. Les Russes, certes, sont des gens à peine civilisés, mais comparée à celles de Georgie et de sa future épouse, leur éducation lui paraît à présent le comble du raffinement.

Trois jours plus tard, le mariage est célébré dans la chapelle de Saint-James. Convenablement habillée, cette fois, d'une robe bien coupée et couverte de diamants, Caroline y entre avec la gravité et le recueillement que commande la circonstance. Georgie, lui, n'est pas là. En retard suivant son habitude, chacun peut constater, quand il se présente enfin qu'il a l'œil fixe et hébété... et la démarche un brin chancelante.

Cela tient à ce qui s'est passé dans la voiture qui l'amenait de sa résidence de Carlton House en compagnie de son ami Lord Moïra. Affreusement triste comme le sont souvent les ivrognes après une nuit bien arrosée, Georgie s'est épanché : il est très malheureux d'avoir perdu sa chère, chère Maria Fitzherbert, la seule femme qu'il eût jamais aimée, « sa » femme, bien que le mariage catholique

1. C'est aussi une Allemande : Charlotte de Mecklembourg-Strelitz.

contracté sans le consentement royal ait été dissous.

Devant ce gros chagrin, Moïra lui a, alors, révélé que Maria n'a pas quitté l'Angleterre. Elle se cache à Brighton, dans sa maison où il pourra la retrouver quand il voudra. Du coup, Georgie a jugé urgent d'arroser la bonne nouvelle au moyen d'un flacon de whisky placé dans un compartiment du carrosse et que l'on veille à toujours tenir plein. Le résultat ne s'est pas fait attendre.

Durant toute la cérémonie, sa mine égarée et l'odeur d'alcool qui flotte autour de lui plongent les assistants dans la stupeur. La pauvre Caroline, les yeux pleins de larmes, contemple avec un mélange de tristesse et de dégoût ce gros homme hébété qui, à ses côtés, se lève et s'agenouille à retardement, parfois à contretemps et qu'il faut secouer, au moment crucial, pour qu'il se décide à prononcer le « I will » traditionnel.

Après un tel mariage, la nuit de noces est ce qu'elle doit être : un désastre. Le prince est tellement ivre lorsqu'il déboule dans la chambre nuptiale qu'il lui reste tout juste la force de s'abattre sur le lit. Sur le lit où Caroline est malade à mourir...

En effet, afin de lui « rendre quelque courage », son obligeante dame d'honneur n'a rien trouvé de mieux que de lui administrer, à elle aussi, une ration de whisky mais agrémentée d'on ne sait quelle drogue. Les spasmes de son estomac empêcheront la malheureuse de dormir toute la nuit et finiront par percer l'ivresse de Georgie. Résultat : quand revient le matin, Georgie inspire toujours à sa femme le même dégoût et lui l'a prise en horreur... après l'avoir prise avec une brutalité qui rendrait malade n'importe quelle femme en bonne santé. Sans doute dans l'espoir de mettre un terme à ses nausées...

Dès lors, à Carlton House, où il a bien fallu que Caroline allât s'installer, la vie de princesse héritière devient un cauchemar. Elle doit assister, impassible, aux soupers que donne souvent Georgie et qui tournent régulièrement à l'orgie. Il lui faut voir, sans broncher, son époux boire dans le verre de Lady Jersey et se livrer sur elle à certaines privautés à l'issue desquelles il distribue libéralement à sa maîtresse les bijoux de sa femme. En outre, abusant sans vergogne de ses fonctions, la dame d'honneur ne se gêne pas pour ouvrir le courrier de la princesse, de préférence celui qu'elle échange avec sa famille, et l'apporte à son amant qui en fait des gorges chaudes avec ses compagnons de beuverie.

La patience, très inhabituelle d'ailleurs, de Caroline n'y résiste pas. Balayant les conseils de modération dispensés par Malmesbury, elle se lance courageusement dans la bagarre. Sa langue est agile et elle sait s'en servir, trouvant avec un art consommé les mots les plus susceptibles de blesser son mari. Quant à Lady Jersey, un peu surprise tout de même, elle s'entend soudain traiter comme elle le mérite : avec un maximum de mépris et des sarcasmes qui la démontent bien souvent. Enfin Caroline trouve plaisir à dauber sur les amours de son mari avec la Fitzherbert qu'elle traite de « grasse blonde quadragénaire ». Dans de telles conditions, le ménage ne peut pas marcher.

Pourtant, une chance de salut se présente bientôt : si ahurissants que soient les rapports des deux époux, la princesse de Galles se trouve bientôt enceinte et met tous ses espoirs dans la venue de l'enfant annoncé pensant que peut-être son entrée en scène incitera son père à une vie plus honorable.

Malheureusement il n'en est rien et quand naît, le 7 janvier 1796, une jolie petite fille que l'on prénommera Charlotte, Georgie laisse entendre qu'il se considère désormais comme délié de toute obligation envers sa femme : il est sous le coup d'une nouvelle flambée de passion pour Maria Fitzherbert à laquelle il lègue, à la suite d'un accident de santé qui lui a fait très peur, la totalité de ses biens. Pour un peu il lui léguerait les joyaux de la Couronne!

Aussitôt après ce testament larmoyant, il écrit à sa

femme, en présent de relevailles, une lettre dans laquelle il lui signifie poliment leur rupture.

Dignement, la princesse répond qu'elle communique cette lettre au roi « comme à son souverain et à son père », mais ce recours à George III ne change rien à la décision de Georgie : Caroline doit quitter Carlton House et chercher refuge dans sa propriété de Blackheath, présent du roi. Un refuge où l'on ne lui permet pas d'emmener sa fille, seconde à présent dans la ligne de succession au trône.

Le peuple anglais prend sa défense. La rupture lui déplaît profondément et plus encore le fait que le prince vit ouvertement avec sa maîtresse. Dès lors, tandis que la princesse de Galles recueille partout, sur son passage, hommages et ovations, son époux et la favorite ne peuvent plus sortir sans déchaîner des bordées d'insultes et des huées.

Naturellement, ce fut à Caroline que le mari s'en prit. Non seulement il lui fit interdire de voir sa fille mais encore il donna des ordres pour que l'enfant fût élevée dans la haine et le mépris de sa mère. Sur ce point, il échoua complètement : en grandissant Charlotte se mit à adorer sa mère et à détester un père qui non seulement l'en privait mais osait vivre au grand jour avec une concubine.

Le peuple, cette extraordinaire expression du chœur antique, encourageait d'ailleurs l'enfant dans ces sentiments. Quand elle sortait en voiture avec sa gouvernante, les passants lui criaient :

« Aimez bien votre mère, mignonne! »

En revanche, si le prince apparaissait, les mêmes passants lui jetaient :

« George! Où est votre femme?... »

Pour tromper sa faim maternelle, Caroline s'occupa d'enfants abandonnés dont certains, il est vrai, furent d'assez mauvais sujets. Georgie en profita pour faire courir le bruit d'enfants adultérins, allant jusqu'à demander que l'on fît une enquête sur la vie privée de la princesse de Galles.

Quand le vieux roi sombra définitivement dans la folie, Caroline, ayant perdu son meilleur défenseur, quitta l'Angleterre. Son époux s'était arrogé le titre de prince régent, et elle ne trouvait plus qu'outrages et insultes dans son entourage. Elle vécut en Europe, principalement à Naples où elle fut la proie de gens sans grands scrupules, et fit même un pèlerinage en Terre sainte. Allant d'extravagance en extravagance, elle semblait avoir pris à tâche de couvrir de ridicule son titre de princesse de Galles.

Mais en novembre 1817, un terrible choc fit brusquement cesser toutes ses folies : sa fille Charlotte qui avait épousé par amour, son cousin Léopold de Saxe-Cobourg-Saalfeld [1], mourut en couches. Le cœur de la mère se brisa. Elle décida de rentrer en Angleterre.

Ce fut pour y faire face à un effarant, un ignoble procès en adultère intenté par le prince régent. N'ayant pas osé la faire assassiner comme il l'avait si souvent pensé, il tentait de la détruire par voie de justice. Il n'y réussit pas. Mais, en 1820, le roi George III étant mort, son détestable fils devint roi d'Angleterre. Caroline était reine mais, naturellement, George lui en refusa farouchement le titre et les prérogatives.

Le jour du couronnement, non seulement elle n'eut pas le droit de figurer dans l'église mais encore on lui en interdit l'entrée sous un incroyable prétexte : elle n'avait pas de carton d'invitation!... Pourtant son vrai couronnement, elle allait le recevoir du peuple anglais plus vite qu'elle ne l'imaginait.

Quelques semaines après la cérémonie, en effet, le 7 août 1821, elle mourut, épuisée. Exultant de joie, George IV, lui refusant la sépulture royale, ordonna que son corps fût embarqué sur une frégate et ramené à Brünswick. Encore le cercueil devait-il rejoindre la Tamise par un chemin

1. Il sera plus tard le premier roi des Belges, Léopold Ier.

détourné, en faisant le tour de la Cité afin d'éviter toute manifestation de sympathie.

Les gens de Londres ne l'entendirent pas ainsi. Dans la nuit précédant le départ, des barricades surgirent sur l'itinéraire tracé par le roi lui-même et, sachant de quoi il était capable, des piquets se formèrent pour les garder.

A l'aube, fou de rage, George envoyait des troupes, ordonnait même à la cavalerie de charger la foule. Celle-ci tint bon et quand parut le corbillard portant les initiales C.R. (Carolina Regina) et les armes d'Angleterre, le peuple, à genoux, jalonna pour lui la voie royale de la Cité dont sonnaient toutes les cloches tandis que tonnaient les canons de la Tour. Sur le cercueil, une plaque d'argent avait été posée par une main inconnue. Elle portait, gravée : « Caroline, reine outragée d'Angleterre ».

Les canons de l'escadre prirent le relais de ceux de la Tour quand le vaisseau, lentement, descendit la Tamise, défilant devant les navires aux pavillons en berne. Au bout du voyage, la terre natale allait reprendre celle qui ne l'avait quittée que pour souffrir, mais ce couronnement-là, voulu par tout un peuple, valait bien la pompe dérisoire de Westminster.

Neuf ans plus tard, George IV mourut à son tour mais ses funérailles ne ressemblèrent en rien à celles de sa femme. Non seulement le peuple ne s'agenouilla pas sur son passage mais ce fut tout juste s'il ne pavoisa pas. Des brochures satiriques coururent les rues de Londres racontant avec un grand luxe de détails ses amours scandaleuses. Et l'on rédigea même son épitaphe, donnant la pleine mesure de la tendresse qu'on lui portait :

Il eut une carrière noble et infâme
Vil et répugnant avec magnificence
C'était le premier gentilhomme du monde
Et il rendit ce titre odieux...

Ainsi disparut le « vainqueur » de Napoléon. Son frère

Guillaume lui succéda. Pas pour longtemps : sept ans plus tard, pour le plus grand bien de l'Angleterre, une petite jeune fille de dix-huit ans devenait reine. Elle s'appelait Victoria et elle allait porter plus haut qu'elle ne l'avait jamais atteint la grandeur de l'Angleterre...

LES NUITS ENTHOUSIASTES

DE LA NUIT DE TOBIE À L'ESCALIER DE SERVICE : LE MARIAGE DE SAINT LOUIS

Jamais repas de noces n'avait été plus lugubre et, seuls, les jeunes époux ne s'en apercevaient pas car ils ne voyaient qu'eux-mêmes. Ils étaient tellement occupés à se regarder, à se sourire et à se tenir la main que tout le reste du monde disparaissait pour eux. Mais il n'en allait pas de même pour les autres convives dont les regards inquiets convergeaient tous sur un seul visage, sévère, austère, rébarbatif à souhait : celui de la reine mère, Blanche de Castille qui, depuis la veille, arborait une mine proprement funèbre...

On était le 27 mai 1234, dans la bonne ville de Sens et l'on venait d'y célébrer les noces du jeune roi Louis, neuvième du nom, dix-neuf ans, et de la petite Marguerite de Provence, fille du comte Raymond-Bérenger, âgée de quatorze ans. Ces deux enfants, beaux et charmants, encore que dans un genre tout à fait différent, étaient tombés amoureux l'un de l'autre avec ensemble et spontanéité lorsque, le 26 mai, leurs cortèges – celui qui avait mené le roi depuis Paris, celui qui conduisait Marguerite depuis Forcalquier – s'étaient rejoints et mêlés. Et personne ne comprenait pourquoi, devant l'éclatant succès de ce mariage qu'elle avait combiné, cherché, voulu, Madame Blanche faisait la tête...

Personne? Voire!... Dans la brillante assemblée, il y avait au moins trois personnes qui savaient à quoi s'en tenir grâce au souvenir encore cuisant de la scène dont les avait régalées la reine mère aussitôt après la rencontre : c'étaient Gilles de Flagy, premier ambassadeur dépêché en Provence pour observer les filles de Raymond-Bérenger, et les deux envoyés qui, sur sa recommandation, étaient allés chercher la fiancée pour la conduire en France : Gautier Cornu, évêque de Sens, et Jean de Nesle.

« Je vous avais chargés, leur dit en substance la Castillane, de faire choix d'une princesse pieuse, dévote même, bonne, douce, vertueuse...

– Madame Marguerite est tout cela, dit Flagy; fort pieuse, très bonne et pleine de vertus. Tous les gens de Provence chantent ses louanges avec tendresse en dépit de son jeune âge...

– ... et sans doute aussi cette folle troupe de ménestrels, de chanteurs, de troubadours et de jolies filles à la mine bien trop éveillée qu'elle traîne après elle? En outre, j'avais recommandé que la fiancée ne fût pas trop jolie afin que ses soins ne détournassent point le roi de ses graves devoirs et ne risquassent point de le faire tomber dans le péché. Et c'est tout juste ce qui se passe : il ne la quitte plus des yeux. Quelle sottise venez-vous de nous faire faire là!... »

L'évêque s'en était mêlé. La moutarde commençait à lui monter au nez en entendant la reine mère lui reprocher de n'avoir pas rompu les négociations en constatant la beauté de Marguerite.

« Le roi est jeune, fort pieux et bien attaché à ses devoirs. Il faut qu'il donne au royaume belle et nombreuse descendance. Quel mal y a-t-il à ce qu'il y prenne quelque plaisir? J'ajoute : plaisir légitime et tout à fait permis par Dieu! Le feu roi Philippe, dont Dieu ait l'âme, s'était fort préoccupé de la beauté de Votre Majesté lorsqu'il l'a fait demander en Castille... »

Ce rappel à son propre mariage n'avait pas calmé Madame Blanche. Chacun voyait midi à sa porte et feu Philippe Auguste n'était jamais apparu à personne comme un parangon de vertu. Pour sa part, Blanche s'entêtait à considérer le mariage de son fils avec cette petite Provençale brune, fraîche, dorée comme un brugnon, « une vraie petite caille » selon l'expression gourmande de Paul Guth, comme une véritable catastrophe dont il fallait limiter sévèrement les conséquences.

Elle allait s'y employer activement.

« Les duretés que la reine Blanche fit à la reine Marguerite, écrit Joinville, furent telles que la reine Blanche ne voulait pas souffrir, autant qu'elle le pouvait, que son fils fût en la compagnie de sa femme si ce n'est le soir quand il allait coucher avec elle... »

Et encore! De toute façon nous n'en sommes pas encore là...

Le « joyeux banquet » terminé, tandis que les dames conduisaient la jeune épousée à sa chambre, le jeune roi était allé dire un bout de prière à la chapelle afin de remercier Dieu de lui avoir fait un si joli cadeau. Cela fait, il déclara joyeusement à ses deux frères, Robert et Alphonse, qu'il s'en allait rejoindre sa femme, sans imaginer un seul instant à quel point l'entreprise pouvait se révéler périlleuse.

En effet, au lieu de rencontrer, au seuil de la chambre fleurie, l'aimable cohorte des jeunes filles couronnées de roses, chargées de le conduire au paradis de l'amour, c'est sa mère qu'il trouve devant la porte close qu'elle barre, au surplus, de toute sa haute personne. Jamais l'Espagnole n'a été aussi espagnole! Jamais ses yeux noirs n'ont été aussi sombres! Et c'est d'une voix qu'elle s'efforce de faire paisible et grave qu'elle explique : le mariage est un sacrement et pas une partie de jambes en l'air! Avant d'aborder le lit qui doit être traité comme une sorte d'autel (autrement dit, il ne convient pas de s'y attarder), il faut s'y préparer longuement par la prière. La mine réjouie et quelque peu gourmande que montre Louis est profondément choquante. A la chapelle, sire! Et tâchez d'y bien prier!...

A la chapelle? Mais il en vient. Qu'importe, il doit y

retourner afin que Dieu consente à bénir ce mariage... Louis aime trop Dieu pour ne pas accéder à l'injonction maternelle. Il veut bien retourner à la chapelle. Mais pour combien de temps? Trois nuits, pas moins! Pour qu'un mariage soit saint, il convient de consacrer à Dieu les trois premières nuits de la vie conjugale et de lui offrir l'ardeur réfrénée des époux. On appelle cela les nuits de Tobie, en hommage à ce jeune Juif qui, durant la grande captivité de Babylone, fut mené au mariage par l'ange Raphaël en personne et, ayant observé l'abstinence des trois nuits obtint ainsi de Dieu la guérison de la cécité paternelle. Selon la reine mère on observait beaucoup cette coutume en Castille.

Le futur saint avait bien trop l'habitude d'obéir à sa mère pour entrer en conflit avec elle. Étouffant ses soupirs, il retourna à la chapelle et entreprit d'y passer la nuit. Satisfaite, Blanche de Castille rentra chez elle, en omettant toutefois de prévenir sa belle-fille et, dans sa chambre-jardin, Marguerite attendit en vain. D'abord calmement, puis nerveusement et, finalement, en pleurant à gros sanglots qui finirent d'ailleurs par l'endormir d'épuisement. Elle qui croyait avoir plu à son jeune seigneur blond, voilà qu'il la dédaignait!

Le lendemain, bien sûr, on lui explique, on l'apaise. C'est une coutume. On aurait dû la prévenir mais, autant qu'elle le sache, il y a encore deux nuits du même genre à passer...

Marguerite est loin d'être sotte. L'œil vaguement triomphant de sa belle-mère l'incite à penser qu'on a bien pu exhumer cette bizarre coutume tout juste à son usage et, comme elle aime déjà de tout son cœur son jeune mari, elle décide de mettre les rieurs de son côté.

Et, la nuit venue, tandis que Louis agenouillé dans la chapelle s'abîme dans la prière et tente de fermer ses sens aux doux parfums qui montent de la campagne, il a la surprise de voir arriver Marguerite.

« Nous prierons ensemble, mon doux seigneur, dit-elle

avec un sourire courageux, puisque c'est la coutume!... »

Lorsqu'un peu plus tard la reine mère vient s'assurer de la présence de son fils dans la chapelle, elle reçoit un choc. Agenouillés tous les deux devant l'autel illuminé comme durant la cérémonie de leur mariage, la main dans la main, Louis et Marguerite prient à haute voix... Ne sachant trop que penser, elle va se retirer sur la pointe des pieds quand elle se heurte presque au connétable Imbert de Beaujeu qui passait par là.

« Encore une nuit d'amour comme celle-là, lui décoche le vieux soldat, et le roi s'endormira en plein conseil!... »

En dépit de son courage, Marguerite finit par s'endormir au milieu de ses oraisons et Louis la fit porter, tout doucement, chez elle en recommandant bien de ne pas l'éveiller. Puis il se remit à prier...

Le surlendemain, enfin, les voilà réunis. Les guirlandes et les bouquets de la chambre ont été changés. La nuit est encore plus belle qu'au premier soir... D'ailleurs pleuvrait-il à plein temps que Louis et Marguerite la trouveraient tout de même plus belle. Ils ont commencé par se parler, par se dire tout ce qu'ils n'ont pas réussi à se dire sous l'œil de granit de la reine mère... Marguerite est d'un pays où la poésie enveloppe toutes choses, où l'accomplissement de l'acte d'amour ne saurait se passer d'une foule de tendres préliminaires. Et les jeunes époux en sont encore à ces préliminaires qui sont découvertes et émerveillements réciproques... lorsque quelques coups énergiques sont frappés à la porte, les ramenant sur la terre un peu brutalement. Qui ose?... Doux Jésus! Qui veulent-ils que ce soit? Mais Blanche de Castille, bien sûr! Elle leur apprend qu'il y a deux heures qu'ils sont ensemble, qu'ils ont largement eu le temps de faire ce qu'ils étaient censés faire et que ça suffit comme ça! Pour faire bonne mesure, elle ajoute que, vu l'âge encore tendre de la jeune reine, il ne saurait être question de recommencer tous les soirs.

D'ailleurs Louis sait quelles sont les obligations religieuses en matière de nuits conjugales.

Peu de chose en vérité : il ne saurait être question d'aimer pendant l'Avent, ni bien sûr pendant les quarante nuits du Carême, ni les veilles et jours de fêtes et pas davantage le vendredi et le samedi. Il sait tout cela, le pauvre Louis IX mais, ce soir, il aimerait bien ne rien savoir du tout... Marguerite, naturellement le pousse à la révolte. Mais il y a toujours ce respect filial... et aussi le fait que, pour quelques mois encore, Blanche est régente de France. Tant qu'il n'aura pas atteint la majorité, Louis n'est roi que de nom. Il n'en est encore qu'à l'entraînement...

Quand on regagne Paris, le 8 juin, l'accueil de la ville est si chaleureux que Marguerite s'en trouve réconfortée. Il faut au moins cela pour compenser l'aversion grandissante que lui inspire sa belle-mère. Blanche surveille le jeune couple jour et nuit. Plus le temps passe et plus le tête-à-tête devient difficile. Alors, comme un collégien aux prises avec un pion trop attentif, Louis ruse, cherche les coins sombres et les couloirs déserts pour y rencontrer quelques instants Marguerite.

Malheureusement, la reine mère semble douée d'un flair tout particulier pour dénicher les cachettes des amoureux. Elle a le pied singulièrement silencieux et, leur tombant dessus comme la foudre, elle les sépare aussitôt d'une main vigoureuse en faisant rouler son accent espagnol :

« Que faites-vous ici? Vous employez mal votre temps! Vous êtes dans le péché... »

Les nuits ne sont pas meilleures. On leur accorde quelques instants mais jamais toute la nuit...

Un beau jour, ils pensent avoir trouvé la solution. Le jeune frère de Louis, Robert, vient gentiment lui faire cadeau de son petit chien. Un petit chien qu'il ne peut pas garder car il a de curieuses manières : du plus loin qu'il aperçoit Madame Blanche, il aboie jusqu'à s'en étrangler. Il suffit même qu'il la sente dans les parages...

Hélas, le charmant expédient ne dure pas longtemps. Un matin, on trouve le petit chien mort, peut-être d'avoir été trop gourmand... peut-être d'autre chose. Marguerite pleure, Louis aussi... Il décide alors, pour se changer les idées, qu'un séjour au château de Pontoise ferait du bien à tout le monde. Ayant passé là une bonne partie de son enfance, il en connaît les moindres recoins et sait qu'il y a peut-être un parti intéressant à tirer d'un certain escalier...

A Pontoise, en effet, les choses vont tout à coup beaucoup mieux. Blanche de Castille a beau continuer à patrouiller dans les couloirs, à fouiller les buissons et à multiplier les arrivées surprises tantôt chez sa belle-fille, tantôt chez son fils, elle ne trouve rien. Et pour cause : la chambre de Marguerite et celle de Louis sont situées juste au-dessus l'une de l'autre mais, pris dans l'épaisseur de la muraille, un petit escalier secret les relie. Sous couleur de donner à son service plus de majesté, le roi a fait installer à sa porte comme à celle de sa femme, des huissiers à verge, personnages graves et pompeux mais nantis d'un bâton, insigne de leur fonction, qui leur sert à annoncer les visiteurs. En l'occurrence, lesdits bâtons servent surtout à taper à tour de bras sur l'une ou l'autre porte quand un habile téléphone arabe signale l'approche de la reine mère. Et celui qu'elle honore de sa visite a le temps, grâce à ce système, de quitter le petit escalier et de se réinstaller à ses occupations.

Ce n'est pas un endroit bien confortable que cet escalier mais, en dépit de ses toiles d'araignées et de son obscurité, Louis et Marguerite le trouvent le plus merveilleux endroit du monde. Malheureusement, il ne peut être question de passer l'hiver à Pontoise. Il faut bien rentrer à Paris où n'existe aucun escalier complice.

Les pauvres tourtereaux essayèrent bien de reprendre les parties de cache-cache dans les couloirs mais, un soir, la terrible belle-mère les découvrit, serrés l'un contre l'autre, derrière une tapisserie qui cachait un recoin de débarras.

Elle se laissa emporter par une si violente colère que la petite reine éclata en sanglots et piqua une crise de nerfs. Alors, pour la première fois, Louis osa se dresser contre sa mère :

« Je suis le roi, dit-il sévèrement, et vous oubliez la foi que vous me devez! »

Le ton était royal en effet et Blanche comprit que l'adolescent faisait place à l'homme, un homme bon et tendre mais qui saurait se faire obéir. D'ailleurs, déjà, d'un mot gentil – Marguerite avait eu peur et il ne pouvait supporter qu'elle eût peur – il atténuait l'effet trop brutal. L'orage n'eut donc pas de suite mais Marguerite vaincue par tant d'émotions, et par les courants d'air, tomba malade... Blanche en profita pour interdire sa chambre à tout ce qui n'était pas médecin ou femme de service. Le roi lui-même se vit consigner la porte, sous prétexte d'une contagion possible. Sa mère lui conseillait de prier; ce serait bien meilleur que ses visites pour le rétablissement de la jeune reine.

Prier, Louis ne s'en privait pas, mais il était inquiet et un soir, il passa outre la défense maternelle et se fit ouvrir la porte de Marguerite. Il venait juste d'entrer quand Blanche accourut et, tout de suite elle se fâcha, voulut l'obliger à sortir.

« Venez-vous-en! Vous n'avez rien à faire ici... »

Alors Marguerite à nouveau éclata :

« Mon Dieu, madame, s'écria-t-elle avec désespoir, ne me laisserez-vous voir mon seigneur ni morte ni vive?... »

Cette fois, Blanche dut capituler. L'éclat avait fait quelque bruit et, par la ville, on blâmait son attitude abusive. Elle comprit qu'elle allait trop loin, relâcha un peu sa surveillance. Oh! pas beaucoup. Cela lui tenait trop à cœur. Il fallut attendre le 25 avril 1236, jour où s'achevait sa régence pour qu'enfin le roi et la reine de France puissent entamer sérieusement la série de onze enfants (dont huit seulement vécurent) qui allait donner des ancêtres, non seulement aux grandes maisons souveraines françaises, Valois, Bourbon et Orléans, mais encore à toutes celles de l'Europe...

LA NUIT DU RECORD : CÉSAR BORGIA

Il fallut au moins deux générations aux habitants de Chinon pour oublier, si peu que ce soit, l'entrée fracassante que fit, dans leur bonne ville, le seigneur César Borgia le 18 décembre 1498. Jamais on n'avait rien vu de pareil! C'était tellement fabuleux qu'on se demanda un moment si d'aventure ce personnage ébouriffant n'était pas le Grand Turc. Renseignements pris, c'était seulement le fils d'un pape et un cardinal tout fraîchement défroqué.

Mais pour un beau spectacle, c'était un beau spectacle! Brantôme qui tirait sa description d'un poème populaire a dépeint la scène. Venaient d'abord deux douzaines de mules caparaçonnées de satin jaune et rouge, couleurs que César avait adoptées comme siennes puis vingt-deux autres couvertes de satin jaune ou de drap d'or. Ensuite, seize chevaux superbes tenus en main par des pages et portant des housses de drap d'or rouge ou d'or jaune. D'autres pages encore, bien montés ceux-là, seize d'entre eux en velours cramoisi, et deux en drap d'or « grossier », six mules tenues en main et vêtues de velours cramoisi brodé d'or précédant deux autres mules harnachées d'or et portant des coffres peints et dorés.

Derrière ce « menu train » s'avançaient trente gentilshommes habillés de drap d'or ou de drap d'argent mais tous portant au cou de lourdes chaînes d'or. Ensuite une troupe de ménestrels, de tambourinaires, de joueurs de rebec ou de trompette habillés, comme tout le monde, d'or et de cramoisi mais leurs instruments étaient d'argent et ils en jouaient avec ardeur. Vingt-six laquais mi-partie de satin jaune et mi-partie de satin cramoisi venaient ensuite précédant César qui chevauchait en s'entretenant avec le cardinal de Rohan...

Les yeux des assistants commençaient à se fatiguer mais ils se réveillèrent à l'aspect du Borgia.

« Quant audit duc [1] il était monté sur un beau et noble coursier, très richement caparaçonné, vêtu d'un pourpoint mi-partie de satin noir et de drap d'or, embelli de pierres précieuses et de grosses perles. Sur son chapeau qui était à la mode française, figuraient deux rangées de cinq à six rubis de la dimension d'un gros haricot qui étincelaient brillamment. Il y avait aussi quantité de pierres précieuses sur la bordure de son chapeau, entre autres une perle aussi grosse qu'une noisette tandis que, même sur ses bottes, on voyait abondance de cordelières d'or bordées de perles.

> *« Et un collier, pour en dire le cas,*
> *« Qui valait bien trente mille ducats. »*

Ainsi harnaché, César qui devait ressembler furieusement à un arbre de Noël, récolta plus de sourires que d'admiration, notamment de la part du roi Louis XII. De sa fenêtre, celui-ci assistait à la fabuleuse entrée de cirque, mais il se contenta de dire que c'était un peu trop pour un petit duc de Valentinois. Sa cour, d'ailleurs, était modeste et plutôt austère. Quant aux gens de Chinon, habitués à plus de retenue, ils n'apprécièrent pas davantage : les gens des pays de Loire, cela est bien connu, sont plus sensibles à la mesure et à l'élégance qu'à l'étalage écrasant d'un parvenu.

Mais le roi n'avait pas le choix : il lui fallait faire bonne figure à ce mirliflore dont il venait de faire un duc français,

1. Louis XII l'avait fait duc de Valentinois.

s'il voulait en obtenir la bulle d'annulation de son premier mariage avec la pauvre Jeanne de France, fille de Louis XI et affreusement disgraciée physiquement, qu'il avait été contraint jadis d'épouser. Cette annulation était indispensable à son remariage avec Anne, duchesse de Bretagne, veuve de son prédécesseur le roi Charles VIII. Louis espérait bien que César l'apportait dans ses bagages...

Poussé par son fils, Alexandre VI avait marchandé cette bulle comme un maquignon, y mettant d'autant plus d'ardeur qu'il souhaitait vivement voir s'éloigner de Rome le meurtrier impuni de son fils aîné, Juan, duc de Gandia, qu'il aimait chèrement. Rendu à la vie civile, César avait exigé un duché et entendait se marier en France. Mais pas avec n'importe qui : il lui fallait une princesse de sang royal...

Il avait eu le duché – et même, en prime, le comté de Die – il lui fallait maintenant la femme et il entendait bien ne pas lâcher la fameuse annulation tant qu'il n'aurait pas obtenu satisfaction... On devine sans peine quel mal se donnait Louis XII pour qu'il obtînt satisfaction.

Au château de Chinon, il installa César et la bande de hautains coupe-jarrets qui lui servait d'escorte dans la tour de Boissy, proche de la chapelle où avait prié Jeanne d'Arc, il lui donna aussi sa propre garde et le confirma dans les titres déjà reçus. Une indiscrétion lui ayant appris que César apportait bel et bien la fameuse annulation, force fut au Valentinois de la donner avant d'avoir reçu l'assurance d'être marié. Mais Louis XII était un homme qui tenait à sa parole : le temps d'épouser sa petite Bretonne et il se mettait en devoir de marier l'encombrant César.

On avait d'abord pensé à Carlotta d'Aragon, fille du roi de Naples, qui faisait partie des demoiselles d'honneur de la reine Anne. Ferdinand, son père, n'aimait pas les Borgia et ne souhaitait guère ce mariage mais, pensant que César réussirait peut-être à séduire la jeune fille, Louis, un soir, les plaça côte à côte à table.

Cela ne donna rien du tout. Avec une belle franchise, Carlotta déclara que le seigneur Borgia ne lui plaisait pas, qu'elle n'avait aucune envie d'attraper sa maladie[1] et qu'enfin elle ne voulait à aucun prix s'exposer à être appelée un jour « la Cardinale »... Elle n'ajouta pas qu'elle aimait profondément le jeune Guy de Laval parce que c'était vraiment superflu...

C'était la catastrophe, d'autant que le Borgia passait pour rancunier. Il prit très mal l'affront, se jura que les Napolitains lui paieraient cela tôt ou tard et commença ses bagages : si on ne l'avait fait venir que pour l'humilier, il allait rentrer chez lui se plaindre au pape, faire du scandale... et Louis XII pourrait enterrer pour toujours ses prétentions sur le duché de Milan...

Affolé, le roi fit donner la garde : on offrit à l'offensé de choisir entre deux autres demoiselles de la reine Anne : sa nièce, Catherine de Foix ou Charlotte d'Albret, sœur du roi de Navarre et fille d'Alain d'Albret, duc de Guyenne. Le choix fut vite fait : ce serait Charlotte d'Albret pour une raison fort simple : on l'appelait « la plus belle fille de France » et elle était ravissante.

Mais si César se déclare d'accord, le futur beau-père l'est moins. Il joue aussi les marchands de tapis, celui-là discute la dot pied à pied, fait monter les prix. Le roi promet une dot de 120 000 écus d'or – dont d'ailleurs il ne paiera jamais un centime. Alain d'Albret alors ouvre sa bourse pour 30 000 écus mais demande à examiner le bref de sécularisation de l'ancien cardinal. Cela fait du temps qui passe et César s'énerve...

On finit tout de même par tomber d'accord et l'on établit une convention aux termes de laquelle César est déclaré « très honnête et bon personnage, sage et discret... ». On croit rêver!... Et l'on prépare le mariage... au grand chagrin de la fiancée. Elle n'est pas du tout ravie, Charlotte

1. Il était atteint d'une vérole qui l'obligeait parfois à porter un masque.

d'Albret! Outre qu'il est un « ancien prêtre », César perd beaucoup de sa splendeur quand son mal se manifeste, lui couvre le visage de pustules qui l'obligent à se promener masqué. C'est très romantique, un masque... à condition de ne pas savoir ce qu'il y a dessous. Enfin ce n'est rien d'autre qu'un bâtard et, pour Charlotte, un mulet même couvert d'or et de pierreries sera toujours un mulet. Elle ne se prive pas de le dire. Mais quoi? Quand arrive l'autorisation paternelle, il faut bien se résigner à obéir. Charlotte y a d'ailleurs été doucement mais fermement engagée par Jeanne de France, l'ex-épouse de Louis XII, retirée à présent à Bourges, et qui a sur elle une grande influence. La sainte créature – elle sera canonisée par Pie XII – n'est que pardon et obéissance. Charlotte doit, elle aussi, pratiquer ces rudes vertus...

Le 12 mai, au château de Blois, où les travaux sont achevés et où la Cour se réinstalle pour la belle saison, César Borgia épouse Charlotte d'Albret. Le roi mène lui-même à l'autel, où attend le cardinal d'Amboise, la fiancée, merveilleusement belle dans une robe de satin blanc entièrement brodée d'or avec un long manteau d'or frisé bordé d'hermine. Des émeraudes, des perles et des diamants étincellent à sa gorge et à sa coiffe de satin, mais chacun peut voir qu'elle est très pâle et qu'elle ne regarde guère son époux. Il est beau, pourtant, César, dans un pourpoint d'écarlate tissé d'argent avec une profusion de diamants. Celui qui attache la plume blanche à son toquet est gros comme un œuf de pigeon et chacun en reste stupéfait d'admiration.

Après les festivités habituelles, Anne de Bretagne prend la tête du cortège qui mène la mariée, qu'elle tient par la main, jusqu'au lit nuptial. Un peu plus tard, le roi amènera lui-même César... et les portes se refermeront. Personne n'assistera à cette nuit de noces dont l'écho, pourtant, ira jusqu'à Rome car, dès le matin, César dépêche à son père un messager avec une lettre écrite en espagnol dans laquelle il proclame sa victoire sur la plus belle fille de France. Brutalement, il écrit qu'il a « couru huit postes » *(hizo ocho viajes)*.

Se vantait-il? Comment était-il parvenu à imposer, à une fille qui ne l'aimait pas, une telle performance, c'est ce que l'on ne saura jamais. Peut-être César usa-t-il de brutalité, pour commencer, et l'on peut supposer qu'à la fin Charlotte était exténuée et peut-être assez mal en point; sept assauts après une défloration ne pouvant guère entraîner le plaisir chez une fille neuve...

Mais une autre version circulait qui a été rapportée par Henri Estienne d'abord, puis par Jean Lucas-Dubreton. Selon cette version César « ayant demandé à un apothicaire des pilules pour festoyer sa dame, on lui en bailla de laxatives tellement que toute la nuit il ne cessa d'aller au retrait, comme les dames en firent le rapport au matin... »

Qui croire? Tandis que le pape faisait pratiquement placarder sur les murs de Rome le bulletin de victoire de son fils, les nouveaux époux recevaient les cadeaux et les félicitations de la Cour de France. Charlotte écrivait à son beau-père pour lui dire qu'elle était « enchantée de son mari ». Louis XII investissait César du grand collier de Saint-Michel et, finalement, le couple, emportant un fabuleux déménagement allait s'installer, pour la lune de miel, au château de la Motte-Feuilly, près de Bourges.

On y passa la plus grande partie de l'été jusqu'à ce matin du début de septembre où César monta à cheval pour rejoindre Louis XII qui s'en allait conquérir son cher duché de Milan... et pour se conquérir à lui-même un royaume.

Quand retomba la poussière du chemin, César Borgia avait disparu. Charlotte, duchesse de Valentinois et déjà enceinte de sa fille, Louise, ne devait jamais le revoir...

LA NUIT INESPÉRÉE :
LOUIS XII ÉPOUSE MISS ANGLETERRE

Le bon roi Louis XII qui s'était donné tant de mal pour épouser Anne de Bretagne, veuve de son prédécesseur Charles VIII, se retrouva un beau matin veuf à son tour. Sa chère Bretonne trépassait, le 9 janvier 1514, presque sans préavis, d'une crise de gravelle qui la fit beaucoup souffrir. Elle n'avait que trente-huit ans et sa mort, courageusement supportée, fut des plus pénibles mais elle le fut presque autant pour un époux qui se retrouvait seul, vieux avant l'âge – il n'avait que cinquante-deux ans mais en accusait facilement quinze de plus –, malade car il souffrait de fréquentes hémorragies internes et, de plus, sans le moindre héritier mâle pour coiffer après lui la couronne de France. D'héritier en ligne directe s'entend car, depuis des années, un certain jeune cousin piaffait à sa porte : François d'Angoulême, et surtout sa mère Louise de Savoie qui ne vivait que pour lui, respiraient, ou ne respiraient plus, au rythme des grossesses incessantes de la reine, souvent interrompues d'ailleurs par des fausses couches.

La mort d'Anne de Bretagne constituait pour eux la meilleure des nouvelles. Louis XII restait avec deux filles, Claude et Renée, exclues naturellement du trône, et son délabrement avancé laissait espérer qu'il ne ferait pas attendre trop longtemps son successeur. Le chagrin qu'il éprouvait n'arrangeait rien. Le veuf était l'image même de la désolation, ne voulant se laisser approcher par personne et ne demandant plus qu'à mourir.

« Allez, disait-il, allez, faites le caveau et le lieu où doibt estre ma femme assez grand pour elle et pour moy, car devant que soit l'an passé, je seray avec elle et luy tiendrai compagnie... »

Ces plaintes sont douce musique pour les Angoulême car, en outre, la reine, en mourant a confié sa fille aînée Claude et l'administration de ses biens à la comtesse d'Angoulême, son ennemie de toujours pourtant. Cela veut dire que François va pouvoir épouser Claude et prendre, de ce fait, rang de dauphin.

Les noces, les plus lugubres que l'on puisse voir car la mariée y est en noir, ont lieu le 18 mai à Saint-Germain. C'est une cérémonie d'une grande discrétion car le roi, qui mène un deuil spectaculaire n'entend pas être distrait de son chagrin. François lui-même, toujours si élégant, si somptueux dans ses habillements, se contente d'une simple robe de damas noir brodée de velours. La seule note blanche, dans tout cela, est apportée par les rideaux de damas blanc dont la fiancée a garni elle-même le lit nuptial apporté par celui qui a pris le titre de duc de Valois.

On a rarement vu couple plus mal assorti. Claude a quinze ans et elle ressemble beaucoup à sa mère mais elle est « bien petite et d'étrange corpulence ». Elle boite des deux hanches. Pourtant, elle possède un charme infini, fait de douceur et d'affabilité. « Sa grâce de parler, écrit un ambassadeur, supplée beaucoup de la faulte de beauté. »

François, lui, est superbe : deux mètres de haut et taillé en conséquence. Il suffit d'aller contempler son armure au musée des Invalides pour s'en rendre compte. Il est « blanc et vermeil, les cheveux bruns... », toujours gai, toujours aimable, toujours courant les filles qui ne savent guère lui résister. La douce Claude, qui passera à la postérité en donnant son nom à la plus succulente des prunes, ne lui résistera pas davantage. Il y a longtemps qu'elle est amoureuse du beau cousin et elle le sera toute sa vie. Lui, de son côté, ne lui ménagera ni la tendresse ni le respect, mais la trompera abondamment.

Or, durant l'été qui suit le mariage, une effroyable nouvelle vient troubler la quiétude béate de Louise de Savoie qui attend la mort de Louis XII en faisant embellir son château favori de Romorantin : le veuf inconsolable serait sur le point de se remarier! Et avec qui? une gamine de seize ans, fraîche comme une fleur, vive comme une gazelle et pourvue, d'après les cancans londoniens, d'un tempérament de feu : Mary d'Angleterre, la propre sœur du jeune roi Henri VIII. Une fillette qui porte tellement de vie en elle que ce serait bien le diable si elle ne réussissait pas à la transmettre! Et Madame d'Angoulême de se revoir attendant dans l'angoisse le résultat des grossesses royales...

Mais d'abord, tout cela est-il vrai? Eh bien oui, tout est vrai. L'artisan de ce mariage effarant, c'est un prisonnier de guerre : Louis de Longueville, marquis de Rothelin, qui tuait le temps à Londres en jouant à la paume avec Henri VIII. Sa raquette habile lui a rapporté d'abord sa rançon et ensuite cette étrange idée, qui est une bonne idée d'ailleurs, car elle mettra fin à toutes les bisbilles avec les Anglais et pour longtemps, surtout si l'Anglaise donne un héritier. Les souverains britanniques renonceraient peut-être alors à cette déplorable manie qu'ils ont gardée de s'intituler toujours « rois de France » au jour de leur sacre...

Et, de prisonnier, Longueville s'est retrouvé ambassadeur. Bien mieux, le 13 août, c'est lui qui épouse, par procuration, la jeune princesse anglaise en la chapelle du château royal de Greenwich, puis accomplit, dans sa chambre, le simulacre de consommation.

« ...au soir, la jeune épousée, déshabillée, fut mise au lit en présence de nombreux témoins. Le marquis de Rothelin, en robe de chambre, chaussé de bas couleur de pourpre mais avec une jambe nue, entra dans le lit et toucha la princesse de sa jambe nue. Le mariage fut alors déclaré consommé... »

Restait à gagner la France où se préparaient les autres cérémonies. Louis XII a décidé que ces cérémonies auraient lieu à Abbeville et, aux premiers jours d'octobre, les chemins qui mènent en Picardie se couvrent de litières et de cavaliers car le roi a mandé tous les gentilshommes de son royaume pour faire honneur à la nouvelle reine. Et Louise de Savoie de soupirer amèrement :

« Le 22 septembre, le roy Louis XII, fort antique et débile, sortit de Paris pour aller au-devant de sa jeune femme... »

En fait, il ne paraît plus si antique le futur époux. Non seulement il ne pleure plus et il a remisé ses crêpes funèbres, mais l'idée de prendre prochainement livraison d'une épouse jeune et jolie dont il pourra espérer un héritier l'émoustille et le ravigote. Il sent renaître quelque peu en lui le galant et bouillant duc d'Orléans qu'il fut jadis.

De son côté Mary quitte Londres avec une suite imposante. Elle est sous la garde d'une respectable douairière, la duchesse de Norfolk, et de « bons et vieils personnaiges des plus estimés qui sont en Angleterre », au milieu desquels se perd un autre « personnaige » qui n'a rien de « vieil », qui est même singulièrement séduisant : l'amant de la princesse, le duc de Suffolk.

Pour ne pas trop terrifier les Français, il y a tout de même quelques jolies filles parmi lesquelles Marie Boleyn dont la jeune sœur Anne fera un jour quelque bruit dans le monde. Le 2 octobre tout ce beau monde aborde à Saint-Valéry puis se met en route pour Abbeville à petites étapes de deux ou trois lieues par jour.

Les uns après les autres – le duc de Vendôme d'abord, puis le duc d'Alençon, les grands seigneurs français viennent au-devant de leur reine. Le dernier apparaît, le duc de Valois qui ne peut plus guère s'intituler dauphin.

Ce n'est pas d'un cœur joyeux que François, flanqué de son ami Fleuranges, s'en vient accueillir celle qui devient sa belle-mère mais son goût des femmes reprend bien vite le dessus et, quand il s'incline devant Mary il oublie complètement qu'il a décidé de la détester. Le seul sentiment qu'il éprouve c'est une vague jalousie envers le vieux roi qui va posséder cette merveille. Car c'en est une! Grande, bien faite, le teint éblouissant des Anglaises, des cheveux d'or et de grands yeux d'azur, Mary a tout ce qu'il faut pour séduire François. Mais il doit se rendre à l'amère évidence : elle n'est pas pour lui...

A Abbeville pendant ce temps, Louis XII « monta sur un grand cheval bayart, qui sautoit, et avecques tous les gentilshommes et pensionnaires de sa maison, et sa garde, et en moult noble estat, vint recevoir sa femme, et la baisa tout à cheval. Et, après ce, embrassa tous les princes d'Angleterre, et leur fit très bonne chère; et à l'aborder, pour mieux resjouir toute la compagnie, avoit plus de cent trompettes et clairons... »

Le lendemain ont lieu les épousailles, non dans une église mais au logis du roi dans une grande salle tendue de drap d'or. Pour un roi réputé avare, Louis XII a bien fait les choses...

Le cardinal de Prie célèbre le mariage. La nouvelle reine qui n'est pas encore couronnée à Saint-Denis « est toute deschevellée » ce qui veut dire que ses beaux cheveux tombent librement sur ses épaules mais « elle avoit un chapeau de pierreries sur son chef, le plus riche de la chrestienté ». Le duc de Valois sert de garçon d'honneur au roi, sa femme assiste la reine et le bavard Fleuranges, à qui l'on doit la relation minutieuse de la cérémonie, ne peut s'empêcher de la plaindre. « Et scai bien que ladite dame Claude avoit un merveilleusement grand regret, car il n'y avoit guères que la reine sa mère estoit morte... »

Jusqu'à la nuit, on festoya puis « la nuit vinct et se couchièrent... » en présence de toute la Cour naturellement. Pourtant, en apercevant les cheveux dorés de Mary répandus sur l'oreiller de satin ce ne fut pas à la couronne de France, en si grand danger de lui échapper, que songea François de Valois, tandis que toujours flanqué de Fleuranges, il se retirait en s'efforçant de se remonter le moral. Comment « l'antique et fort débile » Louis XII réussirait-il à venir à bout de cette triomphante jeunesse?

Il s'attendait à apprendre que le roi avait eu besoin de secours durant cette nuit et ne dormit guère. Or, il n'en est rien. Quand Louis XII reparaît le lendemain, il est tout changé. Jamais on ne l'a vu si gai, on pourrait presque dire si frétillant.

« Suis tout vaillant! répète-t-il en se frottant les mains, Suis vraiment tout vaillant! »

Et de clamer à tout vent « qu'il avoit faict merveilles... »

Pour sa part François n'en croit rien.

« Adventureux, confie-t-il deux jours plus tard à Fleuranges que l'on surnommait le jeune Aventureux, je suis plus ayse que ne suis de l'année car je suis sûr, on ne m'a fort bien menty, qu'il est impossible que le roy et le royne puissent avoir enfant, qui est ungne chose qui viendrait fort à mon désavantage... »

Le roi et la reine, c'est bien possible... mais la reine et quelqu'un d'autre? ce séduisant Suffolk par exemple qu'Henri VIII a autorisé sa sœur à « emporter dans ses bagages » avec mission de pallier la défaillance éventuelle du roi de France! Le roi d'Angleterre qui craint comme le feu François de Valois entend donner à la France un roi de son cru.

Louise de Savoie qui est venue assister au couronnement de la reine s'épouvante de cette présence intempestive et met son fils en garde : chacun sait que Suffolk est l'amant de Mary; si elle continue « son commerce » avec lui, François peut dire adieu à la couronne.

Il prend aussitôt des dispositions judicieuses : sa femme, Madame Claude, ne bougera de la chambre de la reine quand celle-ci ne sera pas avec le roi, Mme d'Aumont, sa dame d'honneur l'accompagnera partout et, de toute façon, couchera dans sa chambre. Quant à Suffolk, François lui trouvera de l'occupation dès que les fêtes qu'il offre fastueusement pour le couronnement de la reine – entre autres un prodigieux tournoi aux Tournelles – seront achevées.

Six semaines passent ainsi en fêtes diverses. Puis les seigneurs et les dames d'Angleterre prennent congé et, comblés de présents, rentrent chez eux. Seul demeure Suffolk, l'inquiétant Suffolk...

Pour s'en débarrasser, François l'emmène chasser à Amboise où le sanglier pullule. Suffolk, chasseur impénitent, ne sait pas résister à l'appel d'une trompe de chasse. Et puis, depuis quelques jours, il se sent du vague à l'âme : la reine n'est plus la même avec lui. Elle est distraite et, de toute évidence si satisfaite d'être reine de France qu'elle souhaite beaucoup le rester. Et elle mitonne son vieux mari avec une constance qui exaspère l'Anglais.

Après la chasse, François offre une fête au cours de laquelle il présente Suffolk à une ravissante indigène des bords de Loire, Marie Babou de la Bourdaisière qui est sa maîtresse depuis pas mal de temps. Pour écarter l'Anglais de Mary il lui sacrifierait jusqu'à sa propre épouse si elle était plus attrayante. La belle Babou sait prendre un homme et, deux jours plus tard, lui ayant confié son duc anglais, François délivré d'un gros souci, rentre aux Tournelles à francs étriers.

Or, s'il court si vite, c'est moins pour retourner veiller au grain que pour se rapprocher de Mary. Elle l'attire comme la flamme attire le phalène et, depuis le fameux tournoi où il a porté ses couleurs, elle le regarde avec une complaisance troublante. Entre ces deux tempéraments ardents il suffirait d'une étincelle facile à provoquer car subitement Louis XII s'est mis à décliner. Soumis jusqu'à son mariage à un régime sévère et à une vie réglée, il a bousculé tout cela, mangeant à des heures variées, se couchant tard. En outre, il a « trop faict du gentil compagnon avecque sa femme ». Pour leur part, les clercs de la Basoche, à Paris, qui savent toujours tout, parient entre eux que « le roi d'Angleterre a envoyé une haquenée au roi pour le porter plus tôt et plus doucement en enfer ou en paradis... »

Louis XII n'est plus bien loin de sa fin, en effet, et voilà que ce fou de François est en train de se laisser séduire par Mary, qu'il lui fait une cour pressante, ouverte?... A cette nouvelle Louise de Savoie sent le cœur lui manquer. Après tout le mal qu'elle s'est donné, ce grand imbécile ne va tout de même pas tomber dans le panneau? Ne comprend-il pas que tout ce que veut Mary c'est qu'il lui fasse l'enfant dont le mari a été incapable, l'enfant qui lui permettra de rester en France? Va-t-il se donner à lui-même un roi?...

La scène qu'elle fait à son fils – la seule qu'elle fera jamais à ce fils adoré qu'elle appelle orgueilleusement « mon César! » – est si violente qu'elle laisse François pantois. Jamais il n'a vu sa mère à ce point déchaînée. Mais cette violence porte ses fruits, François a compris. Il évitera Mary...

Les choses d'ailleurs se précipitent. Dans les derniers jours de décembre, Louis XII ne quitte plus son lit. Il est presque impotent. Se sentant mal, il fait venir François et lui dit qu'il n'en réchappera pas. Pourtant, il lutte désespérément contre la mort. Le 1er janvier 1515, c'est la fin. Vers dix heures et demie du soir alors que Paris courbe le dos sous une violente tempête de neige, il s'éteint... Alors, à travers les bourrasques, Fleuranges, Bonnivet et les autres compagnons de François courent vers l'hôtel de Valois criant, hurlant, braillant : « Vive le Roi!... Vive François Ier!... »

Louise de Savoie peut dormir enfin tranquille. Le règne du Roi-Chevalier qu'éclairera, en fin d'été, le soleil de Marignan peut commencer...

Au fait, le peut-il vraiment? Enfermée à l'hôtel de Cluny selon la tradition, ensevelie sous le deuil blanc des reines de France, Mary fait courir le bruit qu'elle est enceinte. Brantôme se charge de rapporter ce bruit qui a encore chaviré le cœur de Madame d'Angoulême.

« La reine Mary faisait courir le bruict, après la mort du roy, tous les jours, qu'elle estoit grosse; si bien que ne l'estant poinct dans le corps, on dit qu'elle s'enfloit par le dehors avec des linges peu à peu... »

Certains chroniqueurs prétendent que la mère de François découvrit elle-même le pot au roses, d'autres, plus vrais sans doute, que François alla en personne demander à la reine blanche « s'il pouvait se faire sacrer roi... »

Mary, alors, abandonna le jeu.

« Sire, je ne connais point d'autre roi que vous... », murmura-t-elle en plongeant dans sa révérence.

Le rêve était fini pour elle. Après si peu de mois – à peine un automne! – la couronne de France lui échappait. Il lui restait le cher, très cher Suffolk, échappé des jolies mains de Marie Babou, et dont le goût lui revenait. Elle l'épousa et repartit avec lui pour l'Angleterre.

Pourtant, il semblerait que François Ier ait un instant songé à répudier Claude de France pour garder la belle Anglaise, croyant qu'elle l'aimait. Honnête, Mary aurait alors avoué qu'elle n'avait jamais aimé d'autre homme que son duc anglais...

LA NUIT D'UNE CENDRILLON POLONAISE

Elle avait vingt-deux ans, elle était charmante et elle n'avait pratiquement pas de chemise quand un portrait, mis presque par inadvertance sous les yeux d'un roi qui n'avait pas seize ans, fit d'elle une reine de France. L'une des moins connues! Car naturellement c'est l'étrange destin de ces épouses royales capables d'assumer leur rôle dans toute sa grandeur vertueuse, charitable et pieuse, de se voir délaissées par l'historien au profit des maîtresses singulièrement plus tapageuses que leur infligeaient leurs volages époux. A l'habituelle formule « les gens heureux n'ont pas d'histoire » on pourrait ajouter « les gens convenables n'intéressent pas l'Histoire ». Ce fut à de rares exceptions près le sort de Claude de France, d'Éléonore d'Autriche, de Marie-Thérèse, de Marie Leczinska et de quelques autres; leur seul titre à l'intérêt général semblant tenir uniquement au fait d'avoir été abondamment et publiquement trompées. Pourtant, la charmante histoire du mariage de Louis XV vaut bien celle de sa rencontre avec la sémillante épouse du fermier général Lenormand d'Étiolles dont il allait faire la Pompadour, et l'emblème tout-puissant de son siècle... C'est, à la lettre, un conte de fées...

Il était une fois, donc, dans une modeste demeure de Wissembourg, en Alsace, une jeune princesse polonaise qui vivait presque misérablement entre son père et sa mère. Le père s'appelait Stanislas, la mère s'appelait Catherine. Ils avaient été roi et reine mais un rival heureux les avait chassés, pourchassés même avec un acharnement impitoyable à travers la Posnanie, la Suède, la Poméranie et l'Allemagne en général. Ce rival, l'Électeur de Saxe, était tout-puissant car, à ses propres forces, se joignaient celles de l'immense Russie, son alliée. Et les aventures angoissantes n'avaient pas été ménagées à ce roi, à cette reine en exil et à leur petite fille Marie.

Un jour, par exemple, alors qu'elle était encore toute petite, au château de Posen, les Russes étaient arrivés pendant une absence de son père. Ils avaient enfoncé toutes les portes et l'on avait fait fuir l'enfant par une fenêtre donnant sur le jardin. Elle avait couru jusqu'au village où un brave paysan l'avait cachée dans son four à pain...

Finalement, la malheureuse famille avait échoué sur les bords du Rhin. Là, les représentants du roi de France lui avaient offert de se choisir une ville résidentielle et l'avaient assurée qu'une pension lui serait servie car elle n'avait plus rien : les biens polonais, toute la fortune avaient été confisqués par Auguste de Saxe. Stanislas choisit alors Wissembourg et s'installa dans cet hôtel de Weber qui n'était pas loin d'être une masure.

On y avait vécu petitement car la fameuse pension n'était pas payée bien régulièrement. Peu ou pas de serviteurs et trois amis fidèles : la marquise d'Andlau, le marquis du Bourg et le cardinal de Rohan qui s'efforçaient, spasmodiquement, d'entretenir l'illusion d'un semblant de cour. Un autre ami, à Paris celui-là, s'efforçait de veiller aux intérêts de ses illustres et misérables amis : c'était le chevalier de Vauchoux. Alors, le père et la fille s'étaient rapprochés l'un de l'autre, trouvant une grande douceur à leur mutuelle tendresse. La reine Catherine, dont le caractère était aussi raide que l'échine, se contentait de veiller à l'intendance et s'en acquittait par toute la rigueur d'un sergent-fourrier. Quand elle ne veillait pas à la maison, elle priait, laissant tout loisir au père et à la fille de s'entretenir de leurs rêves et de leurs espoirs.

Stanislas Leszczynski n'ayant pas les moyens d'offrir à

sa petite Marie les maîtres qui lui eussent orné l'esprit, s'en chargeait lui-même avec bonheur. Il était cultivé, philosophe, artiste aussi et l'instinct, bien polonais, de l'adolescente la portant tout naturellement vers la musique elle sut chanter, danser et jouer du clavecin sans qu'on le lui eût appris vraiment.

Quand on en vint à cette année 1725 qui allait avoir tant d'importance pour l'avenir de la famille, Marie était une jeune fille accomplie. Grande, très bien faite, d'une blondeur de lin, elle n'était pas réellement belle, mais elle était peut-être mieux que cela grâce à la vivacité de son regard, au charme de son sourire et à l'éclat sans rival de son teint. Un vrai teint de Polonaise : neige et roses...

Telle qu'elle était, elle avait gagné le cœur d'un jeune officier qui avait tenu garnison à Wissembourg : le marquis de Courtanvaux, petit-fils de Louvois qui, en regagnant Versailles, était devenu colonel des Cent-Suisses. Hélas, si misérable qu'il fût, Stanislas n'oubliait pas qu'il avait été roi. Courtanvaux n'ayant pas pu obtenir le duché-pairie qui l'eût rapproché un peu de Marie s'était vu refuser sa demande.

A Paris, cependant, il se passait d'étranges choses. Le Régent était mort, le pouvoir était tombé aux mains de Monsieur le Duc : autrement dit le duc de Bourbon, chef de la maison de Condé et son pire ennemi. Or Monsieur le Duc et son égérie la marquise de Prie étaient hantés par un cauchemar : si le jeune roi Louis XV venait à mourir sans avoir eu le temps de faire un enfant, la royauté reviendrait à celui qui était alors son héritier : le duc d'Orléans.

Ce duc d'Orléans, Louis, que l'histoire surnommerait le Génovéfain, n'avait ni la grandeur et les vices de son père le Régent ni les vices sans grandeur de son petit-fils le futur Philippe Égalité. C'était un garçon plutôt terne, pieux, gourmand et sans malice, mais la seule idée de le voir escalader le trône de France donnait de l'urticaire à son cousin et rival Bourbon.

Certes, le roi est fiancé. Depuis plus de trois ans, on lu
avait mis à couver une petite infante mais qui n'a pa
encore atteint sa septième année ce qui la rend totalemen
inapte à la consommation. Quand Louis XV tomb
brusquement malade et se retrouve en danger, voilà le
deux complices aux cent coups.

« S'il en réchappe, il faudra le marier! » dit Monsieur l
Duc.

Il a si peur, qu'il cherche fébrilement une épouse. Mais
quand le roi guérit, il n'en a pas trouvé. C'est alors qu
Mme de Prie se souvient de certain portrait d'une certain
princesse pauvre que lui a un jour porté le chevalier d
Vauchoux. On avait pensé un moment la marier
Monsieur le Duc lui-même mais, après tout, pourquoi n
ferait-elle pas l'affaire du roi? D'autant qu'une fille s
misérable ne pourrait éprouver que la plus substantiell
reconnaissance pour la personne qui l'aurait tirée de s
misère... Et la rusée s'en va, son portrait sous le bras
trouver le jeune roi... Et le jeune roi s'emballe : quell
fraîcheur, quel charmant sourire, quels jolis yeux! C'es
celle-là qu'il lui faut! Elle a six ans et demi de plus que lui
Aucune importance!...

Évidemment, il y a bien l'Infante mais, en face de
angoisses de Monsieur le Duc, elle ne pèse pas lourd. On l
renvoie poliment à son Espagne natale. Son père, Phi
lippe V (le petit-fils de Louis XIV) prend très mal la chos
et va se jeter dans les bras des Habsbourg. Ce renvoi est un
lourde défaite politique mais de cela Monsieur le Duc s
moque éperdument : il lui faut, tout de suite, une reine e
un dauphin!...

Quelques jours plus tard, à Wissembourg, Marie qu
travaille avec sa mère dans sa chambre voit soudain entre
son père, une lettre à la main. Il paraît si heureux que le
deux femmes s'étonnent. Qu'y a-t-il donc?

« Ah, ma fille, s'écrie Stanislas, tombons à genoux e
remercions Dieu!

– Quoi! Mon père, seriez-vous rappelé au trône?

– Le ciel nous accorde mieux encore : ma fille, vous êtes reine de France!... »

Le roi Stanislas devait dire plus tard que l'on « étouffait de joie »...

« Pas un instant, écrit Pierre de Nolhac, la princesse Marie n'hésita à accepter la grâce qui lui était envoyée et qui apportait la consolation à ceux qu'elle aimait. Son jeune cœur s'attachait déjà de toute sa force au bel adolescent royal dont les estampes lui avaient fait connaître les traits et pour le bonheur de qui elle avait souvent prié, en retour de l'hospitalité reçue par les siens... »

Lui aussi pensait à elle. Le dimanche 27 mai, à son petit lever, Louis XV déclarait hautement :

« Messieurs, j'épouse la princesse de Pologne. Cette princesse qui est née le 23 juin 1703 est fille unique de Stanislas Leczinsky, comte de Lesno, ci-devant staroste d'Adelnau puis palatin de Posnanie, ensuite élu roi de Pologne au mois de juillet 1704, et de Catherine Opalinska, fille du castellan de Posnanie, qui viennent l'un et l'autre faire leur résidence au château de Saint-Germain-en-Laye avec la mère du roi Stanislas, Anne Jablanoruska, qui avait épousé en secondes noces le comte de Lesno, grand général de la Grande Pologne... »

Ayant fini son petit cours d'histoire, sa jeune majesté expédia le duc de Gesvres propager la nouvelle dans le reste du palais et ne s'occupa plus que des préparatifs.

Chose étrange, la nouvelle fut très mal prise, non seulement par la Cour qui voyait dans ce mariage baroque une insoutenable mésalliance, mais encore par le peuple qui, à ses heures, se révélait plus royaliste et surtout plus snob que le roi. Il est vrai que la faction d'Orléans, affreusement déçue et mécontente, se chargea des clabaudages. Et quels clabaudages! Il n'est pas de sottise, si énorme soit-elle qui ne courut les rues : on disait que la princesse était affreuse, qu'elle avait les doigts de pieds palmés, qu'elle était épileptique et qu'elle souffrait « d'humeurs froides ».

On dit qu'elle est hideuse,
Mais cela ne fait rien
Car elle est vertueuse
Et très fille de bien...

Seul le roi était ravi et plein d'impatience...

Et Marie quitta la triste maison de Wissembourg, où elle avait parfois eu faim et froid, escortée de plusieurs brigades de carabiniers royaux, dans une superbe voiture où ses parents prirent place avec elle, pour gagner Strasbourg où devait se faire le mariage par procuration. Quand elle y entra, elle entendit pour la première fois le canon tonner, les cloches sonner en son honneur tandis que les premiers magistrats de la ville venaient lui offrir leurs hommages, Mais ce fut chez l'amie des jours difficiles, la comtesse d'Andlau, qu'elle choisit de s'installer de préférence au palais du gouvernement.

Le 15 août, vêtue de brocart d'argent garni de dentelles d'argent et semé de roses, Marie Leczinska pénètra dans la cathédrale de Strasbourg, entre son père et sa mère, suivie de Mlle de Clermont, sœur de Monsieur le Duc, qui a été chargée de la ramener à Paris. Pour la première fois, la splendeur des pompes royales l'entourait Le roi a envoyé une partie de sa maison, les gardes du corps, les Cent-Suisses (et leur colonel le pauvre Courtanvaux!), les nouvelles dames d'honneur et les dames du palais. Et ce fut au son des grandes orgues et des chants religieux que celle qui devenait reine de France vint s'agenouiller... auprès de Mgr le duc d'Orléans qui aurait bien préféré être ailleurs...

Et puis ce fut le long voyage vers l'époux réel, un voyage qui ouvrit, devant Marie, les cœurs des Français. Son sourire, sa gentillesse, sa gaieté les lui gagnaient tous et, surtout, son inépuisable charité. Elle qui n'avait jamais eu un sou à elle découvrait la joie de pouvoir donner sans compter, de soulager autant de misère qu'il s'en montrait à elle et les vivats mêlés de bénédictions suivaient à la trace le long cortège qui prenait les allures d'un triomphe.

Un cortège qui eut des aventures. A mesure que l'on avançait, le temps se détériorait et l'état des chemins s'aggravait. De temps à autre, un carrosse s'enlisait, tel celui du duc d'Antin : le gentilhomme et les siens se retrouvèrent dans un champ avec de la boue jusqu'aux genoux. Mais le bouquet fut pour l'avant-dernier soir : la pluie devint torrentielle et tous les carrosses s'embourbèrent avec un bel ensemble aux approches de Montereau, sans espoir de pouvoir se tirer de là.

Monsieur le Duc, qui se trouvait à Montereau, envoya du secours aux naufragés. On put mettre la reine dans la voiture de Mlle de Clermont qui était plus légère que la sienne, mais les autres s'arrangèrent comme ils purent de charrettes de paille et de fourgons à bagages délestés. Les arrivées burlesques de duchesses en grand habit trempées comme des soupes et de seigneurs crottés jusqu'aux sourcils mirent en joie, toute la nuit, les habitants de Montereau qui n'avaient jamais rien vu de pareil... et la reine qui décida d'en faire faire un tableau.

Heureusement, au matin du 4 septembre, prévu pour la rencontre des jeunes époux, le temps était redevenu doux et clair. Il y avait même un bel arc-en-ciel quand, à quatre heures, le cortège de Marie aborda les hauteurs de Froidefontaine où Louis XV attendait avec les équipages de la Cour, des détachements de sa maison « et tout le populaire du pays à quinze lieues à la ronde ».

C'est au son des violons que l'on a disséminés un peu partout que la reine descend de son carrosse et va s'agenouiller, selon la tradition, devant le roi. Mais il la relève avant que ses genoux n'eussent touché le tapis et l'embrasse à plusieurs reprises avec une joie si visible que tout le monde l'applaudit. Jamais on n'a vu Louis XV aussi gai, aussi joyeux. Il rayonne littéralement à la grande stupeur de la Cour. Se pourrait-il qu'il soit à ce point amoureux de sa Polonaise?

Mais oui, il est amoureux et on va bien s'en apercevoir!

Le lendemain, au château de Fontainebleau où a lieu la cérémonie définitive, il se précipite chez Marie avant même qu'elle ne commence sa toilette. Cette toilette de la mariée est un événement, bien sûr, et de nombreuses personnes y assistent mais ce n'est pas l'usage que le roi s'y montre. On doit presque le mettre à la porte tandis qu'entrent Monsieur le Duc suivi du garde du Trésor qui vient déposer deux bourses de pièces d'or sur la toilette. Paraît ensuite le duc de Mortemart flanqué de l'intendant de l'Argenterie qui apportent la couronne de la reine : un chef-d'œuvre de diamants fermé par une double fleur de lys qui va être posé sur ses cheveux. La robe de la mariée est de velours violet et d'hermine avec un délùge de pierreries mais, quand le roi apparaît, il ressemble au soleil : habit de brocart d'or, manteau de point d'Espagne d'or et, fulgurant à son chapeau à plumes blanches, le Sancy...

La toilette dure trois heures et le roi s'est énervé pendant tout ce temps et d'autant qu'il n'est pas au bout de ses peines. Il faut à présent aller à la chapelle. Marie s'y rend menée d'un côté par Monsieur le Duc et de l'autre par le duc d'Orléans et elle n'imagine certes pas à quel point ces deux-là se détestent : ils ne sont que sourires.

Une fois de plus, c'est le cardinal de Rohan qui officie, mais pontificalement et flanqué des évêques de Soissons et de Viviers.

La cérémonie est superbe mais fatigante. En dépit de la sainteté du lieu, Louis XV ne tient pas en place. Ce puceau (on assure qu'il l'est!) n'a qu'une hâte, c'est de se libérer de cette encombrante distinction... mais la journée n'est pas finie!

Il y a ensuite le dîner au grand couvert, puis la première distribution de cadeaux que la reine fait aux dames, princesses et dames d'honneur. Elle le fait avec une joie d'enfant.

« Voilà, dit-elle, la première fois de ma vie que j'ai pu faire des présents. »

Elle en fera d'autres le lendemain pour les serviteurs plus modestes mais, pour l'heure, il est temps d'aller... voir la comédie de Molière! Après le théâtre, on soupe, puis il y a encore le feu d'artifice tiré au bout du parterre du Tibre. Louis XV ne dissimule plus qu'à peine son impatience, d'autant que le spectacle est médiocre. Il souhaite, visiblement, une intimité dont le sépare encore, hélas, une assez longue étiquette car il doit d'abord procéder à son propre coucher, tout seul, et recevoir les compliments de ses gentilshommes. L' « enfin seuls! » tant attendu ne viendra-t-il donc jamais?...

Si! Il arrive enfin le moment bienheureux où Chérubin peut aller rejoindre sa dame! Il n'y va pas, il y court, bousculant le cérémonial dans sa hâte d'arriver plus vite après avoir littéralement sauté à bas de son lit. Il est onze heures du soir. Marie est assez fatiguée mais lui pas du tout! Il bondit auprès de sa jeune femme et, avec un grand sourire qui est en lui-même un congé, il souhaite le bonsoir à la compagnie. Comme il est le roi, personne ne peut espérer s'éterniser et l'un après l'autre, longues robes à traînes et souliers à talons rouges glissent sur le parquet de la chambre royale dont les gardes du corps referment les vantaux. Cette fois, Louis et Marie sont bien seuls.

Le lendemain, quand les ducs de Bourbon, de Mortemart et de La Rochefoucauld entrent dans la chambre pour les compliments du matin, ils sont accueillis par un double et rayonnant sourire et ils peuvent contempler à leur aise un couple d'amoureux, spectacle assez rare dans une chambre royale.

« Ils montraient l'un et l'autre, écrit le maréchal de Villars, une vraie satisfaction de nouveaux mariés. »

Quant au duc de Bourbon, il prétendait en savoir plus que tout le monde grâce à des informations de première main qu'il se hâtait de communiquer à Stanislas.

« Le mari a donné à sa femme sept preuves de sa

tendresse. C'est le roi lui-même, précise-t-il, qui, dès qu'il s'est levé, a envoyé un homme de sa confiance et de la mienne pour me le dire et qui, dès que j'ai entré chez lui me l'a répété lui-même en s'étendant infiniment sur la satisfaction qu'il avait eue de la reine... »

Pour un innocent, c'était entamer de triomphante manière une carrière amoureuse qui allait faire le bonheur des chroniqueurs présents et futurs. Ce fut le début d'une charmante période pleine de gaieté pour les deux époux, et aussi la mise en train d'une longue suite de grossesses pour la reine Marie qui allait avoir la joie d'accoucher dix fois pour le bonheur de son cher époux...

Le mariage était en tout point réussi. Tout le monde était content... sauf Voltaire qui blâmait le programme de comédie donné le soir des noces : *Amphytrion* et *le Médecin malgré lui*... « ce qui, dit-il, ne parut pas très convenable... »

Il est vrai que l'on avait refusé de jouer un petit divertissement qu'il s'était donné la peine de préparer lui-même...

LA NUIT À LA HUSSARDE DE NAPOLÉON

Napoléon attendant sa fiancée autrichienne ressemblait beaucoup à un gamin qui espère, du Père Noël, son premier train électrique. Il avait beau jouer à l'esprit fort, déclarer à qui voulait l'entendre, avec une grossièreté voulue rappelant le style du lieutenant Bonaparte : « J'épouse un ventre... », il n'en « espérait » pas moins son arrivée avec un curieux mélange de vanité, d'anxiété, de curiosité et d'excitation. Et, à partir du 13 mars 1810, date du départ de Marie-Louise pour la France, il ne tint plus en place.

Continuellement partaient des messagers, porteurs de lettres ou de présents pour la voyageuse et, chaque fois que l'un d'eux revenait il passait au crible.

« Voyons, parlez-moi franchement! Comment avez-vous trouvé l'archiduchesse Marie-Louise?

– Sire, très bien.

– Très bien ne m'apprend rien. Voyons, quelle taille a-t-elle?

– Sire, elle a la taille... à peu près de la reine de Hollande.

– Ah! c'est bien : de quelle couleur sont ses cheveux?

– Blonds. A peu près comme ceux de la reine de Hollande.

– Bon. Et son teint?...

– Fort blanc et des couleurs très fraîches, comme la reine de Hollande.

– Elle ressemble donc à la reine de Hollande?

– Non, Sire, et cependant, dans tout ce que vous me demandez je vous ai rapporté l'exacte vérité... »

Talleyrand, qui rapporte la scène dont il fut témoin, ajoute qu'après avoir laissé partir le jeune aide de camp qu'il venait d'interroger, Napoléon hocha la tête et marmotta :

« J'ai de la peine à leur arracher quelques mots. Je vois que ma femme est laide car tous ces diables de jeunes gens n'ont pu prononcer qu'elle était jolie. Enfin! Qu'elle soit bonne et me fasse de gros garçons, je l'aimerai comme la plus belle... »

Mais toute cette fraîcheur unanimement proclamée le hantait. Il avait grand hâte de juger par lui-même de ce qu'il en était au juste.

Le 20 mars avant de quitter Paris pour Compiègne qui sera la première résidence impériale de la fiancée, il lui écrit encore :

« Madame, j'ai reçu votre portrait. L'Impératrice d'Autriche a eu l'attention de me le faire remettre. Il me semble y voir l'empreinte de cette belle âme qui vous rend si chère à tous ceux qui vous connaissent et justifie toutes les espérances que j'ai mises en Votre Majesté. Vous aimerez, Madame, un époux qui veut avant tout votre bonheur et dont les droits ne seront jamais fondés que sur votre confiance et les sentiments de votre cœur. Je pense que vous êtes bien près de la France et je vous attends avec bien de l'impatience... »

C'est plus que de l'impatience, c'est de la fièvre. Pourtant, lui non plus ne s'extasie pas sur sa beauté. Il lui parle de « sa belle âme » et comme il sait que les peintres de cour usent et abusent parfois de la flatterie, il est de moins en moins rassuré.

Constant, son valet de chambre, raconte comment, en attendant, il se cherche des raisons d'aimer l'inconnue lui qui a tant aimé Joséphine, ce chef-d'œuvre de grâce et d'élégance.

« Il ne tient pas en place, va voir les appartements préparés pour la nouvelle impératrice où, déjà, l'attendent robes, lingeries, chaussures exécutées sur des modèles envoyés de Vienne. Un jour, il se saisit d'un soulier remarquablement petit et m'en donne un coup sur la joue en forme de caresse.

« – Voyez, Constant, voilà un soulier de bon augure. Avez-vous vu beaucoup de pieds comme celui-là? C'est à prendre dans la main... »

En outre, pour charmer l'attente et les soirées de Compiègne, il décide de se remettre à la danse. Un exercice qu'il n'a pas pratiqué depuis l'École militaire et où, d'ailleurs, il n'a jamais été brillant; mais il pense qu'épousant une Viennoise il lui faut se mettre au courant. Et c'est, curieusement, à la reine Hortense, la propre fille de Joséphine la Répudiée, qu'il demande de lui apprendre la valse car elle est, selon sa propre expression « notre Terpsichore ».

Hortense fait ce qu'elle peut mais le résultat est piteux.

« Je suis trop vieux, déclare l'Empereur. D'ailleurs, ce n'est pas par là que je dois chercher à briller... »

Les leçons de danse servent, au moins, à user le temps, ce temps qu'il trouve interminable.

La rencontre avec la voyageuse est prévue pour le 28 et doit se dérouler à Pontarcher, un village qui se trouve à deux lieues et demie de Soissons, sur la route de Compiègne. A Soissons, où elle aura passé la nuit, Marie-Louise aura eu tout le loisir de se « faire belle » et de se préparer pour le premier coup d'œil. Mais, le 27, Napoléon est à bout de patience. Aux environs de midi, il décide d'aller au-devant de la nouvelle impératrice et quitte Compiègne en calèche accompagné du seul Murat. Il verra sa femme vingt-quatre heures plus tôt et sans préparatifs.

On ne peut pas dire que le temps soit agréable, surtout passé Soissons : il pleut à plein temps. Pour comble de bonheur, un peu au-delà de Braine, l'équipage impérial, dont une roue vient de se briser, manque d'envoyer le fiancé dans un fossé boueux. Heureusement on est au petit village de Courcelles et c'est sous le porche de l'église que Napoléon, toujours flanqué de Murat qui se fait un souci du diable pour son beau chapeau à plumes – il a le génie des panaches gigantesques – va se réfugier pour attendre le cortège qui ne doit plus être loin.

En effet, le voilà. Une longue file de voitures précédées de cavaliers bleus et mauves apparaît sur la route. Alors, oubliant la pluie, Napoléon se jette au milieu de la route, s'y plante... Les hussards de tête reconnaissent la silhouette si familière, la redingote grise, le chapeau noir, et retiennent leurs chevaux.

« L'Empereur! Voilà l'Empereur! »

Le cri est repris par le chambellan qui suit immédiatement M. de Seyssel. Mais Napoléon n'entend rien, ne voit rien que certaine grande berline, tirée par huit chevaux et vers laquelle il court, comme un jeune homme. Il ouvre la portière sans attendre l'aide de personne. Deux femmes sont à l'intérieur et l'une d'entre elles s'écrie :

« Sa Majesté l'Empereur!... »

C'est sa sœur Caroline, la reine de Naples qui a été chargée d'amener la fiancée. A côté d'elle, une grande fille blonde et rose aux yeux globuleux mais d'un joli bleu d'azur et qui semble d'ailleurs passablement effrayée par cette première rencontre avec l'Ogre qu'elle n'attendait pas si tôt. Ses lèvres lourdement ourlées tremblent quand elle s'efforce de sourire. Elle a dix-neuf ans et elle a la fraîcheur de son âge mais ses yeux bleus n'ont guère d'expression et elle est un peu trop potelée. En outre, elle est fagotée dans un manteau de velours vert qui à la rigueur pourrait passer s'il n'était accompagné d'un étrange couvre-chef : une toque garnie de plumes de perroquet multicolores qui ressemble à un plumeau.

Mais Napoléon ne voit rien de tout cela, ni le nez trop long, ni les yeux à fleur de tête, ni la fameuse lèvre Habsbourg qui au contraire le charme : c'est la marque de fabrique... Sa voix claironne joyeusement.

« Madame, j'éprouve à vous voir un grand plaisir! »

Et là-dessus, sans se soucier du fait qu'il est mouillé comme un barbet, le voilà qui escalade le marchepied, prend l'archiduchesse dans ses bras et l'embrasse à plusieurs reprises avec un enthousiasme qui arrache un sourire crispé à la reine de Naples. Puis il s'installe entre les deux femmes et crie au chambellan demeuré debout au milieu de la route :

« Maintenant vite à Compiègne! Et que l'on brûle les étapes!

– Mais, Sire, proteste Caroline, nous sommes attendues à Soissons où l'on a préparé le souper, le coucher...

– Ils mangeront leur souper sans vous. Je désire que Madame soit dès ce soir chez elle... »

Et l'on part, laissant Murat s'arranger comme il voudra de la voiture accidentée...

A Soissons, en effet, le cortège passe en trombe sous l'œil ébahi et quelque peu scandalisé du sous-préfet, du conseil municipal et des autorités militaires qui ont attendu des heures sous les parapluies pour le seul plaisir de voir l'Empereur leur filer sous le nez.

Mais, soudain, à la sortie de la ville, on s'arrête. Les rares observateurs que le mauvais temps n'a pas chassés peuvent voir la portière de la grande berline s'ouvrir pour livrer passage à une dame vêtue de velours gris et coiffée d'une charmante capote à plumes mauves et roses. Une dame qui, le pas énergique et la mine offensée, va s'installer dans la seconde voiture. C'est Caroline que son frère vient de prier aimablement de le laisser seul avec « sa femme »...

Et l'on repart pour Compiègne où l'on arrive à la nuit close et aux flambeaux après avoir mené un train d'enfer.

Et chacun de se demander ce qui fait courir si vite Napoléon...

Vers les dix heures du soir, c'est le branle-bas de combat au château à la suite de l'arrivée essoufflée d'un page abondamment crotté qui annonce le cortège. Tout s'anime comme sur un coup de baguette magique. Des laquais en livrée verte, portant des torches, s'alignent sur le vaste perron. Les fenêtres se peuplent d'une foule brillante, les terrasses des toits sont envahies. Un orchestre s'installe sur la galerie qui domine les grilles, un autre prend position quelque part sur la place, un troisième aux fenêtres d'un grand hôtel particulier. De partout jaillissent des flambeaux... Le perron se garnit de tapis, se couvre de femmes en robes à traîne dont les diadèmes jettent des feux multicolores et d'hommes en uniformes chamarrés. Enfin, dans un grand tumulte de cris que dominent les orchestres jouant, plus ou moins ensemble, *Veillons au salut de l'Empire!* paraissent les voitures, une première à six chevaux, puis une autre. La berline impériale à huit chevaux vient ensuite. Portée dirait-on par l'enthousiasme populaire, elle franchit les grilles, décrit une courbe pleine d'élégance et vient s'arrêter devant le perron. Les valets de pied se précipitent, les porteurs de torches lèvent leurs flammes bien haut, les tambours battent tandis que, sur le perron, les révérences courbent les satins et les brocarts des toilettes de cour.

On peut voir alors Napoléon sauter à terre puis se tourner, rayonnant vers celle qui est encore dans la voiture pour l'aider à descendre avec tous les soins et toutes les tendres précautions d'un amant attentif. Chacun peut constater, non sans une certaine stupeur amusée, que l'archiduchesse est rouge comme une pivoine, que sa toilette semble quelque peu dérangée et que son absurde chapeau à plumes de perroquet donne fortement de la bande. De plus son attitude est bizarrement gênée. Plus d'une mauvaise langue en conclura que la berline vient de servir de vestibule à la chambre à coucher...

Quand le couple monte le perron on s'aperçoit que Marie-Louise a une demi-tête en plus que Napoléon.

« J'ai vu, écrit le prince von Clary und Aldringen, courrier diplomatique autrichien, l'impératrice sauter assez lestement à bas de sa voiture, embrasser immédiatement toute la famille et monter l'escalier conduite par son petit mari. Comme elle a une demi-tête de plus que lui, elle avait vraiment bon air... »

C'est un avis autrichien. Quand la nouvelle venue embrasse les femmes de la famille, la ravissante Pauline cache à peine son envie de rire en contemplant le fameux chapeau. Incontestablement les Bonaparte ont de l'allure. Il y a la sage Elisa et son sévère profil de Minerve; Pauline, reine des élégances déjà nommée; la beauté brune de la reine d'Espagne, ex-Julie Clary; la grâce blonde de la reine Hortense dont la robe de soie blanche, les perles et l'élégance sans défaut jurent effroyablement avec la vêture de Marie-Louise. Il y a Caroline, enfin, extraite du carrosse où elle s'était vue reléguée.

Dans le château, Napoléon entraîne Marie-Louise au pas de charge vers ses appartements. On lui présente sa dame d'honneur, la duchesse de Montebello, veuve de Lannes, qui va devenir son intime amie. Marie-Louise lui confie aussitôt :

« L'Empereur est bien charmant et bien doux pour un homme de guerre si redoutable; il me semble maintenant que je l'aimerai bien... »

Le fameux sourire Bonaparte a fait des siennes et si l'Ogre l'a quelque peu lutinée dans l'ombre complice de la voiture, elle ne semble pas lui en tenir rigueur. D'autant moins qu'en arrivant dans sa chambre, elle trouve des attentions charmantes : il y a là son canari qu'elle pensait ne jamais revoir, son petit chien venu avec sa femme de chambre favorite et même une tapisserie qu'elle avait laissée inachevée.

Il y a aussi une table toute servie pour trois personnes :

le nouveau couple soupe avec la reine de Naples. Le souper est très gai mais, quand il s'achève, chacun pense que l'Empereur va se retirer pour s'en aller coucher à l'hôtel de la Chancellerie où tout est préparé pour le recevoir. Mais il n'en a pas la moindre envie...

Au lieu de partir, il s'en va trouver son oncle, le cardinal Fesch et lui pose la question qui lui brûle les lèvres : est-il marié? Autrement dit, est-ce que le mariage par procuration de Vienne est valable et lui permet d'user, dès ce soir, de ses droits d'époux? Le cardinal qui connaît bien son neveu est embarrassé : ce n'est pas l'usage. La bonne règle veut que, pour la nuit de noces, on attende que les noces officielles aient été célébrées. L'Empereur doit se rappeler que son mariage civil sera célébré le 1er avril à Saint-Cloud et son mariage religieux le lendemain dans le Salon Carré du Louvre. En outre, l'archiduchesse doit être fatiguée de ce long voyage...

Il perd son temps. Napoléon n'a qu'une idée en tête : goûter tout de suite à son dessert viennois. Et quand le cardinal parle de prendre conseil, de discuter, il refuse d'entendre : il n'a pas le temps. En désespoir de cause l'oncle Fesch propose de demander à l'intéressée elle-même ce qu'elle en pense. Et Napoléon s'en va trouver Marie-Louise pour lui demander si, en la quittant, son père lui a fait quelque recommandation.

« Il m'a dit, répond la jeune fille, qu'aussitôt seule avec vous j'aurais à faire absolument tout ce que vous me diriez et que je devrais obéir à tout ce que vous pourriez exiger!... »

On ne peut être plus claire et il n'est pas difficile d'imaginer le large sourire de Napoléon. Il s'approche de sa jeune femme et murmure :

« Quand vous serez seule, je viendrai vous trouver... »

Au fond c'était pure courtoisie de sa part d'aller demander son avis au cardinal! Dans la berline, il n'avait pas demandé de permission pour entamer les préliminaires. Et le voilà, tout ravi, qui court procéder à une minutieuse toilette de nuit tandis que Caroline se croit obligée de jouer les grandes sœurs et de donner à Marie-Louise les conseils d'usage. Mais elle n'a rien à apprendre à la mariée. A Vienne « on lui avait tout dit... »

Un moment plus tard, Napoléon s'inonde d'eau de Cologne avec une impériale générosité (c'est Jean-Marie Farina qui, sans le savoir, embaumera la nuit de noces) puis, nu, il enfile sa robe de chambre et s'en va chez Marie-Louise...

A Sainte-Hélène, il confiera à Gourgaud :

« Je vins, et elle fit tout cela en riant... »

« Le lendemain au matin, raconte Constant, l'Empereur me demanda à sa toilette si l'on s'était aperçu de l'accroc qu'il avait fait au programme. Je répondis que non, au risque de mentir. En ce moment entra un des familiers de l'Empereur qui n'était pas encore marié. Sa Majesté lui dit :

« – Mon cher, épousez une Allemande. Ce sont les meilleures femmes du monde, douces, bonnes, naïves et fraîches comme des roses...

« A l'air de satisfaction de Sa Majesté il était facile de voir qu'Elle faisait un portrait et qu'il n'y avait pas longtemps que le peintre avait quitté le modèle.

« Après quelques soins donnés à sa personne, l'Empereur retourna chez l'Impératrice et, vers midi, il fit monter à déjeuner pour elle et pour lui, se faisant servir près du lit par les femmes de Sa Majesté. Tout le reste du temps, il fut d'une gaieté charmante... »

L'aventure du mariage autrichien commençait bien dans la gaieté et dans la joie. L'accueil de Compiègne, un peu improvisé, avait été suffisamment enthousiaste. Il n'en alla pas de même de celui de Paris. Écoutons la reine Hortense qui partageait une voiture avec Julie Clary et le grand-duc de Wurtzbourg.

« Sous l'Empereur, les cérémonies furent toujours belles

et imposantes. L'arc de Triomphe de l'Étoile, déjà commencé, avait provisoirement été achevé en bois... Sur notre route, le peuple me parut assez froid. Il ne témoignait pas de plaisir à voir une Autrichienne... »

Ce fut surtout quand le cortège, sortant des Champs-Élysées, traversa la place de la Concorde pour pénétrer aux Tuileries que le froid se fit sentir. Parmi les assistants, ils étaient encore nombreux ceux qui, seize ans et demi plus tôt, avaient vu tomber, sur cette même place, la tête de la reine Marie-Antoinette. L'arrivée en France de sa nièce réveillait bien des mauvais souvenirs. Seule l'aristocratie se montrait enthousiaste.

« La société de Paris, écrit la reine Hortense, qui s'était réunie tout entière dans la galerie du Louvre, laissa éclater l'enthousiasme le plus vif, les uns par d'anciens et chers souvenirs, les autres par l'espoir d'une paix solide, ou enfin par cette émotion que communique la vue de ce qui est puissant et brillant... »

Napoléon est si heureux qu'il écrit au vaincu de Wagram cette lettre débordante de reconnaissance dont le traitement ne laisse pas d'être amusant puisqu'il y appelle l'empereur François « Monsieur mon frère et beau-père » :

« ... la fille de Votre Majesté est depuis deux jours ici. Elle remplit toutes mes espérances et, depuis deux jours, je n'ai cessé de lui donner et d'en recevoir des preuves des tendres sentiments qui nous unissent. Nous nous convenons parfaitement. Je ferai son bonheur et je devrai à Votre Majesté le mien. Qu'elle me permette donc que je la remercie du beau présent qu'elle m'a fait et que son cœur paternel jouisse des assurances de bonheur de son enfant chérie... »

Marie-Louise, pour sa part se déclare enchantée.

« Je ne puis assez remercier Dieu de m'avoir accordé une aussi grande félicité... »

Une félicité qu'elle oubliera bien vite quand viendra le temps des revers, quand s'effondrera le grand Empire, quand disparaîtra de sa vue l'homme qu'elle prétendait aimer si tendrement. Et aussi simplement qu'elle avait accepté l'époux qu'on lui ordonnait de satisfaire, son cœur accommodant acceptera l'amant chargé de lui faire oublier jusqu'à ses devoirs de mère...

LES NUITS DRAMATIQUES

LA NUIT MORTELLE D'ATTILA

Une fois de plus Attila quittait le Ring – sa ville de bois et de feutre – pour s'en aller combattre. Mais le cœur n'y était guère... C'était le printemps 453 et le Chan-Yu [1] commençait à sentir le poids des années. Il se sentait las et vaguement dégoûté car derrière lui il devinait l'impatience de ses six fils principaux (il en avait plus de soixante que lui avaient donnés ses quelque deux cents femmes) qui brûlaient de se partager son empire. Seul Ellak, l'aîné et le préféré, était sûr car il espérait bien succéder entièrement à son père et garder tout. Mais les autres... Avec la soixantaine venue, le conquérant comprenait qu'il ne pourrait plus endiguer longtemps leurs appétits.

Il y avait aussi le poids de sa première défaite, subie deux ans plus tôt aux champs Catalauniques sous les coups d'Aétius, son exact contemporain et son compagnon d'enfance, ce qui ne l'avait pas rendue moins amère. Et pour la première fois, Attila s'était sauvé, levant le camp pendant la nuit afin que la débâcle ne devînt pas désastre.

Certes, il avait pris ensuite, sur son rival, une éclatante revanche, détruisant Aquilée puis s'emparant tour à tour de Concordia, de Vérone, de Padoue, chassant devant lui les Venètes qui cherchèrent refuge sur quelques îles

1. Équivalent chinois du Duce ou du Führer.

défendues par une lagune malsaine et stérile dont ils n'allaient plus bouger. Ensuite ce furent Milan, Pergame, Brescia, Crémone. Rien ne semblait plus devoir arrêter le flot enragé des Huns qui roulait vers Rome quand, monté sur une mule blanche, un majestueux vieillard tout de blanc vêtu vint vers eux au milieu d'une troupe de prêtres qui chantaient des cantiques...

Le Hun était allé vers ce vieillard – le pape Léon – traversant à cheval pour le rejoindre le fleuve Mincio et pendant quelques instants, il l'avait écouté parler mais jamais personne ne saurait ce que « le vieux lion à crinière blanche » lui avait dit. C'était son secret à lui... A l'étonnement de ses hommes, il avait retraversé le fleuve et puis il était parti, emmenant la horde sauvage où personne ne se fût avisé de lui poser la moindre question...

Durant l'hiver de 452 il s'était occupé de reconstituer une armée, quelque peu réduite tout de même par les dures campagnes précédentes, annonçant aux Huns qu'au printemps il attaquerait l'Empire d'Orient dont l'empereur Marcianus lui avait refusé le tribut.

Quand vint le printemps il était prêt et, pour mettre ses hommes en appétit, s'en alla passer une tournée d'inspection punitive chez certains de ses vassaux germains dont quelques-uns avaient osé, après les champs Catalauniques, se proclamer indépendants. Ayant mis la main sur eux, il ordonna de les exécuter.

Mais l'un d'entre eux, dont l'Histoire n'a pas conservé le nom, avait une fille et cette fille, qui se nommait Ildico, était d'une éblouissante beauté. C'était l'une de ces longues Germaines aux cheveux de lin soyeux, au corps délié, aux larges prunelles d'azur pâle et nombreux déjà étaient les guerriers qui l'avaient demandée à son père, plus nombreux encore ceux qui s'étaient entre-tués pour elle bien qu'elle n'en regardât aucun. Mais, pour tenter de sauver son père, elle vint aux genoux d'Attila...

Prosternée sur les tapis qui garnissaient la yourte noire du Mongol, Ildico priait, suppliait, implorait, osant à peine lever les yeux sur l'homme terrifiant qui la regardait sans mot dire, accroupi sur une sorte d'estrade garnie de zibelines. Même pour une fille des temps barbares, le Fléau de Dieu n'avait rien de rassurant. Pas très grand, il paraissait presque difforme ainsi accroupi sur ses fourrures avec son torse disproportionné pour la longueur de ses jambes, sa tête puissante aux yeux fendus obliquement sur quelque chose qui ressemblait à de la pierre. Il avait un teint foncé, de fortes lèvres, un nez plat d'Asiate, de hautes pommettes, des cheveux raides et gris et une longue moustache assortie. Auprès de lui, caressant de temps en temps la poignée de la longue lame dentelée passée à sa ceinture, un colosse encore plus laid qui lui se tenait debout : Dahkhan, son bourreau...

Quand, à bout de larmes et d'arguments, la jeune fille se tut, Attila ne répondit rien. D'un geste, il ordonna qu'on emmène la suppliante, d'un autre il confirma la sentence de mort du père. Ildico avait prié pour rien : elle vit tomber la tête de son père et, quand on se saisit d'elle, la première pensée qui dut lui venir fut qu'elle allait subir un sort semblable. Il n'en fut rien : on l'emballa comme un objet précieux, on la hissa sur un cheval et quand Attila leva le camp pour retourner au Ring, elle apprit qu'on l'emmenait pour devenir la dernière épouse du Chan-Yu...

Aucun chroniqueur ne s'étant penché sur les états d'âme de cette malheureuse, on en est réduit aux conjectures touchant ce qu'elle pouvait penser tandis que s'apprêtaient pour elle des noces aussi redoutables qu'inattendues. Les femmes qui l'entouraient s'extasiaient sans doute, non sans jalousie, sur sa chance et comment ne pas se méfier de Kreka, la première épouse, que la venue de cette trop jolie fille ne devait guère enchanter? Et puis il y avait le futur époux : l'idée d'être livrée à ce gnome sanguinaire qui avait quarante ans de plus qu'elle et la tête en moins n'avait rien d'épanouissant. Il n'était jusqu'au décor, inhabituel et vraisemblablement déroutant pour une fille des forêts et des montagnes de Bavière.

Le Ring, que les Germains nommaient Etzelburg – le château d'Attila – se dressait au bord du Danube dans la plaine de Pannonie. C'était un immense agglomérat de maisons de bois, de tentes de feutre et de chariots qui se groupaient en cercles autour d'emplacements où s'allumaient les feux. Au milieu de tout cela, sur une colline se dressait, entouré d'une haute palissade où ne se voyait qu'une seule porte, le palais d'Attila, vaste construction de cèdre couverte de tuiles à la mode romaine qui affectait des allures de villa et groupait plusieurs bâtiments dont le plus orné était la maison des femmes.

Toutes les nations européennes, ou à peu près, étaient représentées dans cet immense camp retranché car les éléments purement mongols n'étaient pas les plus nombreux s'ils étaient les plus puissants. Chaque peuplade vaincue fournissait une troupe, des prisonniers, des esclaves. En outre, les fuyards de tous ordres étaient certains de trouver asile et nourriture à Etzelburg à condition qu'ils respectassent la règle du jeu, faute de quoi ils trouvaient aussi une mort particulièrement longue à venir. Des aventuriers grecs, des transfuges romains, des Gaulois chevelus y côtoyaient des rebelles bretons, des déserteurs goths, des otages wisigoths, des Alains, des Vandales et même, parfois, de longues robes de soie raidies de lourdes broderies qui signalaient des envoyés de Constantinople alors capitale de l'Empire romain d'Orient comme Ravenne était celle de l'Empire romain d'Occident. Et ce monde bigarré n'avait, en fait qu'un seul lien : le barbare de génie, le guerrier foudroyant dont les chevauchées fantastiques avaient soumis un empire et contraint les autres à lui payer tribut...

Tout cela s'activait aux préparatifs de la noce car le bruit courait qu'Attila, très épris de la jeune Germaine, retrouvait une nouvelle jeunesse, prometteuse de nouvelles conquêtes, de nouveaux profits...

Le jour venu, les noces sont célébrées avec une exceptionnelle splendeur. Attila les a voulues dignes de la beauté de sa nouvelle épouse. Après les invocations des chamans et le simulacre d'enlèvement rituel, la longue file des chefs de tribus vient déposer devant le couple les présents de noces : des chevaux, du koumys, le lait de jument fermenté que les Huns affectionnent, des bijoux d'or, ou d'argent, ou de jade, des fourrures précieuses, des soies brodées. Et puis, comme partout ailleurs on passe à table avec l'intention ferme d'y rester le plus longtemps possible.

Pendant des heures, on dévore, on bâfre, on boit. Et pas seulement du lait de jument mais aussi du vin. La vaisselle est d'or et d'argent, sauf pour le maître qui, sa vie durant, n'a jamais accepté d'autre vaisselle qu'un gobelet et une écuelle de bois.

C'est un banquet très gai. On chante, on danse, on admire des bouffons danseurs, des jongleurs, on se défie aux boules – on ignore s'il s'agit de la « longue » ou de la pétanque – ou au lancement du poignard. Et puis on reboit, on remange et on recommence à boire. Il y a déjà quelques invités qui ronflent sous les tables quand, le soir venu, Attila saisit Ildico par le bras pour l'entraîner dans la chambre nuptiale.

Il a beaucoup mangé, lui aussi, et bu plus encore. Non pour se donner du courage mais parce qu'il est heureux et qu'il veut montrer à sa bien-aimée qu'il est, en tout, le meilleur et le plus fort. Et tandis que les autres continuent à festoyer, tous deux sortent suivis par les encouragements, fort gaulois pour des Huns – de ceux des convives qui ont encore les idées nettes.

La chambre nuptiale n'est pas grande. Un vaste lit couvert de fourrures blanches y tient presque tout l'espace libre. Pressé à présent, Attila y jette Ildico, arrache les voiles et la tunique dont elle est couverte... Et l'on ne sait rien de plus.

Au matin, quand le jour se lève, les convives les plus solides sont encore à table. On s'étonne de n'avoir pas vu revenir Attila. Normalement il aurait dû venir rendre compte aux amis de la dévirginisation de la Germaine. Or, il n'est pas revenu et la porte de sa chambre est toujour close.

Le soleil est déjà haut qu'elle ne s'est pas encore ouverte et qu'aucun bruit ne se fait entendre de l'autre côté du vantail. Ce n'est pas naturel. Attila, même amoureux faisant la grasse matinée cela ne s'est jamais vu... Son plus fidèle serviteur, Edécon, s'inquiète. Il faut aller voir. Et il va voir. Et il frappe à la porte, doucement d'abord puis de plus en plus fort mais sans obtenir de réponse...

Cette fois, on appelle les fils du Chan-Yu. Ils accouren et toute une foule avec eux. La porte est toujours fermée et ne peut s'ouvrir. Alors Ellak saisit une hache e l'abat.

Le spectacle que tous découvrent est effrayant. Attila es là, couché à plat ventre et les bras en croix, nu sur la fourrure blanche inondée de sang... Ildico est là, elle aussi tapie dans un coin dans ses voiles déchirés elle tremble e pleure. On la secoue, on la questionne, pour un peu on la tuerait mais elle est frappée de terreur et ne peut répondre A-t-elle tué le meurtrier de son père?

Non. Quand on examine le corps du défunt, on ne trouve aucune blessure et, à l'odeur du corps, les médecins affirment qu'il n'y a pas trace de poison. Tout ce sang qui souille le lit a jailli de la bouche d'Attila. C'est lui qui l'a étouffé après les excès de nourriture et de boisson auxquels il s'est livré.

Alors on emporte le corps pour le laver et l'étendre dans la grande salle sur un lit de parade. L'un des conseillers annonce au peuple, qui hurle à la mort réclamant l'assassin, que le maître a succombé à une cause naturelle et déjà les cavaliers parcourent la cité pour inviter les guerriers aux jeux funèbres...

« Au centre de la plaine, écrit Marcel Brion, on avait dressé une tente de soie sous laquelle reposait le corps d'Attila. Les ministres et les officiers accroupis autour de la tente pleuraient... Soudain, le silence se fit; les poètes chantèrent les louanges du roi... Les jeux des cavaliers alternèrent avec les chants... Dans l'espace laissé libre entre la tente et les spectateurs, ils s'élançaient au galop, tendaient leurs arcs vers le ciel, faisaient tourner les haches et siffler les lassos. Les flèches se croisaient au-dessus de la tente...

« Au moment où le soleil couchant atteignant l'horizon posa un dernier reflet sur la tente brillante, l'agitation cessa tout à coup et le silence immobilisa la foule... »

L'heure était venue de conduire le Chan-Yu à sa dernière demeure. On dispersa la foule et même on l'obligea à regagner ses foyers car l'ensevelissement d'un conquérant n'était pas fait pour les yeux du vulgaire. Seuls demeurèrent les notables qui enlevèrent la tente de soie laissant voir ce qu'elle contenait : le corps d'Attila étendu sur des tapis et entouré d'un énorme trésor fait, d'abord des couronnes et des insignes de commandement des rois vaincus et des dépouilles superbes de tant d'églises, de temples et de lieux sacrés pillés par la Horde : des reliquaires, des vases sacrés, des joyaux... Mais, de chaque côté de la tête deux objets tout simples : un arc avec ses flèches d'une part, une écuelle de bois de l'autre.

A la nuit close les guerriers les plus valeureux creusèrent la fosse, une vaste fosse dans laquelle le corps fut déposé. Puis sur lui on jeta pêle-mêle tout le trésor qu'il combla. Alors seulement on remit la terre qui, bientôt, forma un grand tumulus.

« Vers minuit la tâche fut achevée. A ce moment, les cavaliers qui avaient sollicité l'honneur de suivre le mort dans l'au-delà firent, au galop, une dernière fois, le tour du tumulus. Puis on les égorgea, on tua les chevaux et on les dressa debout sur des pieux autour du tombeau. Assis sur leur selle, tenant dans leur main l'arc et le carquois, ils formaient un cercle de figures terribles dont les visages regardaient tous les points de l'horizon... »

Avec le temps, les cavaliers morts tombèrent en poussière. Le tumulus devint colline, se couvrit d'herbes, entra dans le paysage qu'allaient encore fouler, au cours des siècles, tant de pieds de guerriers, tant de galops de chevaux. Et nul, jamais, n'a retrouvé le tombeau d'Attila...

Nul ne sait non plus, ce que devint la belle Ildico...

LA NUIT ENSORCELÉE DE PHILIPPE AUGUSTE

Le royaume de France, et singulièrement son roi Philippe II que l'on disait déjà Auguste, fondaient de grands espoirs sur le nouveau mariage que le roi allait contracter; des espoirs qui se teintaient de curiosité car, jusqu'à présent, on n'avait pas encore vu de Danoises sur le trône de France. Or, celle que Philippe attendait à Amiens, en ce mois d'août 1193 se nommait Ingeburge et, fille de Valdemar le Grand, roi de Danemark, elle était la sœur de Knut, le roi actuel. Ajoutons qu'outre son auréole d'exotisme la princesse était précédée d'une réputation d'extraordinaire beauté.

Veuf depuis trois ans de l'exquise et touchante Isabelle de Hainaut, la petite reine des pauvres gens, morte à vingt ans, Philippe Auguste n'avait pas réellement besoin de se remarier : avant de s'en aller reposer dans Notre-Dame inachevée, Isabelle lui avait donné un fils, beau et vigoureux et qui atteignait ses six ans. Simplement, il en avait envie. Rester célibataire à vingt-huit ans est difficile, surtout lorsque l'on aime les femmes et le jeune roi souhaitait vivement épouser cette Ingeburge que l'on disait si belle. Et puis, du point de vue politique, l'alliance avec le Danemark présentait des avantages certains car, outre la possession de navires et de guerriers dont la réputation, depuis les Vikings, n'était plus à faire, les souverains danois pouvaient arguer de certaines prétentions sur la couronne anglaise.

Or, la couronne anglaise était singulièrement mal porté
à cette époque : Richard Cœur de Lion dont le plus gran
tort avait toujours été de préférer les exploits sportifs et le
beaux coups d'épée à la sécurité de son royaume, crou
pissait dans une forteresse autrichienne et son frèr
affectionné, le prince Jean qui assurait la régence, faisai
de son mieux pour balayer définitivement le roi légitime
N'ayant que fort peu d'estime pour Jean, Philipp
Auguste, qui ne tenait d'ailleurs pas plus que lui à voi
Richard sortir de sa prison, pensait qu'avec l'aide danois
il n'aurait guère de peine à balayer le gêneur, à récupére
les possessions anglaises de l'hexagone et, peut-être
coiffer la couronne des Plantagenêts...

Lui et Richard avaient été compagnons de jeunesse
jadis, et même amis mais la croisade pour laquelle il
étaient partis ensemble d'un cœur si joyeux ne leur avai
guère réussi. Tout avait commencé à se gâter durant ce
hiver passé ensemble en Sicile à attendre les vent
favorables. A cause d'une femme : Jeanne d'Angleterre
veuve du roi de Sicile et sœur de Richard.

Elle plaisait à Philippe qui l'eût volontiers épousée
Richard s'y était opposé et le Capétien n'avait pas digér
l'offense. Il avait gagné la Terre sainte de son côté mais le
deux rois s'étaient retrouvés sous les murs de Saint
Jean-d'Acre où Philippe s'était battu avec la fougue et l
passion d'un simple chevalier, payant de sa personn
autant et parfois plus que Richard lui-même. Tou
l'enchantait : le pays, la couleur intense du ciel et de
murailles rousses, l'odeur de la terre brûlée, l'étrangeté de
choses et des gens et jusqu'à l'ennemi, ce Saladin cheva
leresque et magnifique dont la vaillance et la courtoisi
étaient dignes d'un paladin...

Et puis il y avait eu l'inexplicable maladie, cette suett
miliaire (on ignorait alors totalement ce que cela pouvai
bien être) qui les avait abattus l'un et l'autre, brûlant leur
corps sous les morsures de la fièvre, les pelant ensuite
faisant tomber leurs cheveux et leur énergie. Richar

s'était remis plus facilement mais Philippe avait compris qu'il était un homme mort s'il restait dans ce pays malsain. Il était assez sage aussi pour comprendre qu'il ne viendrait jamais à bout de Saladin et qu'il avait beaucoup mieux à faire en France où le royaume avait besoin de lui. Et laissant l'autre s'arranger comme il l'entendrait, il était reparti, heureux de retrouver l'air vif d'Ile-de-France et l'odeur de ses grandes forêts, heureux de retrouver la vie...

Aussi quand son entourage, avec beaucoup de précautions oratoires, commença d'insinuer qu'un trône est un meuble bien austère si le sourire d'une reine ne vient l'éclairer, Philippe tendit l'oreille avec quelque complaisance. Le reste avait été assez vite grâce à un personnage étonnant : Guillaume, chanoine de Sainte-Geneviève qui vivait au Danemark et, en attendant la canonisation, s'occupait à fonder des abbayes dans le cadre d'une mission évangélique.

Guillaume fréquentait beaucoup la Cour danoise et c'est lui qui, le premier, suggéra le mariage avec Ingeburge dont il admirait, en tout bien tout honneur, la beauté. Il vint en France pour présenter son projet et, en homme avisé, y prit langue avec l'un des confidents du roi, le frère Bernard de Vincennes qu'il n'eut aucune peine à convaincre : une jolie femme pourvue d'une dot intéressante c'était exactement ce qu'il fallait à Philippe. Et quand Guillaume repartit pour le nord, ce fut entouré d'une belle ambassade composée de l'évêque de Noyon, Étienne de Tournay, du sire de Montmorency et du comte de Nevers : ils étaient chargés de négocier les conditions du mariage et de ramener la princesse que leur maître se mit à attendre avec une impatience grandissante.

Il y avait pourtant en France quelqu'un que ce mariage n'enchantait pas. C'était Adèle de Champagne, la mère de Philippe Auguste, veuve du roi Louis VII dont elle avait été la troisième épouse. Femme énergique, autoritaire même – Philippe avait eu quelque peine à lui arracher le pouvoir qu'elle prétendait exercer en compagnie de son frère Guillaume, archevêque de Reims – mais non dépourvue d'intelligence, Adèle, qui était une belle-mère au moins aussi redoutable que le serait plus tard Blanche de Castille, avait pris ses renseignements, en mère avisée sur les antécédents de sa future belle-fille et ce qu'elle avait appris l'avait laissée soucieuse.

Non qu'il y eût quelque chose à reprendre à la réputation de la jeune fille. Elle était sans reproche et, s'il en était allé autrement, le bon chanoine Guillaume ne l'eût pas proposée. Mais celle de sa mère, Sophie de Polotsk, une Russe, était effroyable. Cette femme était à l'origine d'un drame atroce dont avait été victime son propre frère, le prince Burisius.

Ce malheureux s'était épris follement de la sœur de Valdemar le Grand, Christine. Son amour ayant été payé de retour, les deux jeunes gens s'étaient laissés aller à leur passion, adultère d'ailleurs car Christine était mariée. Malheureusement pour elle, Sophie la haïssait et, ayant découvert le pot aux roses elle s'était fait un plaisir de le rapporter à son époux. Le résultat fut abominable : Christine périt sous le fouet. Quant à Burisius, après l'avoir fait témoin de la mort de sa maîtresse, on lui creva les yeux, on le châtra et, comme le châtiment semblait encore un peu faible, on lui coupa une main et un pied.

« La suite, rapporte le duc de Levis Mirepoix, mériterait d'être chantée parmi les plus pathétiques témoignages d'amour que donnèrent les romans de la Table Ronde. Elle eût arraché des larmes d'admiration aux Tristan et aux Lancelot! L'estropié obtint de se retirer dans le monastère où fut ensevelie sa bien-aimée. Et tous les jours, soutenu par un bras charitable, il allait se pencher sur le tombeau de ses amours... »

Après la mort de son époux, l'odieuse Sophie se remaria, cette fois avec le landgrave de Thuringe qui ne la supporta que deux ans et la renvoya chez elle à la suite d'on ne sait trop quel exploit. Ce fut également le sort d'une de ses filles, fiancée au fils de Frédéric Barberousse et que l'on retourna avant le mariage.

Tout cela n'était guère encourageant pour une mère. Le chanoine Guillaume avait beau jurer qu'Ingeburge était la douceur et la charité incarnées, Adèle se demandait, non sans quelque raison, où, avec de tels géniteurs, elle avait bien pu prendre de telles vertus.

Naturellement, Philippe n'avait rien écouté de tout ce qu'elle avait pu dire : on lui avait promis une sorte de sirène aux cheveux de flammes et aux yeux couleur de mer et il la lui fallait... Adèle se garda d'insister : depuis son retour de croisade le roi se montrait nerveux, lunatique même, plus obstiné que jamais mais aussi plus violent. Il devenait dangereux de le contrarier. Adèle se résigna donc à faire comme lui : elle attendit.

On en est là, ce matin d'août éclatant de soleil quand un coureur couvert de poussière entre en trombe dans la ville, se rue au palais archiépiscopal où loge le roi et vient s'abattre plus qu'il ne s'agenouille aux pieds de celui-ci : le cortège de la future reine approche de la ville...

Philippe ne perd pas une seconde : il va courir au-devant d'elle! Quelques minutes plus tard, le casque couronné d'or en tête, il mène à travers champs l'assaut furieux d'un escadron aussi joyeux que chamarré.

Ingeburge de Danemark a vu venir de loin le nuage de poussière qui grossit d'instant en instant en jetant des éclairs et qui révèle bientôt un groupe de cavaliers. Celui qui galope en tête porte au casque une couronne et le cœur de la jeune fille bat un peu plus vite sans doute. Le roi! Elle va enfin voir cet homme que le chanoine Guillaume lui a appris à connaître et dont, en toute innocence, elle rêve depuis qu'elle sait qu'elle doit être sa reine.

Philippe saute à terre à quelques mètres d'Ingeburge. Il remet son casque aux mains d'un page et s'approche, tête nue. La jeune fille rougit de le trouver si semblable à son espoir avec cette haute stature, ce visage énergique et ouvert, ce regard clair et dominateur et jusqu'à cette demi-calvitie, souvenir de sa récente maladie et qui fait refluer vers l'arrière la couronne des cheveux roux. Quant à Philippe, la beauté qu'il découvre le suffoque et, sur le moment, il ne trouve rien à dire...

Non seulement le chanoine Guillaume n'a rien exagéré mais il serait plutôt resté en dessous de la vérité car Philippe n'a jamais contemplé beauté pareille à celle-là. Ingeburge est grande et svelte mais son corps élégant, serré dans une robe écarlate, est déjà épanoui. Son visage, entre des tresses couleur de feu et grosses comme un bras d'enfant, est d'une irréelle pureté : pas un trait qui ne soit la perfection même. La peau est d'une idéale blancheur et fait ressortir des yeux immenses, d'un vert de mer et si transparents que leur regard paraît vide. Il est difficile à supporter ce regard et le roi ferme les yeux un instant comme s'il avait regardé le soleil en face. En fait, Ingeburge a la beauté sans défaut d'une statue, celle de la déesse de la mer... C'est un peu angoissant.

La première surprise passée, Philippe tend les bras pour aider sa fiancée à descendre de sa monture et lui souhaite la bienvenue. Elle sourit sans paraître comprendre puis murmure quelques mots dans une langue assez rude. Philippe s'étonne : est-ce qu'elle ne parle pas du tout le français? Non, elle parle seulement un peu latin... mais, ajoute l'évêque de Noyon, son intelligence est vive et elle apprendra vite...

Qu'importe! On s'arrangera du latin. Philippe entend se marier sur l'heure. Il avoue sans honte sa hâte de faire sienne cette merveilleuse créature et si quelqu'un élève de vagues objections, elles sont vite balayées. Direction : la cathédrale! Demain Ingeburge sera sacrée.

Quand on lui traduit les paroles du roi, la Danoise devient aussi rouge que sa robe mais ne proteste pas. Elle sait qu'elle est là pour se soumettre. D'ailleurs, il est visible que le roi lui plaît. Et le double cortège se remet en marche.

Tandis que l'on revient vers la ville, Philippe, qui

chevauche entre sa fiancée et Étienne de Tournay, s'entretient avec ce dernier. Il est heureux de voir sa future épouse mais les conditions du mariage l'intéressent aussi. A-t-on obtenu la cession des droits à la couronne d'Angleterre? Eh bien... rien n'est encore décidé mais les choses sont en bonne voie! Au moins, les Danois sont prêts à aider en cas de débarquement sur le sol anglais... Pas tout à fait. Le roi Knut aimerait, en contrepartie, que son beau-frère français s'engage à combattre pour lui l'empereur d'Allemagne...

Philippe Auguste fronce le sourcil. Combattre l'empereur? Son allié? L'homme qui tient Richard en son pouvoir? Il ne peut en être question! A quoi ont pensé ses négociateurs? La belle humeur du roi est en train de fondre au soleil d'août. L'évêque s'en rend compte et pour effacer la mauvaise impression se hâte d'avancer que lui et les autres ambassadeurs ont demandé une dot énorme : dix mille marcs d'or.

Du coup, le roi retrouve le sourire. C'est une somme! Et naturellement, ils sont là, ces dix mille marcs?... Une partie tout au moins car, étant donné l'importance du chiffre il a bien fallu consentir quelques délais...

Cette fois, Philippe est tout près de se mettre en colère mais il regarde Ingeburge et se calme. Une fille pareille vaut bien quelques sacrifices. En outre, le roi a grande confiance en sa diplomatie personnelle : il saura bien remettre les choses en ordre un peu plus tard. Pour le moment présent, il ne veut songer qu'à l'amour.

Aux portes d'Amiens, Adèle de Champagne attend sa belle-fille entourée d'une suite nombreuse. Les deux femmes se saluent avec tout le cérémonial compassé de rigueur en pareil cas et l'on se dirige vers la cathédrale qui apparaît au bout de la principale rue, dans toute la blancheur de sa nouveauté.

Le cérémonial habituel se déroule suivi du festin qu'animent les chansons, les danses et les jongleurs. Autour du palais toute la ville est en liesse. On fait ripaille partout. Des tonneaux sont mis en perce à tous les carrefours. On danse des caroles en se promettant encore plus de plaisir demain, après le sacre. C'est une aubaine pour Amiens que ce mariage royal... Pendant ce temps, Philippe regarde Ingeburge. Il n'a qu'une hâte : être seul avec elle et il sourit, déjà heureux, quand les dames, conduites par Adèle, emmènent la mariée pour la dévêtir...

Quand tous les rites sont accomplis, il la rejoint dans la chambre jonchée de fleurs. Il est plein d'ardeur, plein de désir... et pourtant!... Quand il rejette les draps, quand il contemple sans voiles, sans ombre, toute la splendeur de la beauté d'Ingeburge, il sent fuir le désir. Sans ombre? Justement, il n'y a pas assez d'ombre, pas la plus petite ombre d'humanité sur cette perfection. Avec sa peau de lait et ses grands yeux trop clairs, la princesse n'a pas l'air vraiment vivante et la barrière du langage dressée entre les époux n'arrange rien. Que faire de quelques mots de latin pour animer une statue sous les caresses des mots? Les caresses, Ingeburge les attend, passive bien sûr, mais Philippe ne peut se résoudre à les lui dispenser. Par trois fois, il se relèvera, reviendra s'étendre auprès d'elle, la prendra même dans ses bras, mais sans parvenir à briser la glace qui l'enveloppe tout entier, se glisse dans ses veines comme une sorte de mort, le paralyse... Cette femme est trop belle.

« Son désir, écrit Levis Mirepoix, est comme égaré dans un désert de beauté... »

Alors Philippe se croit ensorcelé et prend peur. Ce corps inaccessible pour lui, en vient à lui inspirer peu à peu une sorte d'horreur et, finalement, il s'en éloignera le plus qu'il pourra pour tenter de dormir. Toute la nuit, les chandelles brûleront dans la chambre royale, à la grande inquiétude de la reine-mère qui n'a pas dormi elle non plus et qui regarde ces lumières, de son appartement.

Au matin, qui est le 15 août, fête de la Vierge Marie, alors que la ville se prépare pour le sacre de la reine, un huissier à verge vient frapper par trois fois au battant de la chambre royale. La porte s'ouvre alors découvrant le couple royal assis sur un lit de parade. Tous deux sont vêtus uniformément d'une tunique de satin rouge et d'une robe de toile d'argent. Ils sont superbes mais chacun peut voir que le roi, habituellement coloré de visage et l'œil vif, est pâle comme un spectre tandis que ses yeux bleus, d'une bizarre fixité, regardent devant eux sans paraître rien voir. Quant à la reine, il est plus que visible qu'elle a pleuré...

Au milieu d'un brillant cortège et d'une ville en délire, le couple gagne la cathédrale et vient s'agenouiller devant l'archevêque de Reims, Guillaume de Champagne, qui officie.

Frère d'Adèle, Guillaume de Champagne connaît bien son neveu et il n'a pas besoin de le regarder deux fois pour comprendre que quelque chose ne va pas. Ces deux-là n'ont certes pas la mine d'un jeune couple tout frais émoulu de sa nuit de noces. Mais il n'en faut pas moins que les choses suivent leur cours...

Les douze évêques qui assistent l'achevêque font de grands efforts pour avoir l'air de ne rien remarquer mais, soudain, c'est le drame : au moment de l'onction du saint chrême, comme deux diacres dénouent respectueusement les lacets d'or qui ferment certaines ouvertures de la tunique de la reine pour permettre d'oindre son corps, Philippe devient encore plus pâle. Les yeux agrandis d'horreur, il se cramponne soudain à la chape d'or frisé de son oncle et tremble en contemplant la jeune femme. Ses lèvres blêmes murmurent quelque chose sans qu'aucun son sorte de sa bouche et comme Guillaume de Champagne secoue doucement sa chape pour lui faire lâcher prise, Philippe a, vers Ingeburge qui ne peut retenir ses larmes, un geste des deux mains, un geste d'effroi qui repousse...

Dans l'église chacun retient son souffle. Tous les regards sont posés sur l'archevêque dont la main, enduite d'huile sainte demeure en l'air... Il hésite visiblement. Puis, soudain, il se décide : sa main descend, se pose sur le front du roi, s'y appuie fortement dans un appel désespéré à la réalité... Philippe a un frisson mais les couleurs, peu à peu lui reviennent. Il regarde Guillaume et pousse un profond soupir auquel fait écho celui de l'archevêque. La cérémonie reprend son cours, lente, solennelle, interminable...

Après l'action de grâces, le roi et la reine quittent la cathédrale au chant des cantiques et prennent le chemin qui les ramène au palais au milieu de folles acclamations qui font renaître un sourire dans les yeux et sur les lèvres d'Ingeburge... Hélas, elle n'a guère le temps de se conforter dans ce courage qui lui revient. A peine aperçoit-il les imposants bâtiments que Philippe, comme un cheval qui sent l'écurie, prend le mors aux dents, presse l'allure entraînant le cortège au pas de course et, à peine franchie la porte, plante là Ingeburge effarée sans lui adresser ni mot ni regard et se précipite chez lui, réclamant d'urgence ceux de son conseil.

Ils accourent, bien sûr, l'archevêque de Reims, le chancelier Guérin l'Hospitalier, Étienne de Tournay et les autres. Ils trouvent le roi assis dans son haut fauteuil de bois sculpté. Il a retrouvé ses couleurs. La panique dont il a été victime tout à l'heure s'est dissipée mais elle a fait place à la colère, une colère froide où se retrouvent ses déboires de mâle frustré et ses déceptions touchant les négociations de la dot. Il y a là aussi son médecin, le moine Rigord, et son chapelain, Guillaume Le Breton qui tous deux ont rapporté la scène.

En fait, Philippe ne réclame point conseil. Il raconte, il se raconte : la nuit désastreuse, le maléfice qui lui a « noué l'aiguillette » en face de cette femme dont la beauté inhumaine ne peut venir que du Diable. Il est ensorcelé, il le sait, et il ne peut tolérer l'idée de le rester. Cela ne peut être bon ni pour lui-même ni pour le royaume...

Alors pourquoi n'avoir rien dit avant le sacre?... Pourquoi avoir laissé Ingeburge recevoir l'onction sainte?... Eh bien, justement parce qu'il comptait sur la puissance du sacrement pour abattre le maléfice. Dans sa foi de chrétien, il pensait que Dieu balayerait le Diable mais Dieu ne l'a pas voulu! Philippe l'a bien compris quand la terreur s'est emparée de lui au moment où l'on ouvrait, si peu pourtant, la robe d'Ingeburge sur son corps démoniaque. Il est impossible qu'il continue à vivre avec cette femme. Il faut la renvoyer. Il faut qu'elle reparte avec ceux qui l'ont amenée! Au point de vue politique le dommage ne sera pas grand puisque l'on n'a rien obtenu de ce que l'on espérait. Et il fait dire aux envoyés danois que la princesse va leur être remise afin qu'ils la ramènent à son frère.

On devine comment ceux-ci prennent la nouvelle. La seule idée de ce que leur dira Knut lorsqu'ils lui ramèneront sa sœur, et surtout de ce qu'il pourrait leur faire, leur donne des battements de cœur : le jeune roi n'est pas plus tendre que son père et ses réactions peuvent être fort désagréables. On l'a bien vu quand on lui a rendu tour à tour sa mère et sa sœur...

Cette fois, d'ailleurs, l'échappatoire est plus facile et les Danois ne la manquent pas : il n'y a plus d'Ingeburge de Danemark. Elle est non seulement mariée mais sacrée et ils n'ont plus rien à voir avec une reine de France qui, elle, n'a plus rien à faire au Danemark. Et, pour être bien sûrs que ces Français tortueux ne vont pas leur opposer quelque astuce de leur façon, les Danois plient bagages et reprennent, à grande allure, le chemin de leur pays...

Reste Ingeburge. C'est l'interprète habituel, le chanoine Guillaume, qui est chargé de lui expliquer ce qui se passe. Une corvée qui lui met les larmes aux yeux mais il faut bien qu'il s'exécute.

Or, à sa grande surprise, Ingeburge ne réagit absolument pas comme il s'y attendait. Certes, elle commence par pleurer lorsqu'il lui apprend la décision de Philippe – qui n'en ferait autant à sa place? – mais lorsque le chanoine ajoute que les envoyés danois ont reçu l'ordre de la ramener à son frère, elle se calme et c'est avec beaucoup de fermeté qu'elle fait entendre son point de vue : le roi de France l'a épousée...

« Oui, coupe le chanoine, mais il nous a dit s'être trouvé dans l'impossibilité de consommer le mariage.

– Qu'appelez-vous consommer? Nous avons couché ensemble...

– Sans doute mais cela ne suffit pas et...

– Moi cela me suffit. En outre, j'ai reçu la couronne qui m'est remise au nom de Dieu. Je suis reine de France et rien ni personne ne m'y fera renoncer... »

Guillaume a beau plaider, prier, représenter qu'il peut être dangereux d'exciter la colère de Philippe Auguste, rien n'y fait : Ingeburge s'en tient à ce qu'elle a dit. Reine elle est, reine elle restera! Le Danemark ne doit plus être, pour elle, qu'un souvenir...

Il ne reste plus au bon chanoine qu'à venir rendre compte de son ambassade en se demandant avec angoisse comment le roi va prendre tout cela... La réponse vient d'elle-même : très mal! Et c'est pire encore qu'il ne le craignait : d'une voix que la colère fait trembler, Philippe ordonne que la malencontreuse Ingeburge soit sur l'heure conduite au couvent des Dames de Saint-Maur tandis que lui-même regagne, à bride abattue, son palais de la Cité à Paris.

Au jour du mariage, il avait constitué en douaire pour la nouvelle reine, les terres de Crécy, Châteauneuf-sur-Loire, Neuville-aux-Bois ainsi que la prévôté d'Orléans, mais il ne saurait être question de l'envoyer occuper une de ces terres : elles sont à la reine de France et il ne veut plus d'Ingeburge dans ce rôle.

A Paris cependant les langues commencent à marcher : c'est une ville où les nouvelles ont toujours galopé la poste, même quand il n'y avait pas encore de poste. Le peuple s'émeut des bruits étranges venus d'Amiens et y cherche une explication. On murmure déjà que la Danoise a jeté un charme sur le roi, qu'elle lui a noué l'aiguillette et c'est une chose qui fait horreur à une époque où l'on craint le Diable plus que le feu. Le bruit prend facilement, d'ailleurs, car le souvenir de la reine Isabelle n'est pas encore effacé. On était prêt, bien sûr, à accueillir joyeusement la nouvelle reine que l'on disait si belle mais à la seule condition que le roi y trouve le bonheur car lui aussi on l'aime autant pour son courage et son bon sens que pour son énergie. On l'aime aussi pour le soin qu'il prend de la capitale : les rues, infects bourbiers jusqu'à ce temps, reçoivent peu à peu une vêture de gros pavés ronds, les murailles sont restaurées, agrandies, la forteresse du Louvre s'élève et une police active s'efforce de faire régner l'ordre et la sécurité. Enfin le roi sait se mêler au menu peuple. Les bains de foule sont assez son fait et il n'est pas rare de le rencontrer, vêtu simplement, baguenaudant par les rues, écoutant les propos, participant aux conversations, soulageant une misère...

Sur la Montagne Sainte-Geneviève où sont les collèges, des bagarres éclatent entre étudiants danois et étudiants français. Cela crée une effervescence dont il faut tenir compte ainsi d'ailleurs que d'autres bruits alarmants : on dit que Richard d'Angleterre a payé sa rançon, qu'il revient animé d'intentions belliqueuses... Il n'y a évidemment rien d'autre à attendre de ce foudre de guerre qui n'a jamais rêvé que plaies et bosses mais on dit aussi que le roi de Danemark, gravement offensé, est prêt à lui venir en aide avec ses navires pour envahir la France... On dit, on dit... que ne dit-on pas quand l'imagination brode sur ce que l'on ne sait pas clairement?

Enfermé chez lui, Philippe oppose un mutisme absolu à tous ces bruits. Lèvres serrées au seul nom d'Ingeburge, il refuse d'entendre quoi que ce soit. Une seule solution pour lui : la rupture d'un lien odieux et il ne cesse de presser l'archevêque de Reims et le collège des évêques de lui donner satisfaction.

Très ennuyé, Guillaume de Champagne atermoie, palabre, tente de raisonner son neveu. Il a essayé de lui faire entendre que les séquelles de sa maladie nerveuse ont pu causer chez lui une carence momentanée et que, peut-être, avec un peu de patience... Philippe lui a répondu en le regardant de travers et en prenant trois maîtresses coup sur coup. Voilà pour la carence!

L'archevêque s'en va alors trouver sa sœur. Adèle n'est pas plus satisfaite que lui des événements. Le fait que ses noirs pressentiments se trouvent vérifiés ne lui cause aucune joie et elle aimerait trouver une solution à cette situation invraisemblable. Aussi, un matin, après avoir longuement conféré avec Guillaume et certains conseillers de Philippe, elle entraîne son frère chez le roi...

Aux premières paroles qu'elle prononce, Philippe se cabre : on a entendu sa volonté, il attend à présent qu'on l'exécute. Guillaume de Champagne intervient alors. Que le roi consente au moins à une seconde tentative!

« Allez voir la reine, dit-il. Donnez cette preuve de bon vouloir à l'Église qui vous a bénis, au royaume et même au roi de Danemark... »

Peut-être l'étrange aversion du premier soir disparaîtra-t-elle? Qui peut savoir? Mais au cas où elle persisterait, lui, Guillaume archevêque de Reims s'engage à instruire immédiatement le procès d'annulation. Mais qu'au moins le roi fasse un effort! On ne peut, sur une seule nuit manquée, engager l'avenir d'un royaume...

C'est à la fois la sagesse et l'espoir. Philippe a trop de bon sens pour ne pas en convenir. Soit! Il essaiera encore... et même il va essayer tout de suite! Dès le lendemain, flanqué de son oncle, d'Étienne de Tournay et du chanoine Guillaume qui donnerait cher pour être ailleurs, il monte à cheval et se rend à Saint-Maur où l'arrivée tumultueuse de cette troupe d'hommes sème la panique chez les nonnes...

Dans un grand envol de robes blanches et de voiles, les saintes filles éperdues et rougissantes s'égaillent comme une volée de mouettes quand le pas de Philippe résonne sur les dalles de leur cloître. On sait – ou l'on devine – quelle étrange cérémonie risque de se passer dans l'une des cellules et il y a de quoi mettre en émoi toutes ces femmes vouées à la chasteté. Dans leur imagination le roi, oint du Seigneur, redevient l'homme et traîne après lui une odeur de soufre fort troublantee.

Prévenue, Ingeburge attend Philippe dans sa chambre. Quand il paraît, flanqué du chanoine Guillaume, celui-ci explique à la recluse que le roi vient animé des meilleures intentions et qu'elle doit s'efforcer de lui faire bon accueil. A Philippe, il chuchote qu'Ingeburge est remplie de crainte et qu'un peu de douceur, peut-être... Pour toute réponse, Philippe le prend par les épaules et le met à la porte. Il n'a que faire d'un chanoine pour vaincre cette créature anormale. Il a tort, sans doute, car la barrière du langage demeure et lui ne voit, dans cette entrevue, qu'un combat à mener...

Le temps passe, mortel pour ceux qui attendent, dans le jardin, le résultat de cette curieuse démarche en un tel lieu... Au bout d'une demi-heure qui paraît un siècle, la porte s'ouvre enfin et chacun retient sa respiration...

Hélas, quand le roi sort il est frémissant de rage et derrière lui la porte retombe avec fracas. Pas assez fort cependant pour que l'on ne puisse entendre des sanglots... A ceux qui attendent, Philippe lance que le maléfice demeure et qu'ayant tenu sa promesse, il attend d'eux, à présent, qu'ils tiennent la leur. Il ne peut pas approcher cette femme : elle lui fait horreur... Et il le répète plusieurs fois : horreur, horreur, horreur!... Il veut qu'on l'en débarrasse...

Mais Ingeburge refuse toujours de s'en aller. Au milieu d'un torrent de larmes, elle jure qu'à Saint-Maur comme à Amiens elle a bien appartenu à Philippe mais elle est incapable de s'expliquer plus clairement là-dessus. Excès d'innocence sans doute, bien compréhensible chez une jeune fille non avertie. Une chose est certaine : elle veut rester reine de France parce que... eh bien, parce qu'elle aime Philippe!

Cela n'arrange rien. Devant cette impasse Guillaume de Champagne réunit à Compiègne, le 5 novembre, l'assemblée des prélats et des grands feudataires afin de trancher le débat. Ingeburge est appelée à comparaître. Fière et calme, mais les yeux rougis, elle vient s'asseoir au milieu du cercle de ces hommes qui l'observent gravement. Les débats durent longtemps. Pourtant elle ne se départit pas un seul instant de sa ligne de conduite : elle est la femme de Philippe Auguste, la reine de France et elle entend le rester...

Qui croire? Naturellement, l'assemblée penche davantage vers le roi qui n'a aucune raison de faire si hautement étalage d'impuissance même momentanée. Et comme il faut, par décence, trouver autre chose que la non-consommation, on déniche un vague lien de parenté prohibitif entre les époux et, là-dessus, l'archevêque de Reims prononce la dissolution du mariage.

Quand on lui traduit le verdict, Ingeburge se lève, soudain furieuse.

« Mala Francia! s'écrie-t-elle Roma! Roma! [1]

Guillaume de Champagne étouffe un soupir. Si cette entêtée en appelle à Rome, les ennuis ne sont pas finis! Mais il est impossible de l'en empêcher.

Et, en effet, les ennuis ne font que commencer. C'est une lutte de près de vingt années qui commence entre Ingeburge et Philippe, une lutte étrange, épuisante et pleine de péripéties.

Pour commencer, le roi ordonne que l'entêtée soit conduite au couvent des Augustines de Cysoing, près de Tournai, c'est-à-dire hors de France, en terre d'Empire, chez le pire ennemi du roi de Danemark. La pauvre créature va y séjourner plusieurs années dans un dénuement à peu près total car Philippe ne pousse pas la grandeur d'âme jusqu'à payer sa pension : Ingeburge vendra peu à peu tout ce qu'elle possède, y compris ses

1. « Mauvaise France! Rome! Rome! »

robes de princesse. Évidemment, si elle souhaite en finir avec cette triste condition elle en a le moyen. Mais ce moyen, justement elle ne l'emploiera jamais. Seules consolations dans sa solitude : les visites fidèles d'Étienne de Tournay et du chanoine Guillaume qui ne cessent de se reprocher de l'avoir entraînée dans cette galère matrimoniale.

Comme elle l'avait annoncé, la reine reniée s'est plainte à Rome où le pape Célestin III a refusé de reconnaître le jugement de divorce mais sans lancer la moindre foudre canonique. C'est un vieillard de plus de quatre-vingts ans et il a grand besoin du roi de France qui d'ailleurs s'en soucie comme d'une guigne. Il a mieux à faire...

Trois ans après la nuit d'Amiens, Philippe, en effet, accueille une nouvelle épouse. Elle se nomme Agnès de Méran, ou de Méranie. Elle est la fille d'un frère d'armes, un ancien compagnon de croisade, Berchtold, duc de Méran, de Dalmatie et autres lieux. Elle est aussi brune qu'Isabelle de Hainaut était blonde et Ingeburge rousse et, quand il l'accueille, sur la route de Compiègne, Philippe reste un instant frappé de stupeur... à la grande terreur de l'entourage : est-ce l'affaire d'Amiens qui va recommencer? Non. C'est très différent cette fois : ce n'est plus l'étonnement quasi paralysant en face d'une beauté presque surnaturelle, c'est le plus humain, le plus brutal des coups de foudre en face d'une créature exquise. Et qui mieux est, le coup de foudre est réciproque : Agnès s'éprend de Philippe à l'instant même où il tombe amoureux d'elle. Cette nuit de noces-là sera une réussite absolue et le simple prélude d'une passion digne d'une chanson de geste. C'est l'amour d'Aude pour Roland, celui de Tristan pour Yseult, celui de Lancelot pour Guenièvre... c'est l'aurore d'un grand bonheur d'où naîtront deux enfants : une fille et un garçon...

Un bonheur trop court car les choses vont se gâter très vite quand meurt le vieux et débonnaire Célestin III en janvier 1198. Malheureusement pour Philippe Auguste, celui qui le remplace n'est pas, et de loin, aussi facile à vivre et il n'y a guère de chance qu'il consente à quitter ce monde rapidement car il n'a que trente-huit ans. C'est le cardinal Lothaire de Segni, un Romain de grande race qui se métamorphose soudain en Innocent III, l'un des plus grands mais aussi des plus redoutables papes de l'Histoire.

Quand il monte au trône pontifical, il est déjà décidé à faire plier le roi de France, encouragé d'ailleurs par les incessantes suppliques d'Ingeburge et les réclamations du roi de Danemark. La lettre qu'il écrit pour annoncer son avènement est, sans doute, paternelle à souhait mais n'en laisse pas moins prévoir de gros ennuis si Philippe ne renvoie pas Agnès sur l'heure pour reprendre, au moins momentanément, l'indésirable Ingeburge. Rome, en effet, a cassé le jugement rendu par les prélats français et le roi, considéré comme bigame, doit se soumettre à la loi commune.

Pour lui faire avaler la pilule, Innocent ajoute qu'il ne refusera pas d'examiner l'affaire, d'autres annulations ayant été prononcées dans des conditions bien plus épineuses mais, conscient de ce que le roi a bafoué l'autorité pontificale, le pape exige, avant de procéder à quelque examen que ce soit, que les choses reviennent où elles en étaient après Amiens.

Mais Philippe Auguste dont la puissance grandit de jour en jour n'est pas un petit sire et il le sait. A la prose pontificale, il oppose le silence et les astuces de sa politique, ne fût-ce que pour gagner du temps et tenter d'amadouer Innocent III. Le pape, il le sait aussi, a besoin de lui, de son appui dans la querelle qui l'oppose à l'empereur et il entend bien le lui faire payer...

Cela marcherait peut-être avec un autre. Avec Innocent cela ne prend pas. Il envoie en France un légat, Pierre de Capoue, avec des instructions précises : le roi se soumettra et reprendra Ingeburge jusqu'à nouveau jugement ou bien il sera frappé d'excommunication avec sa complice et si cela ne suffit pas, ce sera l'interdit jeté sur la France...

Ce nouveau jugement que l'on agite devant son nez comme une carotte, Philippe n'y croit pas. Il n'a aucune confiance et, en dépit des trésors de diplomatie que dépense Pierre de Capoue, des promesses qu'il ne ménage pas, il demeure intraitable : il aime Agnès, il la gardera!

Chose étrange, le plus malheureux des deux, c'est le légat. Il aime et respecte profondément le grand souverain qu'est le Roi de France. Il l'estime à sa juste valeur et donnerait beaucoup pour qu'il accepte d'entendre raison. Devoir le condamner le rend malade mais allez donc raisonner un homme aussi passionnément amoureux que l'est Philippe! D'autre part, le légat ne peut prendre le risque de désobéir au pape et, le 6 décembre 1199, il réunit un concile à Dijon. Il y a là les archevêques de Reims – bien contre son gré celui-là! – de Bourges, de Vienne, dix-huit évêques, l'abbé de Vézelay, ceux de Cluny, de Saint-Rémy, de Saint-Denis « et beaucoup d'autres ecclésiastiques venus des côtes de Bretagne et jusque des sommets des Alpes... » Durant sept jours on délibère et, finalement, l'Interdit, le terrifiant Interdit qui frappe de mort spirituelle le royaume tout entier, est fulminé...

Mais, même cela ne fait pas plier Philippe. Sa colère s'abat sur les évêques du royaume qui ont osé prononcer sa condamnation, et aussi sur Ingeburge naturellement. Si Agnès ne le suppliait pas, il la ferait tuer. Il se contentera de l'arracher, de nuit, à son couvent et de la faire enfermer dans un lieu tenu soigneusement secret. Agnès lui est si chère qu'il est prêt à tout pour la garder.

Celle-ci le comprend si bien qu'elle va se sacrifier. L'amour de Philippe l'a faite reine et elle ne veut pas que le royaume souffre par elle. L'Interdit est une punition inhumaine, injuste car elle ne frappe que des innocents. Dans l'arsenal des punitions de l'Église il est le pire des châtiments mais il est aussi, sur l'Église, une tache parce que ce n'est rien d'autre qu'un ignoble chantage et le déni absolu de toute charité chrétienne. Le 1er septembre 1200

Philippe Auguste cédera aux prières de celle qu'il aime.

Il fait venir le légat et lui dicte les conditions de sa reddition : Agnès partira pour le château de Poissy tandis qu'il recevra Ingeburge à Saint-Léger-en-Yvelines, mais il entend qu'après six mois le procès en nullité soit ouvert et... conclu comme il l'entend. L'ambassadeur papal tente bien de discuter : c'est Paris qui doit accueillir la reine mais Philippe est intraitable : c'est cela ou rien!

On s'en tient là. D'ailleurs les instructions d'Innocent III ordonnent de ménager le roi s'il fait preuve de bonne volonté. Le lendemain Agnès quitte son époux pour Poissy avec une suite nombreuse et Adèle qui s'est attachée à elle. Quelques jours plus tard, Ingeburge amaigrie et changée mais toujours belle reparaît. Visiblement l'aversion qu'elle inspire au roi est intacte et sa politesse glacée est de pure commande mais l'Interdit est levé. Le royaume va revivre. C'est l'essentiel.

Incapable de reprendre la vie commune avec la Danoise, Philippe la fait conduire dans un couvent confortable où elle recevra tous les honneurs dus à une reine mais il s'attache surtout à faire ouvrir le procès qui le libérera complètement d'elle...

Un concile s'ouvre enfin à Soissons et le roi fonde sur lui les plus grandes espérances, ignorant qu'Ingeburge a encore écrit à Rome pour se plaindre, du légat cette fois, qu'elle a trouvé trop attentif à plaire à Philippe. Le résultat ne se fait pas attendre : Innocent envoie un autre légat, un bénédictin austère et cassant, le cardinal de Saint-Paul, qui cherche tant de tracasseries au roi que celui-ci décide d'en finir avec un concile qui tremble visiblement et de le couvrir de ridicule : montant à cheval, il galope jusqu'au couvent où réside Ingeburge, l'enlève littéralement en criant bien haut que puisque le concile est incapable de dire si elle est sa femme ou non, il va la garder...

Vexé le cardinal de Saint-Paul regagne Rome où le pape

trouve que l'affaire a assez duré. Il n'a aucun intérêt à rendre fou le roi de France et, cette fois, il envoie le légat Octavien avec ordre de réunir un nouveau concile... et à cette occasion de libérer le Capétien!

Hélas, le concile est à peine réuni qu'Agnès, qui vient de donner le jour à un petit garçon, Tristan, qui ne vivra pas, meurt en couches...

La douleur de Philippe est terrible. Le concile, terrifié, se sépare en hâte. Il est devenu sans objet et craint fort les représailles, mais c'est Ingeburge qui fait les frais de la colère royale car Philippe la tient pour responsable de la destruction de son bonheur. Enfermée au château d'Étampes, elle y sera traitée en prisonnière. Elle y demeurera douze ans...

Elle n'y mourra pourtant pas. Elle aura même finalement, le dernier mot. En 1213, comme, avec la cinquantaine proche, le poids des années se fait sentir et que son entourage le harcèle pour que cesse un état de fait pénible pour tous, Philippe la libérera, la rappellera auprès de lui et lui rendra les honneurs royaux. Au fond tout cela n'avait plus d'importance à ses yeux puisque Agnès l'attendait ailleurs...

Mais jamais la Danoise ne sera sa femme selon son cœur ni selon la chair...

LA NUIT DE L'ABANDON : PIERRE LE CRUEL ÉPOUSE BLANCHE DE BOURBON

Le couple est superbe : une double image de missel sous les voûtes sonores de la cathédrale de Valladolid. Pierre Ier de Castille a dix-huit ans, Blanche de Bourbon, nièce du roi de France Jean II le Bon, n'en a pas quinze mais tous deux sont blonds, tous deux sont beaux, tous deux sont l'image même de la jeunesse sous leurs robes identiques, de brocart d'or fourré d'hermine. Et le peuple de la ville qui se presse aux portes sous le soleil de ce jour de septembre 1352, préparant ses acclamations pour la sortie, est persuadé qu'il assiste à l'éclosion d'un roman d'amour. Depuis la nuit des temps, les peuples ont aimé croire au bonheur de leurs princes...

A l'intérieur de l'église, la cérémonie s'achève au grand soulagement du chancelier de Castille, Juan Alphonse d'Alburquerque dont ce mariage est l'œuvre. Cette fois, tout est dit : il n'y a pas à y revenir mais jusqu'à l'instant des consentements, Albuquerque s'est vraiment demandé si cette union, si soigneusement préparée, n'allait pas tourner à l'aigre et se changer en guerre avec la France. C'est que le jeune roi n'a montré jusqu'à présent à sa fiancée que la plus offensante indifférence. Il ne l'a même pas regardée...

Le jour où la princesse a franchi la frontière de Castille, seul Albuquerque s'est trouvé là pour l'accueillir : le roi chassait dans le sud de l'Espagne en compagnie de sa maîtresse et n'avait pas daigné se déranger. Il avait fallu des trésors de diplomatie pour expliquer la chose aux Français. Pour empêcher les épées de voir le soleil, le chancelier a prétexté une indisposition de son maître, ajoutant qu'il était naturel qu'un fiancé souhaite se montrer sous son meilleur jour et les choses se sont arrangées... A présent, Dieu en soit loué, tout est terminé et il n'y a aucune raison pour que le reste ne se passe pas au mieux : Blanche de Bourbon est ravissante, bien assez jolie pour retenir auprès d'elle un époux de dix-huit ans, même amoureux d'une autre...

En évoquant le charmant visage de Maria de Padilla, que lui-même a jadis poussée dans le lit de Pierre, Albuquerque soupire de nouveau, mais de regret cette fois. Il a cru bien faire en donnant une maîtresse à un jeune maître dont la violence, les ardeurs sauvages et la précoce cruauté l'inquiétaient. Non sans raison...

Quand, deux ans plus tôt, Pierre a pris possession du trône laissé vacant par son père, Alphonse le Vengeur, mort de la peste devant Gibraltar, son premier soin a été d'assouvir férocement tout ce qu'il croyait avoir de vengeances à exercer. La première, la maîtresse du feu roi, la belle Leonor de Guzman qui lui a donné plusieurs fils bâtards, les Trastamare, a été sauvagement assassinée sur l'ordre de Pierre au château de Medina Sidonia. Ensuite, plusieurs des anciens conseillers d'Alphonse, dont Juan Nuñez de Lara, ont payé de leur vie leur attachement au roi défunt et les quelques conseils qu'ils ont eu l'audace de donner à ce roi de seize ans. Albuquerque, après avoir assisté à ce débordement de sauvagerie, a compris que son tour pourrait bien venir s'il n'offrait pas une diversion à Pierre et, bien qu'il eût déjà entamé les pourparlers avec la France en vue du mariage, il a pris le risque de lui présenter, un soir au retour de la chasse, une éblouissante créature qui était un peu sa pupille : Maria de Padilla.

Le succès a été foudroyant : les cheveux noirs, les yeux clairs et le corps charmant de la jeune fille, de deux ans seulement son aînée, ont séduit Pierre au point que, dès ce premier soir au château de Ṣahagun, il l'a entraînée dans sa chambre. Le lendemain en repartant pour Valladolid, il l'emmenait avec lui mais s'arrêtait à Tordesillas et s'enfermait avec elle, durant des semaines... L'entourage royal pouvait respirer. D'ailleurs les exécutions sommaires cessèrent.

Albuquerque espérait une simple diversion mais il avait déchaîné une véritable passion et les difficultés recommencèrent quand on reparla mariage. Pierre ne voulait rien entendre : Maria venait de lui donner une fille et il était heureux auprès d'elle, passant le plus clair de son temps dans son Alcazar de Séville qui était sa résidence préférée, chassant et festoyant entouré d'une cour de Maures et de Juifs qui étaient ses serviteurs favoris. Il y vivait dans un luxe oriental et les gazes translucides, perlées ou brodées seyaient à la beauté de Maria. Chaque jour, pour le plaisir du maître, la « sultane » se rendait à la piscine des anciennes sultanes almohades, y prenait son bain en public afin que chacun pût admirer sa beauté, après quoi ceux que Pierre distinguait ou qui souhaitaient lui faire leur cour, venaient recueillir dans le creux de la main, pour la boire, un peu de l'eau sacralisée d'où sortait la maîtresse royale.

Un soir Pierre piqua l'une de ces rages dont il était coutumier : un officier de sa garde s'était refusé à la galante libation. Sa tête faillit voler mais l'homme ne perdit pas son sang-froid :

« Je craindrais, après avoir goûté la sauce, dit-il, d'être tenté par le perdreau... »

Le roi éclata de rire. L'insolent était sauvé.

La tête d'Albuquerque, elle aussi, avait été fort en danger quand il avait insisté pour la conclusion du mariage français. Pourtant il avait tenu bon et Pierre, devant la raison d'État, finit par s'incliner...

A présent, la cérémonie est terminée. Se tenant par la main, Pierre et Blanche marchent, dans le tonnerre des cantiques, vers le soleil de la place où les attendent deux mules jumelles. Mais, avant même que l'on ait atteint le portail, le jeune roi laisse tomber la main de son épouse et, sans plus s'en occuper monte sur sa mule pour prendre la tête du cortège. Il est si raide, si glacial que sa mère, Marie de Portugal, s'inquiète. Quel genre de nuit de noces va connaître cette petite Blanche dont le regard, déjà tendre, a suivi la silhouette de l'époux? Et plus Albuquerque, tout à la joie de voir dûment béni ce mariage difficile, se rassure, plus la reine mère se tourmente.

Elle n'a pas tort. A peine achevé le festin rituel et tandis qu'elle conduit Blanche à la chambre nuptiale, Pierre disparaît... Chacun pense qu'il est en train de se préparer dans son appartement mais, chez la jeune reine, une longue attente commence, interminable, bientôt angoissante. C'est seulement quand Marie de Portugal, non sans inquiétude car elle connaît ses réactions, se rend chez son fils qu'elle apprend la vérité : dès la fin du repas, Pierre s'est fait seller un cheval et il a quitté la ville.

Il n'est pas difficile d'imaginer où il est allé : au château de Montalvan, chez Maria de Padilla.

La jeune femme l'a accuelli avec un mélange de joie et de crainte. De joie parce qu'elle l'aime et qu'aucune femme amoureuse n'aime se voir supplantée par une autre; de crainte parce que l'attitude de Pierre est une offense cruelle pour le roi de France qui pourrait chercher à en tirer vengeance. Aussi, dès le lendemain, le supplie-t-elle de retourner auprès de sa femme. Il faut que les seigneurs français qui ont accompagné Blanche le voient auprès d'elle afin qu'ils puissent repartir rassurés.

Pierre admet que le raisonnement est sage et il retourne à Valladolid. Il y passera deux jours, pas un de plus : le temps de réexpédier les Français mais aucune force humaine ne lui fera franchir le seuil de la chambre de Blanche. Bien qu'il ne soit pas, et de loin, l'homme de la fidélité, bien que ses appétits sexuels soient exigeants et que la Française soit belle, il n'y touchera pas. Et s'il l'emmène avec lui à Séville, ce n'est certes pas pour l'installer à l'Alcazar où Maria l'a précédé sur son ordre : il la laisse à la garde de l'évêque de Séville qui a ordre de l'empêcher de sortir et qui en répond sur sa tête.

Et quand la pauvre petite reine lui demande timidement ce qu'elle va faire dans cette maison inconnue, il lui ordonne méchamment de lui broder une bannière : « le fond couleur de son sang et la broderie couleur de ses larmes... » Et puis il s'en va.

Il va l'oublier là pendant près d'une année. Il est même décidé à l'oublier tout à fait et, pour bien marquer cette volonté, il oblige l'évêque de Salamanque à annuler son mariage avec Blanche, déclare qu'il envoie la princesse à Cadix pour la faire embarquer à destination de la France... et, en fait, la fait enfermer sous bonne garde dans la forteresse de Medina Sidonia, entre Jerez et Algesiras. C'est, au milieu d'un pays de landes incultes, une demeure sans grâce et sans agrément mais qui a déjà servi à Pierre : c'est là qu'il a fait enfermer, puis assassiner Leonor de Guzman...

De son côté Maria de Padilla ne cesse de protester contre son comportement et cela lui déplaît. Alors, pour qu'elle comprenne bien qu'elle n'est pas l'unique, il décide brusquement de se remarier. Il épouse une certaine Juana de Castro, une belle Sévillane qu'il délaisse d'ailleurs presque aussitôt.

Mais l'horizon se couvre pour Pierre le Cruel. L'Aragon, l'éternel ennemi de la Castille lui déclare la guerre. Cela tombe mal : le Trésor est à sec. Pour se procurer de l'argent, le roi pressure un peu ses amis juifs mais surtout il pille, sans la moindre vergogne, les tombeaux de ses ancêtres afin de récupérer les bijoux et l'or qui parent leurs dépouilles. Il dépouille aussi la chapelle de la Vierge sans un battement de cil : n'est-il pas plus musulman que catholique? Cela lui rapporte quelque deux mille pierreries : saphirs, émeraudes et topazes plus le rubis, gros comme un œuf de pigeon qui ornait le pommeau de l'épée du roi Ferdinand.

Ainsi renfloué, il entreprend d'assurer ses arrières. Leonor de Guzman a laissé cinq fils illégitimes. Pierre les fait assassiner l'un après l'autre, à coups de masse par ses arbalétriers maures qui lui rapporteront leurs têtes à l'arçon de leur selle. Même l'aîné, Don Fadrique avec qui le roi prétendait entretenir de bons rapports, est abattu comme il pénètre dans l'Alcazar et son cadavre est apporté à Pierre qui achève de souper et à qui cette vue ne coupe pas l'appétit. Pourtant, il ne sera jamais tranquille car l'un des infants lui a échappé et c'est le plus dangereux : Henri de Trastamare, réfugié en Aragon, s'est assuré l'aide du roi mais il garde, en Castille, des partisans, et des partisans qui passent de fort mauvais moments. Chaque fois que l'on peut mettre la main sur l'un d'eux, il est brûlé, écartelé, coupé en morceaux... Malheur aussi aux habitants des 00llages suspects d'avoir laissé passer Henri; les gens de Miranda sont là pour en témoigner : on a jeté tous leurs notables dans de grandes chaudières et on les a fait bouillir vivants...

La guerre civile à présent fait rage. Un instant, Pierre est pris par l'ennemi qui l'enferme à Toro mais il parvient à s'évader et à rejoindre son armée.

Toute cette sanglante agitation jointe à la bigamie du roi ne pouvait guère laisser le pape indifférent. Indigné des procédés de Pierre, Innocent VI a, d'Avignon, lancé contre lui l'excommunication majeure qui délie ses sujets de l'obéissance. Cela ne sert strictement à rien avec un mécréant comme Pierre mais Maria de Padilla est non seulement bonne catholique mais très pieuse. Tout cela l'épouvante et à son tour elle s'enfuit, gagne un couvent dont Pierre viendra bientôt la tirer de force. A nouveau elle se retrouve enceinte.

Cette fois c'est un garçon et le roi décide qu'il sera son héritier. D'ailleurs, à présent, il veut épouser Maria et comme il ne peut, tout de même, encourir une nouvelle fois les foudres papales, il faut qu'il se débarrasse de Blanche de Bourbon...

Un soir du printemps 1361, Blanche, qui prie dans la chambre haute où elle vit dans le plus grand dénuement et qu'elle ne quitte jamais, voit entrer l'un des arbalétriers maures de Pierre. A la main, il tient une lourde masse d'armes.

Elle comprend très vite, la malheureuse, que c'est sa mort qui vient d'entrer. Alors, elle pleure et le poète traduira sa plainte :

« Ô France, mon noble pays, ô mon sang de Bourbon! Je viens d'avoir dix-sept ans aujourd'hui. Le roi ne m'a point connue. Je m'en vais avec les vierges. Castille, dis-moi, que t'ai-je fait?... »

Elle n'en dit pas plus. L'homme a levé sa masse. L'arme s'abat, fracasse la tête blonde dont le sang éclabousse les murs... Pierre le Cruel peut se croire libre : il vient en fait de signer son arrêt de mort car la France du roi Charles V lui demandera compte de cette mort.

Il n'en tirera pas davantage de bonheur. Maria de Padilla, épouvantée, s'est retirée dans le couvent de Santa Clara qu'elle a fondé mais elle se relève mal de ses couches. Une fièvre puerpérale se déclare et, dans les premiers jours de juillet, elle meurt à son tour laissant le Cruel en proie à un désespoir comparable à ce que sera un jour celui de Jeanne la Folle. Les funérailles de la favorite sont célébrées avec une pompe royale, tandis que le corps de la reine assassinée n'a eu droit qu'à une hâtive et nocturne sépulture.

Mais Pierre n'échappera pas à la malédiction divine. Deux ans plus tard, le fils de la Padilla meurt. C'est déjà un châtiment mais ce n'est pas le dernier : le roi va devoir faire face à la plus redoutable des invasions : celle des Grandes Compagnies qu'en 1367 le roi de France lui envoie sous le commandement de Bertrand Du Guesclin. Le terrible Breton escorte Henri de Trastamare, le seul survivant des enfants de Leonor de Guzman. Il porte aussi avec lui la colère de son roi qui l'envoie venger le sang innocent d'une fille de France.

Pierre que les siens, recrus d'horreur, abandonnent, se ette alors dans les bras des Anglais. Le fameux Prince Noir lui promet son aide et, à Navarette, Du Guesclin, rahi par l'un des chefs des Grandes Compagnies dont il a oulu débarrasser la France, est fait prisonnier.

Ce n'est qu'un mince répit. L'énorme rançon exigée par e Prince Noir qui estime le Connétable à sa juste valeur est apidement payée et Du Guesclin, sorti de Bordeaux, se ette à nouveau sur la Castille. A la bataille de Montiel, près de Tolède, il écrase définitivement Pierre le Cruel.

Il faut lui reconnaître cette qualité : Pierre Ier est loin l'être un lâche au combat. Il se bat bien mais la mort lorieuse sous une vaillante épée lui est refusée. Il ne le egrette guère d'ailleurs : la vie a du bon et, vaincu, il lui aut s'éloigner au plus vite pour tenter de refaire une rmée. Au soir de la bataille, sautant à cheval, il tente de 'enfuir mais se trompe de chemin et tombe droit dans le amp des Français.

Amené devant la tente du Connétable, il en voit sortir un omme qui tient au poing une dague nue : Henri de Trastamare, son demi-frère, l'homme qui le hait le plus au nonde. Un instant les deux princes se mesurent du regard uis, sans un mot, Pierre tire sa dague et se rue sur Henri. .es deux hommes roulent à terre, noués l'un à l'autre, mbrassés, soudés dans une lutte à mort... Des chevaliers se récipitent, veulent les séparer. Un geste de Du Guesclin es arrête :

« Laissez! C'est à Dieu de juger... »

La sentence divine ne se fait pas attendre. Quelques nstants seulement et Pierre le Cruel, la gorge tranchée, xpire dans le sable qui boit son sang. Celui qui se relève, oudreux et sanglant, va être le roi Henri II de Castille. Il a vengé ses frères, sa mère et les nombreuses victimes d'un ègne dont les siècles n'oublieront pas l'horreur. Le nalheur est qu'à son tour il succombera à la tentation du ouvoir despotique et sera presque aussi cruel que son rère...

LA NUIT MONSTRUEUSE :
MARIE-LOUISE D'ORLÉANS
ET CHARLES II D'ESPAGNE

Le 17 septembre 1678, la France de Louis XIV e
l'Espagne de Charles II signaient la paix de Nimègue qu
mettait fin à la guerre de Hollande. En pareil cas il étai
fréquent qu'un mariage vînt renforcer l'accord tout neu
conclu entre les anciens belligérants, tout au moins si le
circonstances s'y prêtaient.

On ne manqua pas à la règle. Le jeune roi Charles I
allait atteindre ses dix-sept ans. Il était donc bon à marie
en dépit d'un physique désastreux et d'une santé totale
ment délabrée due au fait qu'il était le résultat de hui
mariages consanguins. Quant à Louis XIV, s'il n'avait pa
de fille à marier, il avait une nièce : Marie-Louis
d'Orléans, dite Mademoiselle, fille de Monsieur, son frère
et de sa première épouse Henriette d'Angleterre. Une nièc
qu'il aimait beaucoup... avec peut-être la meilleure raiso
du monde. Nombreux étaient, à la Cour, ceux qui s
souvenaient encore de la romance passionnée qui avait, dè
son mariage, jeté la nouvelle Madame dans les bras de so
beau-frère. Nombreux étaient ceux qui voyaient en l
charmante Marie-Louise le résultat de cette romance...

Car elle était charmante. A seize ans, Mademoisell
possédait d'opulents cheveux noirs, de jolis yeux, un
bouche fraîche marquée de fossettes et un teint de camélia
De sa mère, elle tenait son charme et son caractère décidé
de son père – quel qu'il fût! – une beauté qu'il ne serai

enu à l'idée de personne de refuser au roi ou à Monsieur. lle ne manquait d'ailleurs pas d'adorateurs dont le plus onvaincu était le prince de Conti. Malheureusement, elle e leur prêtait aucune attention étant amoureuse, comme n l'est à cet âge, de son cousin Louis, le Grand Dauphin, ils de Louis XIV, personnage lent, lourd, endormi, grand mateur de chasse, de concerts et de siestes qui, d'ailleurs, e devait jamais être attiré que par des femmes laides. 'est dire qu'il ne s'intéressait pas du tout à sa jolie ousine...

Le 2 juillet 1679, le roi fait savoir au marquis de Los albazes, ambassadeur d'Espagne, qu'il accorde à son roi a main de Mademoiselle d'Orléans. Bien sûr, il en a 'abord entretenu son frère et Monsieur n'a pas fait preuve 'un grand enthousiasme : il aurait préféré voir sa fille pouser le Dauphin. En outre le portrait du roi Charles vec son long visage blême, ses lèvres épaisses et ses heveux raides n'a rien d'engageant.

« Et comme c'est un portrait de Cour, il doit être encore ire! » déclare Madame, ex-princesse Palatine, qui a son ranc-parler, même devant Louis XIV dont elle est 'ailleurs toujours secrètement amoureuse.

« Il est le maître du second royaume de la chrétienté », oupe son beau-frère qui, non sans raison, s'attribue la remière place. « Que signifie un visage plus ou moins eau quand il s'agit de régner?

– Cela signifie, fait Madame, logique, qu'on ne couche i avec un principe ni avec une couronne... »

Louis XIV sait bien qu'elle a raison mais sa nièce sur le rône d'Espagne c'est déjà la mainmise de la France sur 'empire de ce Habsbourg dégénéré que l'on dit impuissant, ue l'on surnomme l'Ensorcelé et qui, d'ailleurs, a déjà ubi cinq ou six exorcismes. Il n'est qu'épileptique ourtant mais, à l'époque, ce mal constituait la signature la lus certaine du Malin. Et le roi de France s'en va dire à Mademoiselle :

« Ma nièce, vous allez être reine d'Espagne! »

S'il s'attend à de la reconnaissance, ou même à de la simple obéissance, le Grand Roi va déchanter. La fille d'Henriette d'Angleterre a de la défense : elle refuse tout nét puis, quand on lui présente le portrait de son « prétendu » elle éclate en sanglots. Le Grand Dauphin est loin d'être un prix de beauté mais l'Espagnol lui paraît impossible.

Longtemps, Louis XIV plaide, explique avec une patience qu'il n'aurait eue avec personne d'autre. Finalement il lui dit – et c'est presque un aveu :

« Je ne pouvais faire mieux pour ma fille...

– Vous pouviez faire mieux pour votre nièce », riposte la jeune fille...

Mais elle sait bien qu'elle est vaincue. On n'a jamais dit « non » à Louis XIV.

La signature du contrat a lieu à Fontainebleau, le 30 août. Marie-Louise, que son oncle et son père couvrent de toilettes somptueuses et de bijoux, y paraît « en habit de couleur, en broderie d'or et d'argent que couvrait une mante de gaze rayée d'or ». Son père lui tient une main, le Grand Dauphin tient l'autre et la pauvre amoureuse a bien du mal à retenir ses larmes en pensant qu'il aurait pu la lui tenir en d'autres circonstances. Mais Monseigneur ne s'est jamais aperçu de cet amour. Bien mieux, tandis qu'il marche lentement auprès de la pauvre princesse, il se penche vers elle et murmure, badin :

« Vous m'enverrez du touron ma cousine?... »

Quelle horreur! Il lui réclame des sucreries quand elle brûlait de se donner à lui!

Le jour du mariage par procuration que célèbre le cardinal de Bouillon, c'est au tour d'un autre de souffrir. En effet, le roi a désigné le prince de Conti pour représenter le roi d'Espagne. Encore un amoureux qui devra se contenter d'un simulacre mais qui donnerait cher pour avoir le droit de marcher sur l'Espagne à la tête d'une armée!

Enfin, le 20 septembre, c'est le jour du départ. Le roi s'approche de sa nièce et lui fait ses adieux :

« Je souhaite, Madame, vous dire adieu pour toujours ar, souvenez-vous-en bien, le plus grand malheur qui ourrait vous arriver serait de revoir la France... »

Il peut être tranquille, elle ne la reverra pas et pourtant e plus grand malheur lui sera arrivé.

Une suite nombreuse accompagne la nouvelle reine u'entourent la duchesse d'Harcourt et la maréchale de Clérambault, plus sa dame d'atours, Mlle de Grancey. Mais parmi les hommes, Marie-Louise voit soudain aracoler le chevalier de Lorraine.

« Quoi? s'écrie-t-elle. Celui qui a empoisonné ma nère?... »

Décidément Louis XIV a toutes les attentions, mais la eune reine peut se rassurer : le chevalier n'ira pas jusqu'à Madrid. Monsieur, qui a beaucoup plus de chagrin qu'il ne veut le montrer, tient à accompagner sa fille le plus ongtemps possible : il fera route avec elle pendant une emaine et, à l'instant de la séparation, il ne pourra cacher es larmes. Mais il remmènera l'indésirable chevalier.

Le long voyage à travers la France automnale se oursuit, navrant pour celle qui part sans retour et sans 'espoir de trouver l'amour au bout du chemin. Pourtant, l'après une légende, un homme aurait suivi le cortège de la nouvelle reine, un simple roturier qui était l'un de ses maîtres – de musique ou de peinture – et qui, l'aimant passionnément n'aurait pu se résoudre à la perdre léfinitivement. L'aventure est peut-être vraie mais ce sont le ces secrets que l'Histoire survole et que l'historien ne peut jamais percer.

Par un jour de Toussaint froid et triste, on atteint enfin a Bidassoa, la rivière des « échanges » que l'infante Marie-Thérèse a franchie, une vingtaine d'années plus tôt, mais dans l'autre sens pour devenir reine de France. Là, Marie-Louise voit venir à elle les envoyés de son époux.

Le premier contact est pénible. L'Espagne, à bout de souffle au point de vue financier aussi bien qu'au point de vue militaire, stérilisée par l'or des Amériques, cache mal une misère déjà endémique. Les seigneurs espagnols, arrogants, pleins de morgue, portant de sombres velours râpés sous de fabuleux joyaux ne cèlent guère, comme jadis, leur mépris et leur mauvaise humeur en face de la somptuosité des ambassadeurs français que mènent le comte de Villars et le duc d'Harcourt. Ils sont si sombres et si peu avenants que la malheureuse princesse sent ses craintes lui revenir. Et quand, à la nuit tombante et à la lumière des torches, on lui fait franchir la rivière, escortée seulement d'une petite partie de sa suite, celle qui est autorisée à l'accompagner jusqu'au bout, elle éclate en sanglots désespérés.

La rencontre qu'elle fait, dans une maison située sur l'autre rive, de la Camerera Mayor, duchesse de Terranova qui va désormais régler son existence n'arrange rien. La duchesse est le prototype de la duègne : une vieille femme sèche, raide et compassée sous son vertugadin funèbre et qui, de sa vie, n'a dû savoir sourire. De toute évidence, elle est là pour « dresser » sa nouvelle souveraine, cette fille de France qui est, comme chacun le sait, le pays du laisser-aller. Victor Hugo a fait un sort illustre à ses recommandations incessantes :

« Madame, une reine d'Espagne ne rit pas... Madame, une reine d'Espagne ne chante pas... Madame, une reine d'Espagne ne regarde pas par la fenêtre ou par la portière... Madame, une reine d'Espagne n'adresse pas la parole à n'importe qui... »

Tant et si bien qu'au bout de quelques jours, la jeune reine aux prises avec cet épouvantail poussiéreux a pris en grippe la duchesse de Terranova... Mais bientôt, entre les Français et les Espagnols qui se regardent en chiens de faïence, une dispute éclate. Par l'indiscrétion d'une suivante, les ambassadeurs de Louis XIV apprennent que la cérémonie nuptiale, dont on leur avait dit qu'elle aurait lieu dans la cathédrale de Burgos, est prévue dans un modeste village, situé à seize kilomètres de la ville :

Quintanapalla... C'est là que le roi doit venir à la rencontre le sa fiancée et c'est là qu'il l'épousera.

La raison de ce choix étrange est simple et tient tout ntière dans l'état désastreux des finances espagnoles : orsqu'une ville sert de théâtre à un mariage royal, elle est xemptée d'impôts pour une année et, lorsqu'il s'agit d'une ille aussi importante que Burgos, la perte est sévère pour e Trésor. Un village de quelques feux a beaucoup moins l'importance.

Ce choix, qu'ils jugent injurieux, indigne les ambassaleurs français d'autant qu'ils apprennent en même temps qu'ils ne seront pas admis à la cérémonie faute de place. Effectivement, Quintanapalla est loin d'être une métropole t l'église est toute petite. Néanmoins, ils se mettent à la echerche du duc de l'Infantado qui conduit la délégation spagnole.

Or, voyant soudain passer, sur un âne garni de pompons, la Camerera Mayor qui se hâte vers la modeste naison de la reine, ils lui courent après pour lui faire leurs loléances et, comme elle refuse de les entendre, ils aisissent l'âne par la queue tout en couvrant la duègne l'injures variées qui s'achèvent par un solide coup de oussine appliqué sur le derrière de l'âne qui file comme in zèbre.

« Allez dire à votre maître, crie Harcourt, que si nous i'assistons pas à ce mariage, le roi, notre maître, en lemandera raison à l'Espagne! »

Plus morte que vive et passablement secouée, la duchesse itterrit plus qu'elle ne s'arrête devant la maison de la reine t se hâte d'informer le duc de l'Infantado des désirs de ces maudits Français ». Celui-ci promet de faire le nécessaire t presse la dame d'aller habiller la reine car le roi ne va pas arder à arriver en compagnie de l'archevêque de Tolède.

Tant bien que mal, on surcharge Marie-Louise de rocarts, de joyaux et d'un énorme manteau doublé l'hermine dont le poids la fait vaciller. On la coiffe et on ssaie de la maquiller mais c'est là une tâche impossible : la jeune fille, épouvantée de l'approche de ce mari dont elle a si peur, pleure tellement que la poudre et les fards se délayent, formant sur son charmant visage de tragiques et grotesques rigoles.

Hors d'elle, la Camerera Mayor tance si vertement la malheureuse – Madame, une reine d'Espagne ne pleure pas... – qu'elle réussit à tarir les larmes et à plâtrer littéralement cette figure désolée qui, dans ses brocarts dorés, finit par prendre l'aspect figé d'une idole. Mais enfin, elle est prête et il était plus que temps.

Quelques instants plus tard, Charles II, dans un costume de velours noir tellement brodé d'or qu'il brille comme un reliquaire, se précipite dans la chambre en s'écriant :

« *Mi reina! Mi reina!...*[1] »

Il le répète dix fois, vingt fois, entrecoupant ses exclamations d'embrassements frénétiques tandis que Marie-Louise, réellement figée cette fois mais d'épouvante, le regarde avec un mélange de pitié et d'horreur car ce qu'elle voit est pire encore que ce qu'elle craignait. Ce garçon de dix-huit ans est un avorton blême aux cheveux raides, légèrement bossu. Il a un long nez toujours humide, le menton en galoche des Habsbourg mais tellement accentué que la lèvre supérieure est très en retrait de la lèvre inférieure ce qui l'oblige à garder la bouche continuellement entrouverte. Dans son enthousiasme, il tremble et même il bave... C'est un personnage digne de la plume d'Edgar Poe.

Pour la malheureuse, livrée par la politique à ce dégénéré royal, la rencontre tient du cauchemar plus que du roman rose. Pétrifiée, Marie-Louise ne parvient même pas à répéter les quelques paroles que lui souffle la duchesse de Terranova et c'est Villars qui, avec l'habileté et la politesse de Versailles, traduit « l'émoi » de la fiancée de façon acceptable pour l'orgueil espagnol.

1. « Ma reine! Ma reine! »

La cérémonie nuptiale a lieu sur l'heure dans l'église du illage hâtivement décorée de draps et de tentures à répines d'or. Cela fait, et les angoisses du Trésor espagnol ûment apaisées, on quitte enfin Quintanapalla au grand oulagement de Marie-Louise qui avait craint un instant e devoir passer la nuit de noces sur les matelas de paille de a maison où elle a rencontré le roi. Mais on fait la route à oute allure car le roi est pressé de coucher avec cette jolie lle dont il porte autour du cou le portrait depuis des emaines.

A Burgos, où les notables font un peu la tête, on trouve out de même l'accueil et le logis auxquels peut prétendre ne reine d'Espagne. Les souverains s'installent au Palais e l'Archevêché, la fameuse « Maison du Cordon » que onnaissent bien les touristes du XXe siècle.

Là, ses femmes accommodent la reine pour la nuit u'elle ne voit pas approcher sans épouvante. Va-t-elle raiment devoir subir ce malheureux monstre qui bave en a regardant?...

L'attente est brève car l'époux est pressé. A peine Marie-Louise est-elle installée dans son lit que Charles pparaît. Il est en robe de chambre mais pour faire plus nartial, il a l'épée au côté. Et surtout il est encombré d'un ingulier déménagement : les yeux arrondis de stupeur, la eune reine constate qu'il transporte à la fois une grosse anterne allumée, un bouclier rond... et un vase de uit.

Cette apparition grotesque et inattendue a, au moins, un ieureux résultat : la reine oublie sa peur et éclate de rire. Jn rire qui, selon les observateurs attentifs de ce mariage hurissant, durera une partie de la nuit. Jamais reine n'a ant ri au cours de sa nuit de noces mais c'est un rire ierveux, plus triste peut-être que les larmes et qui 'achèvera en syncope, une bienheureuse syncope qui vitera à Marie-Louise d'Orléans le plus pénible d'une léfloration maladroite. Car, si Charles II est incapable de procréer, il n'est pas impuissant et la beauté de sa jeune

femme l'inspire : il faudra, au matin, l'arracher de sur ell
pour le rendre à ses devoirs d'État.

Le lendemain, Burgos offre à sa reine, dont le far
dissimule la mine pâle, une réception digne du temps d
Charles Quint avec un fastueux banquet au monastère d
Las Huelgas. Puis l'on se met en route, très lentemen
pour Madrid.

On va mettre six semaines pour atteindre la capitale, si
semaines que Marie-Louise passera assise à côté du roi
dans un carrosse de cuir noir, gai comme un corbillard, e
ouvert à tous les vents glacés de la sierra afin que le peupl
puisse contempler à son aise ses souverains. Le tout sur de
routes présentant plus de nids-de-poule et d'ornières qu
de surfaces sablées. A l'étape, on se couche de bonne heure
le roi n'entend pas perdre une seconde d'une intimit
conjugale qui rend sa femme malade. Si raide qu'elle soit
la duchesse de Terranova n'est ni aveugle ni tout à fai
inhumaine. Elle pense qu'à ce régime la jeune femm
n'atteindra pas Madrid et, chaque soir, elle lui fai
prendre une tasse de chocolat additionné d'un somnifère
Elle lui en fera prendre ainsi pendant quelque temps
singulièrement pendant la lune de miel passée dans l
charmant palais du Buen Retiro et jusqu'à ce que s'apais
un peu, pour raison de santé d'ailleurs, la frénési
amoureuse de Charles.

A Madrid, autre épreuve : la nouvelle reine doit faire l
connaissance de la reine mère, Marie-Anne, ex-archidu
chesse d'Autriche, dévorée par un cancer du sein et qui n
quitte jamais l'habit monastique. Elle est le centre d'un
coterie autrichienne dont la tête a longtemps été le jésuit
Nithard qui vient de mourir après avoir régné pratique
ment sur l'Espagne grâce à la reine. Il est remplacé par l
prince Colloredo-Mansfeld mais tous ces gens ont, de tou
temps et définitivement, voué à la France une hain
mortelle.

Dans ces conditions, aucune sympathie n'est possibl
entre les deux femmes et Marie-Louise s'aperçoit bientô

que la surveillance de la Camerera Mayor ne fait que doubler celle de la reine douairière.

Dans tout cela, elle finit tout de même par trouver un ami dans le chef du parti pro-français, le cardinal Portocarrero qui assume les fonctions de Premier ministre. Grâce à lui, elle parvient à se créer une existence supportable tout en restant compatible avec l'oppressante étiquette. Ainsi, le cardinal lui apprend que les couvents sont des lieux où une reine d'Espagne peut se rendre autant qu'elle le veut et que certains d'entre eux, beaucoup plus mondains que religieux, offrent des séjours assez agréables pour que l'on ait envie de les renouveler et plus gais que ceux des palais royaux, sombres, sinistres, aussi éloignés de l'éclatant Versailles et du ravissant château de Saint-Cloud, que Monsieur vient d'achever, que la terre de la lune. On y trouve aussi des distractions plus raffinées que les perpétuelles corridas, ces boucheries, ou les abominables autodafés où l'Inquisition, toujours active, traînait de malheureux Juifs ou chrétiens soi-disant coupables d'impiété.

Il était aussi plus aisé d'en sortir que des formidables alcazars où s'étiolait la royauté espagnole...

Quel rôle jouèrent-ils, ces couvents, dans la vie quasi momifiée de la reine Marie-Louise? On l'ignore, mais quand, après dix ans de cauchemar, la reine mourut subitement, le 12 février 1689 d'un « flux de ventre », on chuchota que la reine-mère et le prince Colloredo-Mansfeld l'avaient fait empoisonner. Mais on dit aussi que le roi avait donné l'ordre fatal dans une crise de jalousie furieuse car, dans cette mort étrange, une chose était certaine; épouse d'un roi incapable de procréer, la reine d'Espagne était enceinte...

Sa mort n'éteignit pas la passion du misérable prince auquel on l'avait livrée. Souvent, même quand on l'eut remarié à Marie de Neubourg, une Allemande hystérique, Charles se rendit dans le caveau de l'Escorial où Marie-Louise reposait. Il se faisait ouvrir le cercueil, embrassait, comme jadis Jeanne la Folle, le corps à demi défait de la charmante princesse venue de France et restait là longtemps, répétant, avec des larmes, les premiers mots qu'elle avait entendus de lui :

« *Mi Reina!... Mi Reina!...* »

LA NUIT DE LAEKEN S'ACHÈVE À MAYERLING...

A l'aube du 5 février 1875, l'une des sentinelles chargées de veiller sur les superbes serres du palais royal de Laeken, près de Bruxelles, qui comptent parmi les plus belles du monde, entend tout à coup, non sans surprise, l'écho de soupirs et de sanglots qui semblent venir de l'orangerie.

Inquiet et ne sachant trop que faire car c'est un tout jeune soldat, il se décide à aller voir, ouvre une porte, fait quelques pas, le cou tendu, l'oreille au guet, l'arme à la main se guidant sur le bruit qui grandit. Et soudain, à la lueur d'une bougie posée à même le sol, il découvre sous un oranger une jeune fille blonde en robe de chambre, ses cheveux en désordre croulant sur ses épaules en somptueuses vagues d'or et qui pleure désespérément, à demi couchée sur un banc, et le visage caché sous ses bras repliés.

Elle pleure tellement qu'elle ne sent même pas le courant d'air qu'a libéré la porte entrouverte. Le jeune soldat se hâte d'ailleurs de la refermer puis revient, ne sachant trop que faire. Il est déjà étrange de trouver une jeune fille en larmes au petit matin dans une serre royale mais quand cette jeune fille, qu'il n'a eu guère de peine à reconnaître, n'est autre que la fille aînée du roi, la princesse Louise que l'on a mariée la veille même à un prince étranger, cela dépasse les facultés d'assimilation d'une honnête sentinelle et risque même de toucher au secret de l'État.

Le jeune homme n'ose pas s'approcher. Il faudrait même qu'il regagne son poste, mais il pense tout à coup que les orangers ne vont pas s'en aller tout seuls et que personne ne lui reprochera un abandon momentané de sa garde : il n'est pas possible de laisser la princesse abandonnée dans cette serre, pleurant comme n'importe quelle servante congédiée. Et le voilà qui prend ses jambes à son cou, rentre au palais, grimpe jusqu'aux appartements de la reine Marie-Henriette, fait réveiller la dame d'honneur de garde et lui demande humblement la permission d'entretenir la souveraine d'une affaire grave ne souffrant aucun retard.

Élevée à la dure école des archiduchesses d'Autriche, la reine Marie-Henriette est une femme calme, assez froide même et douée d'une grande faculté de contrôle sur elle-même. Elle vient tout de suite, écoute ce que dit le garde, le remercie, demande un manteau et suit le jeune homme.

Quelques instants plus tard, Louise qui pleure toujours voit entrer sa mère et, sans autre explication, se jette dans ses bras pour y pleurer de plus belle.

« Oh, Maman!... C'est affreux!... C'est trop affreux!... »

La reine laisse passer le plus gros de l'orage et, tout en berçant sa fille, essaie de comprendre car, pour l'instant, Louise est incapable d'en dire plus. Marie-Henriette sait, d'expérience personnelle, que la recherche du bonheur des filles du Trône ne préoccupe guère les chancelleries et n'entre jamais dans les négociations d'un mariage royal, mais le désespoir de sa fille l'inquiète parce que rien, jusqu'à présent, ne laissait prévoir pareille fin de nuit de noces. Louise est normalement gaie, bien vivante, saine et jamais elle n'a montré pareil désarroi. Le mariage avec le prince Philippe de Saxe-Cobourg, officier dans la garde hongroise de l'empereur François-Joseph, semblait même lui plaire beaucoup...

En effet, quand son père, le roi Léopol II lui a présenté

son cousin Philippe comme un époux éventuel, Louise n'a manifesté ni répugnance ni hostilité, au contraire. Bien qu'il soit son aîné de quatorze ans, Philippe est grand, de belle prestance, brun avec de beaux yeux myopes (il porte des lunettes, c'est le seul défaut) et une barbe soyeuse. C'est un homme du monde, un excellent cavalier, un grand chasseur et il jouit, à la cour de Vienne, d'une situation privilégiée.

A Bruxelles il a séduit tout le monde. D'abord le roi, dont il est deux fois cousin : la mère de Léopold d'Orléans, fille du roi Louis-Philippe, étant sœur de Clémentine d'Orléans, mère de Philippe, puis par les pères, tous deux des Saxe-Cobourg. Ensuite ce fut la reine, heureuse de penser que sa fille aînée allait vivre dans cette ville de Vienne dont elle a toujours gardé la secrète nostalgie. Enfin, Louise elle-même : très romantique, la jeune fille a vu dans cet élégant militaire le chevalier de légende dont elle a toujours rêvé. En outre, elle a très vite découvert les joies de l'état de fiancée. Les toilettes et les bijoux de sa corbeille de mariage l'ont transportée de joie car Louise, très coquette, n'appréciait guère la mode austère à laquelle on la soumettait.

Le mariage, dans un Bruxelles en fête, a été magnifique. Louise rayonnait sous d'admirables dentelles auprès d'un Philippe superbe dans son magnifique uniforme et, visiblement, très amoureux de sa blonde fiancée. Et quand les portes de la chambre nuptiale se sont refermées sur eux chacun pensait qu'une nuit agréable se préparait. Et voilà qu'au bout de cette nuit, Louise, au lieu de dormir paisiblement dans les bras de son époux, sanglote dans l'orangerie comme une enfant abandonnée.

Au bout d'un moment, la reine relève doucement le visage tuméfié de sa fille.

« Peux-tu me dire à présent? Qu'est-ce qui est si affreux? »

Tout! Tout est affreux! Le mariage, cet homme... cette brute plutôt! Et Louise d'expliquer comme elle peut l'affreuse aventure de sa nuit : le tendre fiancé changé soudainement en satyre déchaîné se jetant, complètement nu – même les lunettes avaient disparu – sur sa proie. Il l'a littéralement violée après lui avoir arraché sa chemise de nuit. Il l'a brutalisée : ses épaules, ses bras, sa gorge portent les traces de l'assaut. L'homme élégant s'est changé par une sorte d'affreux sortilège en une bête qui grognait, une bête qui a fait mal à Louise et qui avant de s'abattre enfin en travers du lit pour y ronfler a recommencé par trois fois ses horribles agissements...

Cette fois la reine a compris. Le malheur veut que son gendre soit un homme habitué, depuis l'adolescence, à la vie de garnison, aux plaisirs et aux filles faciles. La trentaine atteinte il est devenu incapable de faire la différence entre une adolescente de dix-sept ans et une courtisane. Le désir, évident que lui inspirait sa fiancée a fait le reste et, à présent, le mal est fait...

Souhaitant qu'il ne soit pas irréparable, Marie-Henriette essayera, patiemment, de recoller les morceaux de ce ménage déjà prêt à sombrer. Elle s'efforcera d'expliquer à sa fille combien une première nuit peut être décevante, plaidera de son mieux la cause d'un mari trop pressé, tentera d'expliquer la part de sauvagerie que le désir peut déchaîner chez un homme, surtout quand il a bu peut-être un peu trop. Enfin, elle parlera devoir : Louise est mariée devant Dieu et devant les hommes. C'est une situation irréversible et elle doit tenter, honnêtement l'expérience de la vie conjugale...

Son plaidoyer achevé, la reine ramène sa fille chez elle et dans la journée, elle aura un entretien avec son gendre, s'efforçant de lui faire comprendre que des ménagements seraient de mise. Philippe a commencé par tourner la chose en plaisanterie mais, devant la mine grave de sa belle-mère, il a promis de faire attention à l'avenir...

Mais c'est là un serment d'ivrogne et, en quittant Laeken pour l'Autriche, Louise, en dépit des encouragements maternels, sait déjà qu'elle n'aimera jamais l'homme qu'elle a épousé et que le devoir conjugal sera toujours •our elle ce qu'il est : un devoir, justement, et fort .ésagréable...

Au Palais Cobourg, à Vienne, comme dans les domaines ongrois de Philippe, la vie s'organise tant bien que mal. ;ynique, viveur, brutal et foncièrement égoïste, le mari a ite oublié les promesses d'un lendemain de noces. Il ne voit uère dans sa jeune femme qu'un joli animal qu'il a plaisir retrouver le soir dans son lit quand toutefois il ne passe •as la nuit chez les Tziganes, chez Sacher, ou chez l'une de es nombreuses maîtresses. Ce dont d'ailleurs Louise se oucie peu ayant plutôt tendance à bénir lesdites maîtresses ui la débarrassent momentanément de son bourreau.

Mais comme il veut qu'elle lui fasse honneur, Cobourg a ntrepris de donner à Louise une éducation d'un genre •articulier, indispensable à son sens pour tenir dignement a place à ses côtés. Louise apprend à demeurer des heures . table, à distinguer un bourgogne d'un bordeaux, à boire ans rien perdre de sa dignité et à supporter d'un front erein les plaisanteries souvent salées de son seigneur et naître. Il l'initie à la bonne chère et aux lectures... bizarres nais cela ne l'empêche pas d'être jaloux et, pour deux alses dansées avec le même cavalier à un bal, il lui fait une cène affreuse.

Ce n'est pas la seule et, à ce régime, le caractère, aturellement gai et aimable de Louise, s'affermit : elle pprend à se défendre et même à attaquer.

Pour se consoler, car elle n'aura jamais le goût des euveries, Louise découvre les joies de l'élégance. Très lépensière de nature, elle montre bientôt une passion éritable pour les toilettes, les chaussures et les accessoires u'elle assortit soigneusement à ses robes, mais surtout •our les fourrures et les bijoux. Naturellement pingre, 'hilippe n'en est pas moins obligé de payer pour ne pas bîmer son image de marque, auprès de l'Empereur d'une art, mais surtout du prince héritier, l'archiduc Rodolphe ui est devenu, une fois l'âge adulte atteint – il a exactement le même âge que Louise – son compagnon le plus habituel de plaisir et de chasse : les deux hommes se sont rencontrés un beau soir chez Sacher et Cobourg s'est fait, bien volontiers, l'initiateur de son jeune cousin pensant ainsi se l'attacher par le lien des souvenirs pour le jour où il sera empereur...

Or, si Rodolphe apprécie les talents de chasseur et de fêtard de son cousin, il s'est pris d'une assez tendre affection pour Louise. La maternité – elle a deux enfants, Louise et Dorothée, fruits inconscients des désastreuses nuits conjugales – l'a épanouie. Elle a l'éclat d'un Rubens sans en avoir encore les débordements de chair, et son élégance, que l'on cite partout, en font l'une des femmes les plus séduisantes de Vienne. Des plus courtisées aussi et Rodolphe joue sa partie dans ce concert masculin. Comme il ne manque pas, lui non plus, de charme, il est possible ?000l ait été celui qui réconcilia Louise avec l'amour. Sans qu'il y ait jamais eu de preuves, mais la suite de l'histoire l'indique assez clairement.

En 1880, quand il est question de marier l'archiduc, c'est Louise qui influence le destin.

« Va voir ma sœur. Elle me ressemble. Elle te plaira... »

Il faut qu'elle soit bien certaine de ce qui peut plaire ou ne pas plaire au prince... A Laeken, en effet, le roi Léopold a encore deux filles : Stéphanie et Clémentine dont la première approche l'âge du mariage. La seconde, Clémentine, en est encore loin, bien plus loin même qu'on ne pourrait le penser car elle devra attendre des années et des années, jusqu'après la mort de Léopold II, pour épouser l'homme qu'elle aime : un proscrit, le prince Victor Napoléon.

Le conseil de Louise séduit Rodolphe et, avec l'accord de son père, il se rend en Belgique où, effectivement, il demande la main d'une gamine de quinze ans ce qui permet à Léopold II d'ajouter à l'éclat des fêtes du Cinquantenaire de la Belgique en annonçant les prestigieuses fiançailles de sa fille avec l'héritier d'Autriche-Hongrie. Quant à l'impératrice Élisabeth, la célèbre Sissi qui chasse le renard en Angleterre, elle apprendra la nouvelle par un simple télégramme et, comme on lui fait remarquer que ledit télégramme n'annonce aucun malheur, elle se contente de soupirer, toujours optimiste : « Pourvu que cela n'en devienne pas un!... » Elle reviendra tout de même assister au mariage.

Celui-ci a lieu le 10 mai 1881, au milieu de la pompe fabuleuse habituelle aux Habsbourg. La petite Stéphanie porte une robe et une immense traîne tissées d'argent, des dentelles de Bruxelles et des bijoux somptueux : entre autres la fameuse parure d'opales et de diamants que portait Elisabeth au jour de son mariage avec François-Joseph.

Ce grand mariage met la princesse Louise à une place d'honneur et elle s'efforce de rassurer sa petite sœur, qui fait un peu moineau effrayé en face de ce déploiement de faste si éloigné des habitudes belges. Au moment où le jeune couple, qui doit passer sa nuit de noces à Laxenburg, à quelques kilomètres de Vienne, se dispose à partir, elle murmure, consolante par avance :

« Courage, Steffie! Ce n'est qu'un mauvais moment à passer... »

Elle croit plaisanter. Rodolphe n'est pas une brute comme Philippe. Et pourtant...

Stéphanie est recrue de fatigue quand on arrive à destination. Elle n'a que seize ans et la journée a été écrasante. Aussi souhaite-t-elle trouver la maison paisible, douillette et feutrée dont rêvent tous les couples de jeunes mariés.

Malheureusement Laxenburg n'a rien d'un nid d'amoureux. Pas de confort. Des pièces froides, hostiles dans leur solennité... Pas une fleur! On s'est contenté apparemment de faire le ménage sans rien ajouter qui puisse embellir une nuit de noces. Et encore! L'ambiance de Laeken, toujours abondamment fleuri grâce aux serres, son confort moderne et sa propreté belge sont loin!...

Rodolphe, d'ailleurs, a commencé à grogner en arrivant. Il a houspillé les serviteurs, réclamé à souper. Un morne souper où les deux époux, trop fatigués, ne trouvent pas trois mots à se dire. Stéphanie se raidit, corsetée par son éducation de princesse royale, pour ne pas montrer sa déception. Où est passé le tendre compagnon des fiançailles qui lui faisait donner la sérénade?

Quand on se lève de table, Rodolphe se contente de déclarer, avec un sourire il est vrai :

« Je vais fumer un cigare dans la salle de billard. J'irai vous rejoindre tout à l'heure... »

Les heures qui suivent ne sont pas plus réussies. Habitué, comme Philippe, à des maîtresses averties, Rodolphe a trouvé sa petite Belge charmante mais trop couventine. Il aurait fallu beaucoup de douceur et de patience pour amener cette enfant affolée à l'instant crucial où la jeune fille devient femme. Mais Rodolphe n'a aucune patience et, surtout, il n'est pas amoureux. Cette nuit n'est pour lui qu'une formalité et il s'en acquitte assez cavalièrement.

Au matin, Stéphanie n'ira pas pleurer dans la serre mais elle a découvert que son époux ne lui porte qu'un sentiment fort tiède alors qu'elle en est vraiment éprise... En fait, elle n'arrivera jamais à le comprendre, ni à être comprise de lui, mais qui pourrait lui en faire le grief?

Instable, d'une intelligence certaine mais tournée vers l'impossible, Rodolphe que sa mère, à dix-sept ans, a mené chez Louis II de Bavière et qui s'en est engoué, a le goût de la mort, de la violence aussi et il déteste d'instinct tout ce que Stéphanie a appris à admirer : la royauté, le devoir, les principes rigides, les convenances. Ses idées avancées, révolutionnaires même inquiètent l'Empereur autant que ses fréquentations, ses trop nombreuses maîtresses ainsi que son goût pour certains vices. Il y a en lui un perpétuel désir de tuer qui s'assouvit continuellement sur le gibier passant à portée de son fusil. Et à Laxenburg déjà il se livre, sous les yeux horrifiés de sa jeune femme, à de véritables hécatombes.

Deux ans après le mariage, Stéphanie accouchera d'une fille mais restera fragile et, vraisemblablement, ne pourra plus avoir d'enfant. Le ménage s'en ira lentement à vau-l'eau en dépit des efforts de Stéphanie qui accepte, sans jamais se plaindre, toutes les corvées de cour que refusent son mari et sa belle-mère. Cela lui vaudra l'affection de François-Joseph. Elle est, comme lui, une bonne ouvrière du Trône et il admire en silence le courage de cette jeune femme en face d'un protocole écrasant et de manifestations fastidieuses. Stéphanie essaiera aussi de rapprocher Rodolphe de son père mais sans y parvenir. Son influence sur son époux est nulle et les scènes entre eux sont fréquentes : un soir Rodolphe, qui boit comme une éponge, lui proposera de se tuer avec lui...

Parfois, une éclaircie se produit dans les relations du ménage. Ainsi ce jour de 1886 ou, en compagnie de Louise et de Philippe, le couple inaugure, dans l'intimité, le nouveau pavillon de chasse de Mayerling, aux environs de Vienne. Ce jour-là, tout le monde est gai, détendu. Rodolphe est charmant. Philippe est aimable. Ce pourrait être, pour les deux couples, le beau temps : ce n'est qu'une éclaircie...

Le comportement de Rodolphe, dont elle est toujours très proche, inquiète Louise. Et plus encore lorsqu'il noue une intrigue bientôt connue de tout Vienne, avec la jeune baronne Vetsera pour laquelle il se prend d'un caprice violent mais qui, pourtant, ne lui fait pas délaisser ses autres maîtresses. Entre autres l'actrice Mitzi Kaspar avec laquelle il passe souvent ses nuits. La jeune Marie éclate d'orgueil et affiche sans vergogne son triomphe en face de Stéphanie qui le supporte mal.

Pourtant, Louise ne la croit pas si dangereuse cette Marie. Rodolphe, elle le sait, a de plus graves soucis : ses relations avec la Hongrie, au bord de la révolte, sont étroites et Philippe, qui a des terres là-bas, y est mêlé. Est-ce pour cela que l'archiduc vient souvent au palais Cobourg où il s'attarde auprès de Louise quand le mari n'est pas là? Il a même dit un jour à sa cousine, en lui désignant discrètement Marie Vetsera :

« Ah! si quelqu'un pouvait m'en débarrasser! »

C'est néanmoins celle-ci qu'il emmène secrètement à Mayerling quand il y part, avec Philippe de Cobourg et le comte Hoyos, le 26 janvier 1889, pour une partie de chasse qui s'achèvera, le 30, de la manière que l'on sait.

Quand la nouvelle de la double mort arrive à Vienne, portée sur les plus folles hypothèses, Louise de Cobourg est encore au lit. On vient alors lui dire que son mari a tué l'archiduc dans une crise de jalousie. Et elle va y croire... La première version qui court, en effet, est celle de l'assassinat et vingt noms de maris trompés voltigent. Dont celui de Philippe... qui, pourtant, la dernière nuit, n'était pas à Mayerling officiellement.

Sans doute Louise ne croira pas longtemps au meurtre commis par son époux mais l'énigme de la double mort ne va pas moins achever de relâcher les liens conjugaux entre la princesse et le prince de Cobourg. Philippe, en effet, sait la vérité mais il refusera toujours de la révéler à sa femme.

« L'Empereur m'a fait jurer de ne jamais rien révéler... »

Louise trouve cette attitude commode. Puérilement peut-être, elle s'obstinera à voir quelque chose de suspect dans le rôle joué par son époux dans cette sombre affaire. Mais une chose est certaine : elle sera fort utile à Philippe de Cobourg quand sera venu le temps du combat ignoble et inhumain qu'il livrera, durant ses années, à sa femme...

Six ans après Mayerling, en effet, Louise qui a perdu beaucoup de son goût de vivre rencontre, au Prater, un beau cavalier, un officier de hussards croate, le comte Mattachich, qui se fera présenter à elle, quelque temps après, à Abbazia, chez Stéphanie.

C'est le début d'une grande passion, d'un étonnant amour romantique et obstiné auquel rien ne manquera :

les poursuites, les enlèvements, les duels, l'internement de Louise dans plusieurs maisons de fous, le tout avec la bénédiction de François-Joseph qui n'a rien à refuser au prince de Cobourg puisque celui-ci détient le secret de Mayerling.

Durant des années, Cobourg refuse le divorce pour l'excellente raison qu'il escompte l'héritage de Léopold II, devenu grâce au Congo le roi le plus riche d'Europe. Il faudra qu'il soit bien certain que Louise est déshéritée par un père aussi inhumain que lui, pour renoncer. Mais ceci est une autre histoire...

Saint-Mandé, 7 juillet 1982.

BIBLIOGRAPHIE SOMMAIRE

G. CONTENAU : *La Vie quotidienne à Babylone et en Assyrie*, Hachette, Paris, 1953.

E. DHORME : *La Littérature babylonienne et assyrienne*, Paris, 1937.

J.-G. FRAZER : *Le Rameau d'Or*, Robert Laffont (« Bouquins »), Paris, 1981.

Ch. de BARTILLAT : *La Civilisation aux ailes de briques*, Albin Michel, Paris, 1980.

J. HUREAU : *L'Égypte d'aujourd'hui*, Éd. J.A., Paris, 1980.

L. COTTRELL : *Les Épouses des Pharaons*, Robert Laffont, Paris, 1968.

Jean DUCHÉ : *Histoire du Monde*. Tome I. *L'Animal vertical*, Flammarion, Paris, 1958.

– *La Mythologie racontée à Juliette*, Robert Laffont, Paris, 1971.

Mario MEUNIER : *La Légende dorée des dieux et des héros*, Club français du Livre, 1960.

La Première Fois. Divers auteurs. Ramsay, Paris, 1981.

P. MIQUEL : *Les Faiseurs d'Histoire*, Fayard, Paris, 1981.

Janine ASSA : *Grandes Dames romaines*, Le Seuil (« Le Temps qui court »).

René GUERDAN : *Vie, Grandeur et Misère de Byzance*, Plon, Paris, 1954.

Charles DIEHL : *Impératrices de Byzance*, Livre Club du Libraire, 1960.

Jean HÉRITIER : *Catherine de Médicis*, Fayard, Paris, 1963.

Jacques SAINT-GERMAIN : *Louis XIV secret*, Hachette, Paris, 1970.

Philippe ERLANGER : *Louis XIV*, Arthème Fayard, Paris, 1965.

– *Le Massacre de la Saint-Barthélemy*, Gallimard, Paris, 1960.

– *Monsieur, Frère de Louis XIV*, Hachette, Paris, 1970.
– *La Monarchie Française, du Roi-Chevalier au Roi-Soleil*, Gallimard, Paris, 1955 et Tallandier, Paris, 1975.
Charles TERRASSE : *François Iᵉʳ, le Roi et le Règne*. T. I, Grasset 1945. T. II, Grasset, 1948.
J.B. MOLIER : *Rituel du mariage en France du XIIᵉ au XVIᵉ siècle* Beauchesne-Croit.
Ivan CHARLES : *Catherine de Médicis*, Fayard, Paris, 1979.
Maurice ANDRIEUX : *Les Médicis*, Plon, Paris, 1958.
Maurice DONNAY : *La Reine Margot*, Fayard, Paris, 1946.
BRANTOME : *Les Dames galantes*, Livre de Poche, 1975.
Princesse PALATINE : *Une Princesse allemande à la Cour de Louis XIV*, 10/18, Paris, 1962.
Duc de CASTRIES : *Maurice de Saxe*, Fayard, Paris, 1963.
Claude PASTEUR : *Le Prince de Ligne*, Librairie Académique Perrin Paris, 1980.
G. DUBY : *Le Chevalier, la Femme et le Prêtre*, Hachette, Paris 1981.
G. LENOTRE : *La Petite Histoire « Femmes »*, Grasset, Paris 1933.
F. HACKETT : *Henri VIII*, Payot, Paris, 1930.
J. CASTELNAU : *La Reine Margot*, Payot, Paris, 1930.
G. SLOCOMBE : *Henri IV*, Payot, Paris, 1930.
G. BORDONOVE : *Les Rois qui ont fait la France : Henri IV, Louis XIII*, Pygmalion, Paris, 1980 et 1981.
Louis VAUNOIS : *Vie de Louis XIII*, Grasset, Paris, 1943.
Armand BASCHET : *Le Roi chez la reine*, Plon, Paris, 1866.
André CASTELOT : *Les Battements de Cœur de l'Histoire*, Le Livre Contemporain, Paris, 1960.
– *Napoléon Iᵉʳ*, Librairie Académique Perrin, Paris, 1968.
Jacques LEVRON : *Le Maréchal de Richelieu*, Librairie Académique Perrin, Paris, 1971.
Paul GUTH : *Saint Louis, roi de France*, Bloud et Gay, 1961.
Duc de LEVIS MIREPOIX : *La France féodale*, Tallandier, Paris, 1974.
– *Les Trois Femmes de Philippe Auguste*, Librairie Académique Perrin, Paris.
– *Le Roi n'est mort qu'une fois*, Librairie Acédémique Perrin, Paris, 1965.
Historia (hors série n° 44) « Le Roman du mariage ».
Alfred FRANKLIN : *La vie privée au temps des premiers Capétiens*, Émile Paul, 1911.
Edmond FARAL : *La Vie quotidienne au temps de saint Louis*, Hachette, Paris, 1938.

Jean LUCAS-DUBRETON : *Les Borgia*, Arthème Fayard, Paris, 1952.
J. COLLISON-MORLEY : *Histoire des Borgia*, Payot, Paris, 1934.
Maria BELLONCI, *Lucrèce Borgia*.
Charles YRIARTE, *César Borgia, sa vie, sa mort*, J. Rothschild, 1889.
J. RODOCANACCHI : *Une cour princière au Vatican*, Hachette, Paris, 1923.
Pierre de NOLHAC : *Louis XV et Marie Leszczynska*, Calmann-Lévy, Paris, 1904.
Pierre GAXOTTE : *Le Siècle de Louis XV*, Arthème Fayard, Paris, 1966.
Pierre RICHARD : *La Vie privée de Louis XV*, Hachette, Paris, 1954.
Maréchal de VILLARS p.p. de VOGUE, S.H.F., 1891.
Mémoires de Constant, Albin Michel, Paris, 1909.
Mémoires de la Reine Hortense, Paris, 1927.
Frédéric MASSON : *Napoléon et les femmes*, Paris, 1921.
– *Napoléon et sa famille*, Paris, 1907.
Charles KUNSTLER de l'Académie française : *Napoléon et l'Empire*, Hachette, Paris, 1969.
Jules BERTAUT : *Marie-Louise, Impératrice de France*, Tallandier, Paris, 1972.
F. ALTHEIM : *Attila et les Huns*, Payot, Paris, 1952.
Marcel BRION : *Attila*, Gallimard, Paris, 1959.
Alain DECAUX de l'Académie française, *Histoire des Françaises*, Librairie Académique Perrin, Paris, 1972.
RIGORD (le moine) : *Gesta Philippi-Augusti*, Paris, 1854.
DELISLE Catalogue des Actes de Philippe-Auguste, Paris, 1896. Slatkine Reprints, Genève, 1975.
Guy BRETON : *Histoires d'Amour de l'Histoire de France*. 12 vol., Presses de la Cité, Paris, 1973.
Paule HENRY-BORDEAUX, *Louise de Savoie*, Plon, Paris, 1954.
FLEURANGES (Robert de la Marck, sire de) : *Histoire des choses mémorables advenues du règne de Louis XII et François Ier*, Petitot, Paris, 1826.
Robert COURAU : *Histoire pittoresque de l'Espagne*, T.I et II, Plon, Paris, 1962.
Jean DESCOLA : *Histoire d'Espagne*, Fayard, Paris, 1959.
François PIETRI : *Pierre le Cruel, le vrai et le faux*, Plon, Paris, 1961.
Prosper MÉRIMÉE : *Histoire de Don Pedro Ier, roi de Castille*, Charpentier, Paris, 1848.
Pierre de GORSSE : « Une maîtresse royale à la cour de Castille »,

Histoire pour tous, n° 160.
Morel FATIO : *Histoire d'Espagne des XVIe et XVIIe siècles,* Paris, 1879.
John de STUERS : *La Dynastie des Habsbourg,* Genève, 1946.
Princesse Louise de BELGIQUE : *Autour des trônes que j'ai vus tomber,* Albin Michel, Paris, 1921.
Comtesse LARISCH : *Les Secrets d'une maison royale,* Payot, Paris, 1949.
Gerty COLIN : *Les Châtelaines de Laeken,* Robert Laffont, Paris, 1963.
Comte Egon CORTI : *Elisabeth d'Autriche,* Payot, Paris, 1936.
Henri VALLOTON : *Elisabeth d'Autriche, l'impératrice assassinée,* Fayard, Paris, 1939.
Guy CLAISSE : *Les Suicidés de Mayerling,* Les Amis de l'Histoire, 1968.
Michel GEORIS : *Les Habsbourg,* Rencontre, Lausanne, 1962.
Dominique AUCLÈRES : « Louise de Cobourg, la princesse captive », *Histoire pour tous,* n° 97.
Arnaud CAFFANJON : *Histoires de familles royales,* T. I et II, Ramsay-Images, Paris, 1980.
– *Grandes Familles de l'Histoire de France,* Albatros, Paris, 1980.
– *Napoléon et l'Univers impérial,* Serg, 1963.
Paul MORAND : *La Dame blanche des Habsbourg,* Laffont, Paris, 1963.
Georges POISSON : *Cette curieuse famille d'Orléans,* Librairie Académique Perrin, Paris, 1976.

TABLE DES MATIÈRES

Cet ouvrage
reproduit par procédé photomécanique
a été achevé d'imprimer en avril 1984
sur les presses de l'Imprimerie Bussière
à Saint-Amand (Cher)

— N° d'édit. : 2082. — N° d'imp. 431. —
Dépôt légal : mai 1984.
Imprimé en France